na fejsie
z moim synem

JANUSZ L. WIŚNIEWSKI
IRENA WIŚNIEWSKA

na fejsie
z moim synem

HISTORIA SU®REALISTYCZNA

Redaktor prowadzący
Piotr Woliński

Redakcja
Agnieszka Zielińska

Redakcja techniczna
Barbara Runowicz

Korekta
Jadwiga Piller
Maciej Korbasiński

Niniejsza książka jest pierwszym tytułem
wydanym przez wydawnictwo Wielka Litera.

Wielka Litera Sp. z o.o.
02-953 Warszawa, ul. Kosiarzy 37/53

Skład i łamanie
Piotr Trzebiecki

Druk i oprawa

CPi
MORAVIA BOOKS
www.cpi-moravia.com

Oprawa twarda
ISBN 978-83-63387-00-6

Oprawa miękka
ISBN 978-83-63387-01-3

Wszystkie postacie, miejsca i wydarzenia pojawiające się na kartach tej książki są fikcyjne, a ich ewentualne podobieństwo do faktów, miejsc lub osób istniejących w rzeczywistości jest zupełnie przypadkowe.

Chociaż takie przypadki się zdarzają…

Irena Wiśniewska (*1914 – †1977)

20 kwietnia 2011 roku. Moje urodziny.

Dzisiaj w Piekle były urodziny Hitlera.
I się synuś działo. Bo to przecież u nas wydarzenie ważne i w rzeczy samej celebracji godne. Bo Adolf H. jak mało kto zasługami swoimi Piekło rozpowszechnił. Powiedziałam im, że mnie to bardzo interesuje, bo Hitler mi największą miłość odebrał, ale kolejną spotkać pozwolił. O wiele ważniejszą. I że ja Hitlerowi wiele zawdzięczam. Chyba najwięcej w życiu. I dlatego urodziny Hitlera obchodzę. Ale inaczej zupełnie. Nie w jakiejś orgii radości. W spokoju i z nostalgią. I dlatego, jak powiedziałby mój mąż Leon Wiśniewski, syn Leona, „niech spierdalają ze swoją akademią". A on przeważnie co mówi wiedział, chociaż często grubiańsko to wyrażał.

I właśnie wczoraj coś mnie tak mocno i dotkliwie tknęło, że „podłączyć się" do Ciebie na Fejsie postanowiłam. I podłączyłam. To znaczy Ty mnie podłączyłeś. Pod jakimś numerem powyżej trzy tysiące kilkaset na liście Twoich „przyjaciół" fejsowych.

I potem mi pisałeś, że zawsze byłeś przy mnie w czasie urodzin. Nawet gdy Ciebie dzisiaj nie było. Bo byłeś daleko, ale i tak byłeś. I że się cieszysz, bo brakowało Ci mnie. A czasami to Ci tak mnie brakuje, że Cię aż boli. I że świece lub znicze mi w Toruniu na grobie zapalasz, a jak kwiaty kupujesz, to tylko róże białe. I gdy w Zaduszki Cię w Toruniu być nie może, to wieczorem płoty innych cmentarzy w krajach różnych przeskakujesz, na różnych kontynentach, i tam świece mi zapalasz. Oraz się za mnie modlisz. I za ojca, i za babcię Martę, i nawet za dziadka Brunona, który w domu klasówki z matematyki Ci nieustannie robił. Ale najdłużej i ze łzami w oczach Twoich smutnych się za mnie modlisz, bo wtedy największą bliskość czujesz. I płakałeś chyba, albo piłeś, albo płakałeś i piłeś jednocześnie, bo w prawie każdym Twoimi dłońmi słowie napisanym jakieś „literówki" były.

Co Ty synku bredzisz? Ja wiem, Nuszku, że Ty zawsze byłeś. Wczoraj także. I wiedz, że nigdy nie byłeś za daleko. Zawsze byłeś najbliżej. Od chwili najpierwszej. Gdy mi Cię z brzucha wycięli i po wybudzeniu z narkozy na piersiach moich obrzmiałych położyli, to mi aż dech zaparło. I to nie z powodu siły grawitacji, ale z powodu miłości, synuś. Bo tak do utraty tchu się w Tobie zakochałam. Główkę Twoją łysą i bardzo niekształtną, bez włosa jednego, milimetr po milimetrze całowałam i dotykiem warg miłość Ci wyznawałam bez słowa jednego. Leon wieczorem po służbie z bukietem leśnych kwiatów, które na łące zerwał, i z tabliczką czekolady do szpitala przyszedł – wpuścili go jedynie po wielkiej znajomości, ponieważ w służbie zdrowia pracował – i przy nas na skraju łóżka usiadł. I na Ciebie przez łzy patrzył i dłonie moje obie całował i za urodzenie mu Ciebie słowami czułymi mi dziękował. I ja wtedy taką jedność ze światem całym poczułam. Ja w sobie – w owym momencie – dopaminy nie miałam. Ja tą dopaminą synuś w tym momencie po prostu byłam. Przez chwilę wrażenie, że mi się spirala DNA prostuje, miałam. Wzruszenie niezwykłe i trzepot skrzydeł kolorowych motyli w dopiero co rozciętym i bardzo ciągle obolałym brzuchu poczułam. I to tak mocno, że pęknięcia szwów przez chwilę się poważnie obawiałam. Nigdy nie byłeś za daleko. Nigdy! Ja to synku wiem i abyś Ty to wiedział pragnę...

Nusza, Nuszku, Nuszeńko, Nuszątko, synku mój ukochany, dzisiaj stary jesteś.

Gruby i brzydki.

Twój ojciec w Twoim wieku o wiele lepiej wyglądał. Geny pewnie lepsze miał. Chociaż to dziwne, bo geny z jego genów mieć powinieneś. Nieważne. Leon, Twój Ojciec, zawsze mnie kręcił, więc pewnie sprawiedliwa nie całkiem jestem. Ty także mnie kręciłeś. Ale w zupełnie innym kontekście, synuś. W każdym razie coś z tym zrób. Wyładniej. Schudnij. Zadbaj o siebie. I nie pij aż tyle. Twój Ojciec pił dużo, ale chudł od tego. A Ty tyjesz chyba. Mówią tutaj w Piekle, że pisarze nienormalnie dużo piją. Ale co z Ciebie synuś za pisarz? Ty żaden pisarz nie jesteś. I tak im w zgodzie z sumieniem i przekonaniem swoim odpowiadam. Nusza mój żaden pisarz nie jest. On od wiele ważniejszych rzeczy jest. Bo pisanie niepoważne jest. Pisać każdy może, ale dłubać w tej chemii to nie każdy potrafi. Uczyć się tego trzeba. Długo. A uczyć się nie każdy chce. Ale Ty, synuś, zawsze chciałeś. Wszystko wiedzieć chciałeś. Zrozumieć wszystko chciałeś. Bo im się więcej wie, tym mniej się człowiek boi. Twój ojciec Tobie i Kazikowi to kiedyś powiedział i wy chyba to pojęliście.

Ty jesteś „niekażdy". Zawsze byłeś „niekażdy". I dlatego zawsze bałam się o Ciebie.

Dziwnie mi pisać „Ciebie" wielką literą. Bo Ty ciągle mały dla mnie jesteś. Malutki. Kruszyna taka.

Nuszek mój ukochany…

Ale w listach tak się pisze. Z szacunku chyba albo z przyzwyczajenia. Chyba bardziej z przyzwyczajenia. Bo gdy ja pisałam listy do Ciebie, jak w technikum byłeś, to nie pisałam wtedy wielką literą. Małą pisałam. Bo wtedy bliższy mi byłeś. A teraz to jesteś jakiś taki poważny. Wyhabilitowany, wydoktorowany, w telewizorze Cię pokazują i w gazetach drukują. W Piekle się o tym mówi. Bo to próżność ogromna. I pokusa, i zepsucie. I to dla Piekła jest wiadomość dobra. Bo tacy tutaj przybywają zdecydowanie częściej niż ci wyciszeni, co to tylko akt urodzenia im wydali, czasami akt ślubu, a potem akt zgonu. A Tobie akty różne co kilka dni wydają. W gazetach, w portalach i na Fejsie.

U nas w Piekle synuś to Fejs ostatnio *en vogue* bardzo jest.
Tam się grzeszy masowo, regularnie i na dodatek publicznie, co zachętą się jawi. Na Fejsie grzech jest siłą przewodnią. A najbardziej przewodni pierwszy z listy B7, co na angielski rozwinięte Big Seven oznacza, a na nasz prosty polski Wielka Lista Siedmiu (WL7) się tłumaczy, czyli pychą albo próżnością się nazywa. A pamiętać synku musisz, że ja jeszcze za Gierka umarłam, gdy siła była albo siłą w generatorze, albo „wrogą siłą", ale przede wszystkim „siłą przewodnią". Facebook w Piekle jest kultowy i szanowany. Jak pewny płatności inwestor. Zdobywa tu u nas nagrody w konkursach wszelkich, a w kategorii „technologia w służbie Piekłu" od kilku lat jest niepokonany. Bo u nas wszystko, co grzech ziemski masowo i skutecznie rozprzestrzenia, szanuje się i docenia. A Fejs nam, Piekłu, grzech generuje energią porównywalną z tsunami. I to za darmo zupełnie. Istnieją oczywiście krytycy nie do końca zadowoleni, ale tacy są zawsze. Ponieważ przywalić „utworowi" nie mają powodu żadnego, więc w bezsilności swojej „autorowi" przywalają. Tak najłatwiej przecież jest.

Co ja Ci synuś dużo mówić będę. To Cię synuś przecież spotkało i spotyka, więc sam najlepiej wiesz. Złą książkę napisałeś, ponieważ: obciachowe wąsy zapuściłeś, z prowincji pochodzisz, wykształcenia humanistycznego żadnego nie posiadasz, po polsku pisać nie potrafisz, erotomanem jesteś i do tego onanistą zafiksowanym na menstruacyjnej krwi kobiecej, w Niemczech mieszkasz, więc Polski, Polek oraz Polaków za grosz zrozumieć nie jesteś w stanie. A tak w ogóle to za bogaty jesteś, bo u Ciebie w książkach wszyscy z laptopami od lotniska do lotniska biegają i pierwszą klasą w samolotach latają, zamiast w pocie czoła i smrodzie niemiłosiernym obcasy do kaloszy w fabrykach przyklejać.

W przypadku utworu pod tytułem *Facebook* autora o nazwisku Zuckerberg się czepiają. Pomysłodawcy i założyciela. Żydostwo przede wszystkim i tendencje masońskie mu zarzucając. Chciałby świat w sieć rodzinno-towarzyską połączyć i panowanie nad nim posiąść, a potem to panowanie do Piekła przenieść. Ja Cię synuś w tym momencie za wulgarność przepraszam, ale jak Leon powiadał, „niech te belzebuby spierdalają".

Różne sugestie optymalizacji Fejsa proponują i do różnorakich komisji o dofinansowanie swoich projektów wnoszą. Chcieliby funkcje Fejsa rozszerzyć i bardziej ku potrzebom Piekła dostosować. Na przykład opcję „Nienawidzę tego" pod postami wprowadzić (co rzekomo poziom negatywnych emocji i agresji podwyższyć by miało) albo obok opcji „Pokaż wszystkie komentarze" opcję

„Pokaż tylko negatywne komentarze" umieścić, co podobny skutek by miało. Ja tam w petycji przeze mnie osobiście prawą ręką podpisanej zdecydowanie się temu sprzeciwiłam, ponieważ to prawdziwego obrazu życia na ziemi ukazać nie potrafi i tylko Niebu służyć może. Ludzie się od Fejsa odłączyć zdecydują, bo z natury Dobro nad Złem ciągle przewagę wśród ludzi posiada i prawdziwy obraz życia na ziemi zniekształcić by mogło. A to w długiej perspektywie Piekłu nie służy i tylko krótkofalowe zyski przynieść by mogło, a Piekło na długofalowe prognozy nastawione być winno i „spekulacyjnej bańki grzechu" wydmuchiwać nie może. Ponieważ wielkim kryzysem zakończyć by się to mogło, o czym ostatnie wydarzenia na ziemi zaświadczają w rozciągłości całej. Ale analizy aktywności na Fejsie ku pozytywnym i radosnym generalnie wnioskom mnie skłaniają. Szczególnie jednemu.

Bo Ty synku prosto ku Piekłu zmierzasz.

Tak mówią tutaj po kątach. A ja się cieszę. Bo wiem, że do Nieba pójść byś nie chciał. Bo tam nudno, prawda? Tobie zawsze i wszędzie po krótkim czasie nudno było. Zapalałeś się do czegoś, dowiadywałeś się o tym jak najwięcej i potem jak przestarzałą zabawkę lub niepożądaną już więcej niewiastę porzucałeś. Do normalnej szkoły w Toruniu pójść nie zechciałeś. Bo to nudne i świata przez to poznać nijak nie można. Dlatego do technikum podróżniczego, co oficjalnie inaczej się nazywało, egzaminy w trudzie zdałeś i w moim mniemaniu na koniec świata poszedłeś. Tam gdzie diabeł mówi dobranoc.

Krzywdę mi tym technikum uczyniłeś. Ogromną krzywdę. Porzuciłeś mnie, synuś. Nigdy Ci tego nie mówiłam, ale teraz Ci powiem. Opuściłeś mnie. Zostawiłeś. Zostawiłeś mnie w takiej tęsknocie, że no nie wiem, jak to napisać, ale ogromnej. Nie potrafiłam się z tego otrząsnąć. Przez pięć lat nie potrafiłam. Od 31 sierpnia 1969 do 26 czerwca 1973. I pisałam Ci o tym. Każdego dnia Ci pisałam. Przez pięć lat. Gdyby nie te listy i polska poczta, byłoby mi na tamtym świecie nieznośnie. Nie do wytrzymania byłoby mi. A tak sobie popisałam wieczorem i było mi lepiej. Twój ojciec to dobry człowiek był, tyle że gruboskórny. Pragmatyk. Chociaż Polak. Powiedział mi, że moje listy na śmietnik wyrzuciliście. Bo za dużo ich, bo całą walizkę by zajęły, bo niby po co. On czasami nad przejechanym kotem przez trzy dni i trzy noce płakać potrafił, a na pogrzebach sióstr własnych jednej łzy nie uronił. Bo niby po co? Był nieprzewidywalnie nieprzewidywalny. Do końca nie wiedziałam, co może mnie przy nim spotkać.

Bo Twój Ojciec tajemnicę kobiety poznał.

Niezwykle prostą. Nie zdradzać swoich sekretów do końca. Nigdy nie wiedziałam wszystkiego o Twoim ojcu. I dlatego pew-

14

nie trwałam przy nim. Bo wiedzieć o nim wszystko chciałam. Jak to kobieta. Gdy umierałam, ciągle nie wiedziałam o nim wszystkiego. I może być, że dlatego nawet dzisiaj, tutaj, nadal mnie fascynuje...

Spotykam go czasami. Bo on także tutaj jest. Bo gdzie miałby być. Pijak, krnąbrny ateista i rozwodnik do tego. Tylko tutaj. Ale nawet tutaj jest na czarnej liście. Bo się stawia i zadaje trudne pytania. I niczego się nie boi. Bo on w Stutthofie przestał się bać. I pieców, i płomieni, i zła. Tutaj całe cierpienie jest zbudowane na lęku. Że wiecznie będzie boleć, że nie ma nadziei, że trzeba odpokutować tysiącami lat za kilka sekund zapomnienia. A Twój ojciec się tego nie boi. Chodzi sobie po zakamarkach i opowiada wszystkim, że w dupie to ma.

Twój ojciec był zawsze na czarnej liście. Najpierw, bo był Polakiem. Potem, bo był Polakiem nie po tej stronie. Potem, bo nie chciał być Polakiem czerwonym. Potem, bo nie chciał być Polakiem czarnym. Potem, bo gardził ZBoWiD-em. Z tym ZBoWiD-em to była jakaś jego chora obsesja. Ty za mały byłeś, aby to zarejestrować i zrozumieć, a on sobie postanowił nie obnosić się ze swoim życiorysem. O Stutthofie nawet swoim najbliższym mało mówił, prawie nic. Więc tym bardziej nie uważał, że powinien o tym opowiadać innym. Ci „działacze", do „kości zbowidziali", jak ich nazywał, nieustannie go kusili. Legitymację mu dawać chcieli, bilety na tramwaje i pociągi miałby zniżkowe, obiecali, że w kolejkach po mięso nie będzie musiał stać, że synom w przyszłości „wygodniej" będzie, że większe deputaty na węgiel dostanie, że w domach wczasowych nad morzem z rodziną będzie mógł się byczyć. A on nie i nie. Któregoś razu tak się zdenerwował, że swój numer na ręce ze Stutthofu zasmarował. Dał sobie na tym numerze co innego wytatuować, tak aby widać go nie było. Po pijanemu to zrobił. To prawda. Ale *immer hin*, jak z dumą po niemiecku sąsiadom opowiadała babcia Marta, która Twojego ojca szanowała, choć nigdy mu tego nie powiedziała. Bo nawet jej – na początku – to, że bękarty urodziłam z jego powodu, nie bardzo się podobało. Twój ojciec był politycznym daltonistą. I ta wada wzroku jego duszy mu przez całe życie psuła życie. Do samego końca.

A nawet jeszcze po końcu.

Pamiętasz, jak z Twoim bratem Kazikiem do księdza chodziliście, aby ojca pochował? Po prośbie chodziliście. Jak żebracy jacyś. Wasz ojciec się za Was wstydził, bo jego godność pomniejszano, chociaż wasze intencje doceniał. Leżał w kostnicy i robił się jeszcze bardziej zimny, niż był. Zamarzał tam na lód ze wstydu. A gdy Ty najpierw prosiłeś, a potem z kieszeni dolary wyciągałeś i płaciłeś, a potem zaklinałeś i błagałeś, „że to Twój ojciec i należy mu się godny pochówek", to on chował się w tym czasie w swoim wyimaginowanym krematorium, co to z obozu pamiętał, i niecierpliwie na pierwszy żar płomienia czekał. Aby spłonąć przed tym poniżeniem. I powiem Ci teraz, że ten ksiądz, który ojca pochować nie zechciał, wałęsa się tutaj między nami. I wszyscy nim gardzą. Bo nawet grzech tutaj u nas w Piekle godność swoją ma. A jego grzechy niegodne są nadzwyczajnie. A ojca Twojego niech raczej nie spotka. Tak byłoby dla wszystkich lepiej. Szczególnie jednak dla tego czarnego w sukience. Bo Leon nerwowy jest i gdy wypowiedzieć się nie może – bo wszystko już powiedział – to nieobliczalny się staje. A tutaj w Piekle nieobliczalność w cenie jest. Tutaj ceni się, gdy ludzie się słowami jak nożami lub brzytwami chlastają. Bo Piekło bardzo polskie jest. Tutaj, gdy ludzie słowami sobie krzywdę wyrządzają, to opowiada się o tym z uwielbieniem i podziwem. Takie piekiełko tu w naszym Piekle jest. Sam synuś przyznasz, że polskie bardzo. Dlatego Polakom tutaj łatwiej. Bo do Piekła już na ziemi przyzwyczaić się zdążyli.

À propos Polaków, synku. Syczą tutaj jadowicie, że Ty żaden Polak. Że Ty Niemiec jesteś.

Że się wrogom sprzedałeś. Dla pieniędzy się sprzedałeś. Bo mózg swój masz w Polsce wypełniony, a Niemcom za grosze go wypróżniasz. Że Cię Niemcy wydrenowali, bo mercedesem jeździć chciałeś. Tak tutaj nienawistnie syczą i ja się potem pozbierać nie mogę. Bo Ty synuś nigdy sprzedawczykiem nie byłeś. I jest

17

mi wtedy podwójnie źle. Bo ja Niemką jestem i czuję się z nimi
związana. Ale Polką jestem bardziej. Przy polskim hymnie płaczę.
Przy niemieckim tylko na baczność staję, co by inni widzieli.
I chodzą tutaj ludzie i takie bzdury o Tobie rozgłaszają. To mali
grzesznicy są. Kanalie takie. Zazdrośnicy i zawistnicy. Bo tutaj
w Piekle zła jest wiele. O wiele więcej niż w Niebie. A Czyściec
to moralna pustynia jest. Ani Zła, ani Dobra tam nie ma i nuda
tam śmiertelna dominuje. W związku z czym w Czyśćcu najwięcej
ludzi wpada w samozapomnienie.

Synuś. Bo Ty Niemcem nigdy nie będziesz, prawda?
Ty tylko tam mieszkasz, prawda? Bo tak Ci się, prawda, przydarzyło? Tylko tymczasowo, nawet jeśli to ponad dwadzieścia
lat już jest? Pytam tak, bo gdybym Twojego ojca Leona spotkała,
to chciałabym wiedzieć, aby mu prawdziwe Twoje przekonania
przekazać. On z natury ortodoksyjny nie jest. Sam pamiętasz, że
nigdy Cię Niemców nienawidzić nie uczył. Chociaż powody
liczne miał. Ani ja Cię Niemców kochać nie nauczyłam. Bo żadnych powodów nie miałam. Ale dobrze się z Niemcami czułam.
Nie opowiadałam Ci o tym. Pewnie nie. Bo czasy na opowieści
o Niemcach korzystne za bardzo nie były. Ale co by nie mówić,
od 1941 do lutego 1945 roku kelnerką byłam. W niemieckiej
tymczasowo Gdyni. W dystyngowanej restauracji o najwyższej

18

reputacji. Przychodzili tam Niemcy tylko. I nie jacyś zwykli Niemcy. Tych zwykłych nie było na to stać. Tam głównie SS-mani przychodzili. Ich stać na to było. A ja tam SS-manów lubiłam. Dżentelmeńscy byli, nigdy się nie upijali, nigdy nie dotykali ud moich, ogromne napiwki zostawiali. Nigdy nie przeklinali. I smakowicie przystojni byli. W tych swoich idealnie czystych – jak ich rasa – mundurach czarnych. A jak tańczyć synuś potrafili. Czasami, gdy wieczorami zbyt mało kobiet na sali bywało, to kierownik restauracji nam kelnerkom fartuchy ściągać nakazywał i tańczyć kazał. Więc z SS-manami z nakazu przełożonego tańczyłam. Czasami tango, czasami walca, a czasami poloneza. SS-mani poloneza uwielbiali. Był dla nich dostojny taki. A ja z najgłębszego przekonania i polskości mojej zawsze starałam się w trakcie poloneza jak najbardziej dostojna być. Bo gdy tak z SS-manem poloneza tańczyłam, to mi się Wyspiański kojarzył. Bo ja prosta chłopka, kelnerka z zawodu, z inteligentem, co Polskę posiadł, tańczę. Jak jakiś chochoł. A to przecież tango jest, Mrożkowe, taka parodia pełna pogardy dla Wyspiańskiego. Tak wtedy się synuś czułam, gdy cholernego poloneza z tangiem w głowie z gestapowcem tańczyłam. Dumna i polska bardzo… Podczas gdy z SS-manami tańczyłam, to im o Szopenie opowiadałam, chociaż oni przytulać się tylko do mnie chcieli. Ale oni o tym polonezie wszystko wiedzieli. Szopena znali i sens poloneza w pełni – ten patriotyczny także – rozumieli.

Przy czym żadnej nienawiści i złości w międzyczasie nie wyrażali. I ze mną tańczyli, jakby to na balu przed polską maturą było. SS-mani prawdziwi, co Ty ich na filmach widujesz. Niektórzy z nich na jednodniowym urlopie ze Stutthofu przebywali. Bo Stutthof to niedaleko od Gdyni jest. Może być, że rano ojca Twojego katowali albo przyjaciół ojca Twojego, a wieczorem ze mną poloneza dostojnie tańczyli. Może tak synuś być miało. Taki dziwny świat był wtedy. Bardzo dziwny. Całe szczęście, że dziwny. Bo gdyby nie był dziwny, to Twój ojciec nie przeżyłby Stutthofu. A ja nigdy bym go nie spotkała. Ale tak się zdarzyło, że go spotkałam. W Piekle mówią, że to jawna namowa do grzechu była. Do kolejnego grzechu.

Bo ja tutaj w Piekle jestem dla wielu przykładem grzesznicy z okresu Młodej Polski.

Bo ja jestem taka, że o mnie w „Bluszczu" by napisali. Tak mówią te starsze ode mnie i oczytane w literaturze rezydentki. Takie w wieku Twojej babci Marty lub babci Cecylii. Obu Twoich babć nie ma u nas w Piekle. Bo to cnotliwe kobiety były i niestety im się na Piekło załapać nie udało.

Ale do „Bluszcza" wróćmy. Nie w tym nowym bym była, co się na siłę do starego upodobnić chce, choć mu się nie udaje, ale w tym starym, prawdziwym. Wiesz synuś, o czym mówię, bo

„Bluszcz", ten nowy, Cię trochę skusił i się tam udzieliłeś. Raz, albo dwa, albo nawet trzy razy. Te młode grzesznice z przełomu wieków albo z końca dwudziestego wieku czasami siadają przy mnie i na ich prośbę opowiadam im, jak grzeszyło się w okresie międzywojennym. Muszę im tłumaczyć czasami, co to jest „okres międzywojenny". Bo niektóre to głąby okropne są. Niby maturę mają, ale głąby. Bo matura po wojnie na nierasowe psy zeszła. Twoja matura synuś także. Ale to tak na marginesie. Ale tym dziewczynom nie o okresy chodzi, tylko o szczegóły. Chcą wiedzieć, czy i wtedy facetom także tylko o to jedno chodziło i jak się „to jedno" wtedy robiło. Oczywiście, że i wtedy facetom także wyłącznie o to jedno chodziło. Bo niby o co miało im chodzić? I robiło się to także bardzo podobnie. Bo niby jak miało się to robić? Ale tego im w szczegółach nie opowiadam. Bo to moja najbardziej intymna rzecz jest i jak się zdradza taką tajemnicę, to jest to prostytucja największa. Każda kobieta jest w przybliżeniu taka sama. I każda kobieta robi to w przybliżeniu w taki sam sposób. I Ty to synuś wiedzieć musisz, bo parę lat masz i parę kobiet w międzyczasie w życiu swoim napotkałeś. Natomiast to, co różni jedną kobietę od drugiej, jest zawarte w tajemnicy tego, jak to na poziomie oddechu, szeptu, dotyku, westchnienia lub krzyku się odbywa. I co wydarza się przed. I co się po wydarza. Zresztą co ja Ci tłumaczyć synuś będę. Ty przecież to wszystko wiesz…

Opowiadam im o czym innym. Opowiadam im o moich mężczyznach w kontekście romantycznym. Te młode ten kontekst nie za bardzo rozumieją, ale ich uwagę momentami przykuwa. Najczęściej chcą słyszeć o Twoim ojcu, ale o moich mężach przed Twoim ojcem także.

O moim pierwszym mężu im tylko wzmiankuję, bo to nic ważnego w moim życiu nie było.

To zły mężczyzna dla mnie był, albo ja za młoda i nieodpowiedzialna byłam. Dla mnie zły, bo powinnam wiedzieć, że mężczyzna, który żyje z rzeźnictwa, książek nie czyta, kwiatów na urodziny kobiecie swojej nie kupuje, butów nie czyści, nigdy ładnie nie pachnie, oper nie słucha, na niewiasty krzyczy, obsikane kalesony nosi, tańczyć nie potrafi i na bilety do kina sknerzy, niczym zaimponować mi nie może. Czułam, że przy nim czas tracę, że swoją młodość w kuchni spędzę albo przy miotle, sprzątając nasze mieszkanie. Bo on chciał, aby ugotowane było, posprzątane, wyprane, wyprasowane, poukładane, odkurzone, wymyte, wypastowane, pościelone, wykrochmalone, wymaglowane i wypieszczone. Ale żeby on mnie pieścił, to nigdy. Światło w sypialni gasił, wchodził na mnie jak ogier na klacz i ciałem swoim otyłym pokrywał. Zadyszał kilka razy i to wszystko było. Ja cieszyłam się, bo mi szybko wielki ciężar – bo on wypasiony był – z piersi i z serca spadał. Na początku płakałam, bo to w końcu mąż i mu w kościele wierność do końca życia przysięgłam. Ale potem łez mi nie starczało, a gdy mu o miłości mówiłam, to nie wiedział, o co mi chodzi. Bo przecież wszystko miałam. I dom ładny, i pieniądze na sukienki, i szanowanego w sąsiedztwie mężczyznę, i czasu pod dostatkiem. I pewnie od nadmiaru tego czasu chimery mi do głowy przychodziły. I pewnego razu mi taka chimera do głowy przyszła. Do Bydgoszczy z koleżanką pojechałam, tuż przed Trzema Królami. Operetki chciałyśmy wysłuchać. Koleją pojechałyśmy, bo zima była taka, że drogi nieprzejezdne. Po operetce skrzypek, co w orkiestrze przygrywał, na ciepłą herbatę z imbirem do lokalu nas zaprosił. Nie mogłam na niego za długo patrzeć, bo taki piękny był, że aż dech mi zapierało. Moja koleżanka, panienka jeszcze, sama to widziałam, zęby na niego sobie ostrzyła od pierwszej minuty. Butem jego nogi pod stołem dotykała. Wiem to, bo czasami się myliła i moją pończochę swoim trzewikiem niszczyła. Ale on na mnie tylko patrzył i tylko mnie herbaty do filiżanki dolewał. Potem w pociągu powrotnym do Torunia grzeszyłam i tylko o skrzypku myślałam. Dokładnie tak samo jak moja koleżanka, która też grzeszyła, ale inaczej, mniej trochę, bo mężatką jeszcze nie była.

Najbardziej tutaj w Piekle te „młode" mój skrzypek interesuje. Mąż mój drugi. I jak on mnie całował bardzo je interesuje, gdy rozmarzenie lub zwyczajny brak chłopa ich najdzie. I gdy mi wtedy na opowieść prawdziwą śmiałości brakuje, to Klimta w swoją opowieść wplatam. Gustava, tego malarza, co obrazy swoje we Wiedniu malował w czasach, gdy babcia Twoja Marta ciągle młoda była, na przełomie dziewiętnastego i dwudziestego wieku, czyli dla Ciebie jak w historii odległej. A to, że babcia Marta podlotkiem kiedyś była, do uwierzenia trudne jest. No więc Klimt Gustav obraz pod tytułem *Pocałunek* namalował, co to u nas w Piekle w wielu galeriach wisi i grzeszność ludzką ma dokumentować. Że oprócz grzeszności to niby emblemat secesji jest i Monę Lizę przypomina. Mnie tam Leonarda za nic nie przypomina, ale to do rzeczy nic nie ma, bo piękno swoje niepowtarzalne w sobie nosi. Falliczny zdaniem krytyków jest, czyli na nasz polski „symbolikę prącia" w sobie zawiera, co samo w sobie przy scenie pocałunku uroczą obietnicą dalszego ciągu zachęca i kobiety prowokować może. Ja tam w *Pocałunku* Klimta żadnego prącia za diabła dostrzec nie mogę, ale ekspertem w tych sprawach nie jestem, bo tylko pięć prąci w życiu z bliska widziałam. Tylko trzech mężów miałam, a Twój i Kaziczka to się liczyć nie mogą, bo to w innym kontekście było. Więc tak naprawdę tylko trzy, więc jak sam synuś rozumiesz, żaden ze mnie specjalista w sprawie falliczności secesyjnego malarstwa jest. Chociaż sam Klimt megafalliczny był i ukryć się tego nie da. Czternaścioro dzieci po sobie na świecie zostawił, przy czym żadnego ze swoją prawowitą małżonką, bo takiej nie posiadał. Sperma i łono go niezwykle interesowały, łechtaczki prostytutek i modelek na płótnach lub grafikach swoich w dużym powiększeniu i ze szczegółami

24

wszelkimi obrazował, czym skandale nieustanne wywoływał. To akurat za dobre poczytać mu w Piekle można, pomijając, że to strategia marketingowa mogła być i ze szczerością twórczą nic do rzeczy nie miała. Wyświetliłam sobie ostatnio donosy na Klimta na naszej www.hellpedia.hell i wzruszył mnie niezmiernie, jak w swoich sandałach i brunatnej sutannie przepasanej białym sznurem malował. W Piekle u nas opowieści krążą, że pod sutanną zupełnie nagi był, co by modelki szybko i bez przeszkód penetrować mógł, ale to chyba tylko plotka, którą szmatławce powielają, aby do Klimta naród w Piekle przyciągnąć. W pewnym sensie to percepcji sztuki służy, bo jak już się do muzeum pójdzie i łechtaczki nastolatek na obrazach Klimta obejrzy, to może i jego krajobrazom, które też malował, czas się poświęci. Co w efekcie na poziom kultury Piekła wpłynąć może. To dla starych ważne nie jest, ale młodzieży bardzo przysłużyć się może. Klimt się w piekle nie za bardzo udziela, ale czasami na seminariach z neosinizmu wykłady prowadzi. Ten kierunek w malarstwie jest w Piekle bardzo popularny, bo od angielskiego słowa *sin* pochodzi, co na polski „grzech" znaczy. Ja tam na te wykłady regularnie chodzę, bo za życia na ziemi muzea, z braku czasu i ignorancji, zaniedbywałam, to teraz nadrobić chcę i w trendach awangardowych się połapać.

Ale poza tym malunki Klimta lubię, ponieważ on chętnie rude kobiety malował, co mnie trochę komplementuje, ponieważ zanim osiwiałam, sama ruda byłam i we wpływie czerwieni włosów kobiet na ich życie pewnej specyfiki się od dawna dopatruję. Staroświeckie dyrdymały, które z nadprzyrodzonymi mocami rude kobiety łączyły i jako sprowadzające nieurodzaj, głód, epidemię lub pomór czarownice przedstawiały, dawno już w Piekle szacunku nie mają, co jednakże nie oznacza, że rude na równi z blondynkami, szatynkami lub brunetkami są traktowane. Historia rudego Judasza, rudowłosej Marii Magdaleny i Lilith za mocno w pamięci Piekła siedzi i rude pukle z grzechem, śmiercią, wiecznym potępieniem, zdradą, nieuczciwością i szatanem kojarzone ciągle jednak są, co szacunku im w piekle przydaje. Ale ponieważ to wierzenia tylko były, to danych naukowych o większej grzeszności rudych kobiet w piekle się doszukuje. Ostatnio dwóch profesorów z Hamburga, Welpe i Bernhard, takich danych dostarczyło. Okazało się, że rude niewiasty częściej uciechom cielesnym się oddają, i to z większą liczbą młodzieńców, którzy niekoniecznie są ich małżonkami. W Piekle więc natychmiast się korelacji statystycznej z grzechem dopatrzono i etykietę lubieżnych, rozwiązłych i wyuzdanych im przyklejono. Szczególne zainteresowanie wzbudziła wiadomość, że to genetycznie uwarunkowane być może, czyli w istocie zamysłem Boga jest, bo któż jak nie Bóg tę spiralę DNA w ciągu sześciu dni sobie skręcił, a dnia siódmego po ciężkiej pracy w laboratorium swoim odpoczywał.

I powiem Ci synuś, że czasami mnie takie myśli dziwne, surrealistyczne bardziej nachodzą, że Bóg tę najważniejszą przepiękną spiralę jak jointa jakiegoś sobie skręcił.

Podpalił, głęboko zainhalował i gdy swój *trip* zaczynał, to samotność dotkliwą i doskwierającą nagle poczuł i dym z siebie wypuścił. A dym ten – niepowtarzalny do dzisiaj szczególny był. Boski dym słowem jednym, synuś. Absolutnie przezroczysty, bo tylko prawa i twierdzenia Twojej ukochanej fizyki zawierał. W tym dymie nie było póki co jeszcze żadnych cząstek. Tych elementarnych także nie. Żadnych fotonów, leptonów, bozonów, gluonów czy nawet kwarków. Ani kwarków wysokich, ani niskich, ani górnych lub dolnych, ani powabnych kwarków lub kwarków dziwnych. Moim zdaniem, synuś, ten dym jedynie z bogonów się składał. Tak je sobie teraz ad hoc nazwałam. Każdy bogon kawałek Teorii, czyli tego, co sobie Bóg obmyślił, zawierał. Taki rozbity na bogony Wielki Projekt. Człowiek żadnego bogona nie upoluje nigdy. Nawet gdyby ten swój akcelerator przy CERN większym od całej Afryki uczynił. Bo bogony tylko wtedy, kiedy się w nie wierzy, istnieją. A każda próba polowania na bogon aktem niewiary jest. W CERN synuś, zdaniem moim, armia jajogłowych, niewiernych Tomaszów pracuje i dlatego żadna powtórka ze Stworzenia Świata udać się im za diabła nie może. Ja nigdy się w tych armiach, dywizjonach, korpusach rozeznać nie potrafiłam, więc może to wcale nie armia. W polowaniu tak razem to dziesięć tysięcy fizyków udział bierze, czego w Genewie samej, na pierwszej linii strzału, trzy tysiące. Protony sobie tam pod ziemią w tunelu rozpędzają do szybkości niewiarygodnych i je ze sobą kolidują. Wytłumaczysz synuś kiedyś swojej matce starej, jakim to cudem można czymś tak małym jak proton w inne coś tak samo małego trafić, bo to wydaje mi się cyrkową magią królika z czarnego kapelusza wyjmowanego. Ale oni trafiają. A potem wieczorem zarozumialcy jedni wywiady do gazet przeróżnych dają, że niby „boskiej cząstki szukają". Bo im jej do teorii brakuje. Jaka ona boska synuś! Im się bozon z Bogiem myli, albo celowo dla wywiadów przejęzyczają, aby pospólstwu w fizyce niezorientowanemu w głowach namieszać. Ty synuś ze szkoły wiesz, a ja z Google'a, że oni bozonu jakiegoś tam Higgsa szukają, bo gdyby go znaleźli, daj im Panie Boże szczęście, to mogliby jakoś pojęcie masy wytłumaczyć. A jak to wytłumaczą, to im się teoria potwierdzi i w kroku następnym może sobie „jakiś malutki, nowy Wszechświacik przy okazji wykolidują". Tak buńczucznie dziennikarzom opowiadają, ale wtedy dopiero, gdy ci swoje dyktafony wyłączą. Wydaje się tym arogantom z wieloma tytułami przed nazwiskiem, że rozumy wszelkie pozjadali.

A ja Ci synuś powiadam, że nigdy nie będzie w laboratorium żadnym Wielkiego Wybuchu II, chociażby się Ruscy, Amerykańcy i Chińczycy swoimi budżetami całymi do jednego kapelusza na ten projekt zrzucili. Bo bogony do tego potrzebne są, a one przecież natychmiast anihilują, gdy nauka nad wiarą przewagę osiągać zaczyna. A przy tym synuś zauważ, że jeśli są bogony – sam przecież w mig pojmujesz – to przecież jakieś antybogony muszą być. Więc plan na Piekło jak gdyby w pomysł Boga się samoczynnie wpisał.

A teraz Ci Nusza szczerze wyznam, że o ile bogony to sobie sama z potrzeby chwili i na potrzebę mojej własnej, unikalnej i w eksperymentach – póki co – jeszcze niepotwierdzonej W-teorii wykoncypowałam (na świecie ziemskim M-teoria, taka Teoria Wszystkiego, przez genialnego matematyko-fizyka Wittena Edwarda z Ameryki Północnej pochodzącego wymyślona głowy najtęższe obecnie zaprząta, bo podobnie jak moja, trudna jest do sprawdzenia), o tyle idea istnienia gotowej teorii przed powstaniem Wszechświata nie ode mnie niestety synuś pochodzi (śmiej się, Nusza, śmiej się rzewnie, uwielbiam, gdy się synuś śmiejesz, wtedy takie piękne zmarszczki wokół oczu swoich masz). Chociażby z powodu braku wykształcenia i w konsekwencji matury (przedwojennej!). Pięknie, chociaż językiem trudnym i skupienia ogromnego wymagającym, pisał o tym pewien niezwykle światły katolicki ksiądz z diecezji tarnowskiej. Przy tym magister filozofii oraz doktor kosmologii. Oraz profesor zwyczajny, ale dla mnie synuś zwyczajnie nadzwyczajny. Michał Kaziczek Heller z naszego polskiego Tarnowa. W świecie powszechnie znany i szanowany. Heller, pomimo wiary swojej niewzruszonej, szkiełkiem

29

i okiem na Boga spogląda. Co ja synuś bredzę! Jakim szkiełkiem! On Boga, jak ameby w kropli utopione, pod mikroskop wpycha. To jego myśli synuś do swoich celów wykorzystałam. To Heller o aksjomacie konieczności istnienia praw fizycznych przed powstaniem Wszechświata rozważania interesujące toczył. I to w taki sposób, że nawet ja je zrozumiałam. Wprawdzie moich bogonów nie wspomniał, ale tylko – jak mniemam – przez przeoczenie. Bo Heller moje bogony na myśli miał, ale tego – z nieznanych mi dotychczas przyczyn – nie wyartykułował. Bo on skromny bardzo jest.

Ja synuś Hellera Michała książki chyba częściej niż Ty czytam. Bo ja czasu nieskończenie więcej od Ciebie posiadam. Od drugiej połowy dwudziestego wieku go czytam. Głębokiego skupienia i zamyślenia wymagają, ale przy czytaniu wyraźną podnietę intelektualną człowiek poczuć w sobie może. A po zakończeniu czytania sam sobie o wiele mądrzejszym się wydaje. Zaczęłam od książki A.D. 1984 wydanej *Usprawiedliwienie wszechświata*. Na początku trudno było, ale potem w rezonans z myślami Hellera wpadłam. I się w tym rezonansie zatrzęsłam. Potem była *Moralność myślenia* A.D. 1993. Tam mnie Heller kilka razy rozbawił. Następnie przepiękna rozprawa pod tytułem *Czy fizyka jest nauką humanistyczną?* A.D. 1998 mnie oczarowała. Po przeczytaniu tej pozycji do wniosku doszłam, że Ty synuś, czy chcesz, czy nie chcesz, humanistą o umyśle ścisłym jesteś. Co, tak szczerze mówiąc, od dawna podejrzewałam. I co mnie cieszy ogromnie. Potem, ale to już w wieku dwudziestym pierwszym, tytułem zafascynowana, po *Ostateczne wyjaśnienia wszechświata* (A.D. 2008) sięgnęłam. Wprawdzie ostatecznego wyjaśnienia tam nie znalazłam, ale takich oczekiwań synuś nie miałam. Nawet Heller takiego wyjaśnienia nie mógł przedstawić. Na całe szczęście. Ten rok 2008 dla Hellera Michała Kazimierza szczególny być musiał. I dla mnie także. Fundacja Templetona naszemu polskiemu księdzu wyróżnienie przyznała. Za – jak zacytuję – „działania związane z pokonywaniem barier pomiędzy nauką a religią". Ksiądz z Tarnowa otrzymał za to „działanie" 1,6 miliona dolarów amerykańskich. Od tej fundacji. I powiem Ci synuś, że ja natychmiast przelew na konto tej fundacji dokonałam. Prawie całe oszczędności dla Hellera na rachunek Templetona przelałam. Zostawiłam sobie na koncie tylko na papierosy, wino, książki i czasopisma. Templeton się na naszego Hellera Michała, z krwi, kości i mózgu Polaka, bardzo wykosztował. Więc ja wspomóc chciałam. I gdy dotarcie przelewu mi jakiś bank potwierdził, to niewiele dolarów synuś było, ale jednak, to mnie Heller wzruszył tak bardzo, że z wina na miesiąc zrezygnowałam i przelewu kolejnego dokonałam. Bo Heller całe 1,6 miliona dolarów amerykańskich na konto Centrum Kopernik przekazał. I je ze swoich pieniędzy tak naprawdę utworzył. „Ks. prof. dr hab. Michał Heller przekazał otrzymaną w roku 2008 Nagrodę

Templetona na powstanie Centrum Kopernik". Tak napisali nawet u nas w Piekle. A to ewenement przecież, bowiem Heller w Piekle za bardzo kochany nie jest. Heller w Piekle znienawidzony jest. Ksiądz katolicki Boga naukowo ateistom objaśniający, w pokorze i równaniami. To dla Piekła o wiele gorsze niż Kołakowski podający komunię. Dlatego na Hellera w Piekle klątwa jest nałożona. Jego książki są w drugim obiegu. Podziemne, co w Piekle zupełnie innego znaczenia nabiera. Heller jest u nas obecnie tym, czym Michnik oraz Kuroń w Polsce za Jaruzelskiego byli. Symbolem opozycji. Ale trochę synuś od tematu kosmologii odeszłam, więc pośpiesznie wracam.

To, że Wszechświat prawie od osobliwego Początku (przez wielkie „P") zgodnie z istniejącymi prawami się zachowywał, jest znane fizykom powszechnie. „Prawie od Początku" synuś piszę, ponieważ przez bardzo malutki ułameczek sekundy – bardzo krótko, dwoma słowami – po Początku tak naprawdę co się ze Wszechświatem działo, nie do końca wiadomo. Co wcale nie musi oznaczać, że prawa nie obowiązywały. Zauważyłeś synuś słowo „istniejącymi", prawda? Te prawa PRZED powstaniem Wszechświata istnieć już musiały. Ktoś je wcześniej (cokolwiek „wcześniej niż Początek" oznaczać może) sformułować musiał i Wszechświat, który jeszcze nie istniał, im następnie podporządkować. Inaczej być przecież Nusza nie mogło, prawda? Wyprowadź matkę swoją starą z błędu, jeśli w jakiś nonsens logiczny się wkręciłam, proszę. Ja te istniejące już prawa tylko z hipotetycznymi bogonami powiązałam. Bo mi ich – nazwijmy je cząstkami prze-delementarnymi – do skonstruowania mojej własnej W-teorii brakowało. To nic synuś, jak sam wiesz, specjalnie oryginalnego nie jest. Tutaj się trochę do plagiatu przyznaję. Ale wiedzieć po-winieneś, iż z najlepszych wzorców przy tym czerpałam. Z moim ulubionym Hellerem Michałem włącznie. Gdy fizykom czegoś w teorii dotkliwie brakowało lub się im z nią niewytłumaczalnie nie zgadzało, to całą winę na jakieś brakujące, hipotetyczne „cząstki" zrzucali. Gdy w roku 1930 bilans energii w niektórych reakcjach jądrowych się fizykom w remanencie nie zgadzał, to fi-zyk Pauli Wolfgang z Austrii sobie cząsteczkę – jak najbardziej elementarną – o nazwie neutrino wymyślił. A czemu by nie? Jakiś czas później neutrino inny fizyk – nazwiska jego synuś w tej chwili nie pomnę – namierzył. Teoria się dzięki temu ostała, Pauli mnó-stwo dolarów z Nagrody Nobla otrzymał, podobnie jak ten drugi fizyk, także Noblem wyróżniony. Dwójka ludzi straszną kasę na tym neutrino zarobiła. I bardzo słusznie, ponieważ tym przewi-dzeniem, a następnie przydybaniem neutrina, to oni bardzo się fizyce i światu w ogóle przysłużyli. Bo neutrino to bardzo figlarna, tajemnicza i nieustanne problemy przysparzająca cząsteczka jest. Ty synuś jeszcze tego nie wiesz (bo dopiero w październiku A.D. 2011 się z mediów wszelakich dowiesz), ale my tutaj w Piekle już wiemy. Bo u nas jakość szpiegostwa na poziomie znacznie

33

przekraczającym skuteczność izraelskiego Mosadu jest. Neutrino według badaczy z genewskiego, francusko-szwajcarskiego CERN (póki co w tajemnicy przed światem to utrzymującym) w pewnych okolicznościach prędzej niż foton, czyli szybciej niż światło, się porusza. Ta wiadomość Einsteina Alberta w rozpacz najczarniejszą wprowadzić powinna. Ostatnio Alberta na drogach swoich w Piekle nie napotykam, więc pewnie ze wstydu się gdzieś po kątach ukrywa. To może być plotka tysiąclecia, ale w CERN z całą doniosłością ją traktują. Nie chcą tego, póki co, w żadnej poważnej naukowej gazecie opublikować, bo potwierdzenia prawdziwości pomiarów swoich u kolegów fizyków z innych miast i miasteczek oczekują. Neutrina w CERN głęboko pod ziemią – coby nic im w podróży nie przeszkadzało – wystrzelone drogę 730 kilometrów do włoskiego laboratorium w Gran Sasso o całe 60 nanosekund (60 miliardowych części sekundy) prędzej niż światło pokonały. Jest to wiadomość dla Einsteina przerażająca zapewne, więc to, że gdzieś się ewakuował, wcale mnie nie dziwi. Według Alberta nic, dosłownie nic, szybciej niż światło poruszać się nie może i nie powinno. A tu masz babo placek. Nieświadome oraz teorii Einsteina nieznające neutrino szybciej się poruszyło. I to szybciej istotnie, bowiem 60 nanosekund przewagi na mecie przed światłem, na króciutkiej drodze 730 kilometrów, to sprawa jak najbardziej poważna jest. To wiadomość niezwykła nie tylko dla neutrin i Einsteina. To dla wszystkich wiadomość niezwykła jest.

Z filozofami i futurystami włącznie. Bo gdyby neutrino do lokomotywy porównać, to im szybciej maszynista jedzie, tym wolniej czas mu i lokomotywie płynie (według Einsteina, który to w szczególnej teorii względności zawarł). Gdy maszynista lokomotywę do prędkości światła rozpędzi, to jego pociąg się nigdy nie spóźni, bowiem czas się dla maszynisty zatrzyma. A gdy, jak neutrino, ponad prędkość światła przyśpieszy, to mu czas się cofać zacznie. Tego synuś nawet niemiecki Deutsche Bahn, aby z Frankfurtu nad Menem do Berlina nad Sprewą i Hawelą przed czasem przybyć, nie osiągnął. Ale neutrina – według ostatnich poważnie naukowych plotek z CERN – osiągają. W czasie się cofają. Z nanosekundy na nanosekundy młodnieją. Jezu mój drogi, synuś, ja bym także tak chciała!!! Niech mnie w tym CERN ze swoich magicznych dział wystrzelą. Niech mnie czym tylko chcą przyśpieszą, niech mnie z czymkolwiek zderzą, abym tylko się neutrinem stała. I taka maksymalnie rozpędzona w czasie się cofnęła. Do dnia jakiegoś, obojętnie jakiego, ale koniecznie takiego sprzed pogrzebu mojego, szesnastego grudnia A.D. 1977. Abym ponownie zobaczyć Cię Nusza mogła. I dotknąć. I usłyszeć. I utulić. I ukochać. Ja synuś neutrinom tego bezgranicznie zazdroszczę.

Ta ostatnia i świeża historia z CERN to wcale nie pierwszy taki numer, który neutrina światu i fizykom wycięły. W ważnym dla Ciebie, synuś, roku 1987 pewna gwiazda Supernowa o 160 tysięcy lat świetlnych od Ziemi oddalona przepięknie wybuchła (bo wybuchy Supernowych to prawdziwe astronomiczne spektakle są, o czym Ci każdy astrofizyk zaświadczy) i neutrina w wyniku tej eksplozji powstałe do naszej Ziemi o trzy godziny wcześniej niż światło dotarły. Wówczas żaden poważny mózg nad tym paradoksem się nie pochylił. Bo cóż to jest 3 godziny przy odległości 160 tysięcy lat świetlnych. Jakiś błąd pomiaru i drobiazg zaniedbywany. Ale gdyby tamte neutrina, rocznik 1987, tak samo szybkie jak te z eksperymentu w CERN były, to winny na Ziemię w roku 1982 przybyć!

To byłby dopiero przekręt. Ale gdy się tak głębiej nad tym „przekrętem" rzekomym zastanawiam, to wątpliwości poważne mnie synuś nachodzą. Załóżmy bowiem, że sobie na szybszym od światła neutrinie okrakiem w roku 1987 siadam. To już ekstremalnie surrealistyczne jest, ale dajmy na to. Dziesięć lat po śmierci mojej na neutrino sobie wsiadam i podróż na nim w kierunku planety Ziemia rozpoczynam. U Ciebie na Ziemi jest rok 1987 i u mnie dokładnie taki sam. Co do miesiąca, tygodnia, dnia, godziny. Minuty i sekundy. Załóżmy ponadto, że to zdziczałe neutrino diabelnie i CERN-owsko szybkie jest, a Piekło w pobliżu wyżej wymienionej Supernowej się znajduje (tak naprawdę to my tutaj w Piekle nie wiemy, gdzie nasze Piekło na mapie Wszechświata się znajduje, ponieważ publikacje na ten temat surową cenzurą są objęte). Po drodze do ucha neutrina błagalnie i czule szeptam, aby znacznie przyśpieszyło, bo ja na wiosnę A.D. 1977 i zakwitanie bzów w parku na Bydgoskim Przedmieściu w Toruniu zdążyć bym chciała. Załóżmy, że neutrino moich próśb wysłuchuje i gaz do dechy wciska. W moim synuś układzie odniesienia, o czym Ty wiesz doskonale i na tę wiedzę odpowiednie równania znasz, przy całej dobroczynności neutrina do maja A.D. 1977 przy lądowaniu w Toruniu cofniemy się. Ale w Twoim układzie odniesienia to żaden maj, żadne bzy i żaden rok 1977 nie będzie. Ty synuś w swoim układzie odniesienia znajdować się będziesz. I wydostać się z niego nigdy niestety nie zdołasz. Z powodu istniejących praw i Einsteina, który je odkrył zresztą. Ja dò Ciebie długo później po Twoim roku 1987 powrócę, chociaż w moim układzie A.D. 1977 jako data lądowania będzie. Bo to synuś, tak na poważnie, dylatacja czasu się nazywa. Chociaż także pod nazwą tak zwanego paradoksu bliźniąt się w opisach pojawia. U mnie czas zacznie wstecz płynąć, ale u Ciebie niestety ciągle do przodu gnać będzie. Bo w Twoim układzie odniesienia nic o mojej zwariowanie szybkiej podróży do Ciebie wiedzieć nie możesz. U Ciebie żadna dylatacja czasu nie nastąpi. Bo nas synuś te przeklęte układy odniesienie jak jakaś nieprzekraczalnie gruba ściana z teorii dzielą. Obojętnie jak czule szeptałabym do ucha neutrina, zawsze się w momencie przybycia w Twoim układzie odniesienia spóźnię. Więc te bajeczne i bajkowe podróże w czasie to bajer bulwarowych gazet jest. Nigdy nam równoczesny powrót do przeszłości dany nie będzie. Obojętnie jak neutrino szybko poruszać się będzie, to i tak przed Tobą jak jakaś przerażająca zjawa z odległej przeszłości się pojawię. Jak jedna z tych bezcielesnych dusz z poematu Dantego. Realna niby, ale taka nie do dotknięcia. Przestraszysz się jedynie synuś. Nie uwierzysz, że to ja prawdziwa, bo Ty na układach odniesienia się niestety znasz. Bo egzamin z fizyki sobie przypomnisz, ten, gdy ja ciągle jeszcze żyłam i układy odniesienia tematem wykładów Twoich były. Ten egzamin, który zdałeś tak jak zawsze celująco. Bo Ty zawsze tak, abym się cieszyła, zdawałeś. Czasami myślę, że Ty wszystkie egzaminy celująco tylko dla radości i dumy mojej zdawałeś. A potem, gdy na serce zaniemogłam i ku śmierci w chorobie swojej się zbliżałam, to uważałeś, że to Twój wobec mnie terapeutyczny obowiązek jest. Ja Nusza czasami myślę, że gdyby nie te Twoje egzaminy i to czekanie na Ciebie, i wyglądanie Twojej radości w oczach po egzaminach, to ja bym o wiele wcześniej umarła. Ostatnie, co pamiętam z połowy grudnia A.D. 1977, to jak bardzo uważnie się do egzaminu z mechaniki kwantowej u szanowanego i podziwianego przez Ciebie prawdziwego, belwederskiego profesora doktora habilitowanego Wolniewicza Lutosława uczyłeś. Ale dzielenia Twojej radości po tym egzaminie nie doczekałam, ponieważ on dopiero w zimowej sesji następnego roku miał się odbyć. A ja do Piekła już w grudniu roku poprzedniego trafiłam. Ale ja synuś wcale nie o tym chciałam.

Ja o udziale Boga w stworzeniu Wszechświata tak naprawdę napisać zamierzyłam.

Ale jak zawsze w przydługą dygresję wpadłam. Wszechświat z takiego boskiego dymu powstał i w dym taki się kiedyś obróci, bo Bóg koniec Wszechświata także sobie obmyślił. A zdaniem moim skromnym, synuś, Bóg dymu owego by nigdy z Siebie nie wypuścił, gdyby na pomysł skręcenia spirali DNA nie wpadł. Bo tak naprawdę tylko dla tej najświętszej spirali życia warto Bogiem być. Dlatego, iż tylko chemia tej spirali koniec samotności każdego Boga w każdym Wszechświecie obiecuje. Przez szansę stworzenia człowieka na podobieństwo Swoje. A to projekt niezwykły był. Człowiek to nie jakaś tam jednokomórkowa ameba. Człowiek to setki bilionów komórek. Bóg nic prostego na „Swoje podobieństwo" przecież by nigdy nie stworzył. No nie synuś, o takie coś Boga podejrzewać grzechem pospolitym się jawi. Bóg zbyt dumny jest. Człowiek to nie jakieś tam klocki lego. Człowiek to Cud, Tajemnica i Mądrość. Trójca Święta w postaci trzech zasad rozpiętych pomiędzy nićmi z fosforanów i cukrów, przeistaczająca się w akcie transkrypcji i translacji w aminokwasy, a potem w białka, które życie definiują.

Przepięknie prosty synuś pomysł Bóg miał. Na prostotę, która zawsze się sprawdza, jak widać, już od zupełnie pierwszego razu postawił. Trójca prostych zasad przekładana na dwadzieścia liter alfabetu z aminokwasów i potem całą bibliotekę zapisanych literami owego alfabetu białek, jak księgami życia, wypełnił. Genialny i ściśle tajny pomysł na samotność Boga. Przepięknie i przewidująco przy tym Bóg pomyślał, gdy DNA konstruował. W pewnym sensie nieśmiertelność każdemu człowiekowi zafundował, bowiem geny, które matka i ojciec swoim dzieciom dają, informacje o nich samych przekazują. W każdym z nas w ten sposób prosty geny pierwszej pary Adama i Ewy, czy ją bajkowo i biblijnie, czy antropologicznie traktować, znajdować się muszą.

Przy tym Bóg wykazał się cnotą niezwykłej cierpliwości i pracowitości. Pracowitości, ponieważ szyfrantem gigantycznej ilości kodów się okazał. Ziemia nosi na dzień dzisiejszy zaledwie 1%, jak szacują znawcy sprawy, wszystkich powstałych gatunków. A jeśli to za prawdę uznać i jednemu gatunkowi jeden kod genetyczny przyporządkować, to wszystkich razem musiał Bóg stworzyć 30 miliardów! Sam synuś przyznasz, że to dużo jest oraz o lenistwie Boga zaświadczać nie może. A cnoty cierpliwości dowiódł niepodważalnie, gdy na Człowieka czekał, swoje księgi pisząc. Przez nieskończoność w bogony teorię swoją pakował. Pewnego dnia około piętnastu miliardów lat temu z powodu ataku samotności Wielki Wybuch odpalił. Przyglądał się, jak gęsta zupa plazmowa z cząstek elementarnych złożona w zgodzie z Teorią Jego w jądra atomów pod wpływem przewidzianych oddziaływań się łączy, a potem w atomy, z których po dziesięciu miliardach lat z hakiem Ziemia się uformowała. Po dalszych dwóch miliardach świat żywy, czyli białkowy, w DNA sprytnie zakodowany rozprzestrzeniać się zaczął. Pierwsze ssaki, które najbliższe nam są, tak mniej więcej sto dwadzieścia milionów lat temu na Ziemi się dopiero pojawiły.

A człowiek, także przecież ssak, to jeszcze później, bo dopiero dwa z przecinkiem milionów lat temu, i to nie taki prawdziwy i grzeszny *Homo sapiens,* tylko człowiek zręczny, czyli *Homo habilis* się pojawił. Przed nim byli jeszcze wprawdzie jeszcze inni *Homo,* tacy jak na ten przykład *Australopithecus afarensis,* ale w pamięci mi najbardziej ten człowiek zręczny utkwił. Z *Australopithecus afarensis* kojarzy mi się wielki naukowy hałas na ziemi, gdy dnia pewnego odkryto – bodajże w Etiopii – jeszcze przed śmiercią moją, szczątki dziewczynki o naukowym kodzie AL 288-1. Dziennikarze natychmiast przechrzcili ją dla wygody na Lucy i literami wielkimi w nagłówkach o „przełomowym cofnięciu początku człowieka w czasie" pisali. Następnie synuś, jak zawsze, ten wrzask wokół „przełomu" ucichł nagle, gdy odkrycie *Australopithecus africanus* nastąpiło. Potem byli jeszcze inni *Homo* z afrykańskim erectusem włącznie. I dopiero tak około dwustu tysięcy lat temu *Homo sapiens* się dominująco wykształcił, erectusa z różnych niezrozumiałych dla mnie przyczyn wypierając.

Jeśli o moment pojawienia się *Homo sapiens* na ziemi chodzi, to jego określenie może bardzo duże rozbieżności w opiniach powodować, przy czym niektóre z nich zabawnymi mi się wydają.

Na przykład wykształciuch siedemnastowieczny, po niezłej całkiem szkole, niejaki doktor John Lightfoot, rektor uniwersytetu w Cambridge i biskup zarazem, w wyniku intensywnego studiowania, przypisywanej autorstwu Mojżesza, Księgi Rodzaju, czyli Genesis, datę stworzenia człowieka (to znaczy tak naprawdę dwójki ludzi, Adama i Ewy) na godzinę dziewiątą rano, w piątek, dnia 23 października 4004 roku przed naszą erą ustalił. Lightfoot John zachwyca mnie synuś swoją dokładnością ogromnie. Gdy ból brzucha śmiechem spowodowany Ci minie, to obiecuję, że także i Ciebie zachwyci. Żadne Wielkie Wybuchy, żadne africanusy i erectusy, żadne bozony czy hipotetyczne bogony, żadna ewolucja. Na rozkładzie lotów jest piątek, dziewiąta rano i koniec dyskusji. Lightfoot w obliczeniach swoich z mądrości innego kapłana korzystał, niejakiego Usshera Jamesa, anglikańskiego arcybiskupa z północnoirlandzkiego miasteczka Armagh. Chronologię powstania ziemi Ussher na podstawie studiowania Biblii i posługiwania się astronomicznym kalendarzem Keplera ustalił i wyszło mu, że wszystko, łącznie z ziemią, 4004 lat przed Chrystusem zacząć się musiało. Doktor Lightfoot początek ziemi z Adamem i Ewą połączył i mu z rachunków czarno na białym wyniknęło, że w swoim kalendarzu na piątek 23 października 4004 p.n.e., na godzinę dziewiątą rano, Bóg miał „stworzyć Adama i Ewę".

Ale teraz żarty na bok odkładam. Sam synuś więc przyznasz,

że w czekaniu na Człowieka „na podobieństwo Swoje" Bóg cierpliwość ogromną i w skali czasu boską wykazał. Ale jak się samotnym bardzo jest i szansa na ulżenie tej samotności w zamyśle się pojawia, to warto przecież czekać. Nawet 14,9999 miliarda lat. Przy którejś dziewiątce po przecinku ssak Leon Wiśniewski się na skali czasu pojawił, a potem Kaziczek, a jeszcze potem ty ssać moje piersi zacząłeś. I dlatego ja Bogu za to DNA bardzo dziękuję.

Bo, zdaniem moim skromnym, Bóg samotny był bardzo i dlatego sobie Życie stworzył.

Samiutki taki robaczek, bez nikogo w całej tej absolutnie pustej jak idealna próżnia teorii Wszechświata. Bo naszego Wszechświata synuś przed jego początkiem być przecież nie mogło, prawda? Była jedynie teoria, niech już nawet będzie, że inflacyjna, ale tylko teoria tego, co się zacznie dziać zaraz po Początku. Więc Bóg tak naprawdę tą Teorią przez duże T był i jest nią do dzisiaj. Wszechświat synuś powstał, zdaniem moim, jedynie z powodu samotności Boga. On tę samotność najbardziej – tak mniej więcej 15 miliardów lat temu – boleśnie poczuł. W punkcie osobliwym się wówczas znajdował. Taki zupełnie sam. I chyba – takie głębokie przekonanie posiadam – to wtedy pomysł na spiralę DNA Mu się pojawił.

No bo sam sobie synuś pomyśl. Co byś Ty na miejscu Boga w momencie owym uczynił? Też byś sobie jakiegoś Big Banga w końcu z powodu desperacji strzelił, prawda?

Świat jest tak psychodelicznie-pięknie-skomplikowany, że tylko na jakimś megahaju można było go sobie wymyślić. A takiego drugiego skręta jak DNA nie ma. Bo jak inaczej synuś połączyć w jednym projekcie uśmiech dziecka i rozpacz matki, której dziecko leży w trumience. Ja tego nie wiem i wiedzieć nie chcę synuś, ale Bóg to jakoś jednak objął. Może przez nieuwagę, albo może w tym jakiś cel miał. Pewnie to drugie, bo Bóg cierpieniem ludzkim chyba się wyraźnie upaja, albo mu się poważny błąd do spirali wkradł. Najpierw ludzie jako antidotum na Jego samotność potrzebni mu byli, a potem z jakiegoś powodu cierpienie na nich zesłał. Może cierpienie to fragment kodu poza genami synuś jest? Może Bóg chciał przechytrzyć aroganckich genetyków i najważniejsze ukrył w „genetycznych śmieciach"? Może bez cierpienia Człowiek stałby się tylko człowiekiem? A może szczęśliwość wieczna wtedy nagrodą by nie była, co ludzkie życie celu wyższego by pozbawiało? Jak myślisz synuś? Myślisz, że Bóg czuje się poetą bardziej niż genetykiem? Dla poetów cierpienie jest – sam Nuszku wiesz przecież – jak powietrze dla płuc i tlen dla krwi. Niezbędne.

DNA skręcone przez Boga tajemnicą wieczną do końca świata pozostać miało, ale pewna przystojna Angielka, z żydowskich rodziców, kobieta o imieniu Rosalind i nazwisku Franklin, molekułę DNA promieniami X sfotografowała i jako pierwszy człowiek na świecie w zamysł Boga wgląd na własne oczy miała. To w 1952 roku było, gdy ja Kaziczka urodziłam. Ta fotografia słynna się stała i pod nazwą *Fotografia 51* do historii przeszła. Została ona bez wiedzy Franklin dwóm mężczyznom pokazana. Jeden Amerykaninem jest i James Watson się nazywa, podczas gdy drugi Anglikiem był i Crick Francis się nazywał, bowiem w 2004 roku opuścił ziemię w wyniku śmierci naturalnej spowodowanej rakiem. O jego pobycie w Piekle nic na dzisiaj konkretnego powiedzieć nie potrafię, ale pewne prawdopodobieństwo istnieje.

Fotografię 51 Watsonowi i Crickowi ówczesny szef Franklin, niejaki doktor Maurice Wilkins, pokazał. Tam czarno na białym, bo to biało-czarna fotografia jest, widać było, że DNA w podwójną spiralę się skręca. Crick i Watson w ciemię bici nie byli, więc w krótkim czasie strukturę DNA sobie i światu wydedukowali i w mądrej gazecie „Nature" z 25 kwietnia 1953 roku przedstawili, za co na spółkę z Wilkinsem Nagrodę Nobla w 1962 roku skasowali. Autorka *Fotografii 51* Franklin Rosalind w międzyczasie z powodu raka przydatków kobiecych ziemię opuściła, co wiele bolesnego poniżenia, moim zdaniem synuś, jej oszczędziło, ponieważ jej ważny udział w odkryciu tajemnicy DNA wrednie, bezwstydnie i śmiem twierdzić, iż na podłożu seksistowskim, pominięty został. Chociaż Watson James temu gorąco zaprzecza w wypowiedziach swoich. W roku 2003, z okazji pięćdziesiątych urodzin odkrycia swego, amerykańskiej naukowej gazecie „Scientific American" obszernego wywiadu udzielił, gdzie o kontrowersje z Franklin także go nagabywano. Z pytania, czy Nobel Rosalindzie, a nie Wilkinsowi się należał, jakimś okrągłym zdaniem się wywinął, Rosalindzie brak chęci współpracy zarzucając. A w książce, co na te pięćdziesiąte urodziny DNA razem z innymi napisał, trochę odpowiedź szczegółami rozwinął. U nas w bibliotece ta książka się pojawiła, więc zerknąć na nią możliwość miałam. W tytule *DNA, tajemnica życia* się pojawia i faktycznie tę tajemnicę wyraźnie tłumaczy. A tam o Rosalindzie wypowiedzi są nieprzyjemne synuś. Na ten przykład jeden z recenzentów doktoratu Rosalindy, niejaki Ronald Norrish, co to noblistą swego czasu został, niepochlebnie się o niej wypowiada: „głupia, nietolerancyjna, zakłamana i źle wychowana tyranka". Ja Ci to synuś ku sprawiedliwości historycznej cytuję, bowiem wiem, że Rosalind Franklin kultem ogromnym otaczasz. Następnie Watson w książce swojej informuje, iż Franklin „z racji pochodzenia z londyńskich wyższych sfer należała do bardziej wyrafinowanego światka towarzyskiego niż większość naukowców". Mnie na przykład ten komentarz denerwuje, bo niby co to do rzeczy ma. Gdy tylko Cricka w Piekle napotkam, to go o jakieś osobiste wyjaśnienia poproszę, bo on blisko Rosalindy się przemieszczał, więc wiedzę konkretną o niej posiadać musi.

Jak synuś mniemam, Ty już po drodze z pewnością zapomniałeś, że ta piekielnie długa dygresja to mi się tak tylko na marginesie genu rudzielstwa wysmyknęła. Pośpiesznie więc do rudych kobiet teraz powracam. Okazało się bowiem, że gen, który za czerwony pigment we włosach rudych odpowiedzialnym się czyni, także swój udział w gospodarce hormonami i enzymami rudych kobiet ma, co, jak amerykańscy naukowcy (skąd ci przysłowiowi już amerykańscy naukowcy zawsze wszystko jako pierwsi wiedzą, za diabła tego nie pojmuję synuś) ze szkoły wyższej w mieście Louisville dowodzą, na ich podwyższone libido i zainteresowanie cielesnymi pokusami się przekłada. Ja tam ruda synuś byłam, więc swoje wiem. Pokusy często odczuwałam, na libido niech mnie ręka boska broni narzekać nie powinnam i wstydu nijakiego w igraszkach cielesnych nie odczuwałam, ale wierności – przynajmniej okresowo, bo trzech mężów przecież miałam – dochować w stanie byłam. Zostało mi to na duży plus w trakcie Sądu Ostatecznego policzone, ale ogromnych minusów wynikających głównie z grzechu mojego wielożeństwa wyrównać na szczęście nie mogło. Ale to tak na marginesie Ci synuś rzekłam i do malarstwa teraz powrócę.

Klimt na te swoje wykłady artystów malarstwa Schielego Egona i Kokoschkę Oskara przyprowadza. To kumple jego z Wiednia są, więc zdziwienia nie ma w tym żadnego. I na dodatek takie same jak Klimt zboczuchy. A może większe nawet. Schiele za grzech pedofilstwa między innymi w Piekle przebywa, ponieważ w 1911 roku, gdy babcia Marta pełnoletność osiągała, Egon siedemnastoletnią modelkę Klimta, Valerie Neuzil, zwaną Wally, poznał i rzekomo z miłości z nią w jednym łóżku sypiał, co w Wiedniu podobać się nie mogło. Dlatego ją do Krumlova w południowych Czechach zabrał, aby tam spokojnie z nią pożycie realizować. Co też często czynił ku oburzeniu ogromnemu Czechów i Słowaków z okolicy. Dlatego ich z Czech bystro przepędzili i Egon z Wally do miasteczka Neugelbach pod Wiedeń na powrót podróżować musieli. Tam Schiele za uwiedzenie niepełnoletniej pozwany został, chociaż niepełnoletnia uwiedziona się wcale nie czuła, co w listach do sędziego szczegółowo opisywała. Ale sędzia głuchy był na jej prośby, bo konserwatywnie o pożyciu mężczyzny i kobiety niestety myślał. Dlatego najpierw w trakcie procesu „niegodne" rysunki Schielego nad płomieniem świecy spalił, a następnie za miłość fizyczną i francuską uprawianą z Wally na więzienie go skazał. Więc Schiele za w pełni świadome wykorzystanie nieletniej do turmy powędrował, ale tylko na trzy tygodnie, więc narzekać nie powinien. Wally, ponieważ od młodości grzeszyła, więc jej podobiznę u nas na ścianach galerii znaleźć można, chociaż nie w oryginale, ale jako pirata, czyli w kopii. Tam imienia jej nie wymieniają, ale każdy, co na prelekcjach o malowaniu bywa, zrozumieć może, iż obraz Schielego *Kobieta z zielonymi pończochami* to Valerie – pseudonim Wally – w półnagich szczegółach przedstawia. Mam uczucie synuś, że Wally podobałaby się Tobie, chociażby przez te pończochy zielone.

A gdy Kokoschkę Oskara na sali prelegenckiej obok Klimta widzę, to mi się niestety na wymioty zbiera. Głównie z powodu wyobraźni mojej. Ja tam wszelkie seksualne perwersje poważam, bo one do spełnienia prowadzić mogą, jeśli obojgu radość sprawiają, ale pożycie gynoidalne, co na nasz polski jako „ostre posuwanie lalki" bym przetłumaczyła, w ramach żadnych zmieścić mi się nie potrafi. Może staroświecka synuś jestem. Ale jakieś opory ogromne przy myśleniu o tym czuję. Głównie dlatego, że normalnych ludzkich rozmiarów lalka, chociaż ma wszystkie otwory, jednakże mówić i wyrażać tego, czy penetracja jej plastikowego anusa lub plastikowej waginy jakąś radość sprawia, wypowiedzieć nie potrafi. A Kokoschki Oskara gynoida Alma Maria Mahler Gropius Werfel trzech mężów tak jak ja posiadała, chociaż niedługo. Nie chce mi się teraz o tym rozpisywać, więc sobie synuś dokładniejsze informacje o Kokoschce Oskarze wygoogluj i sam się z jego dziwnym życiem seksualnym zapoznaj. Ponieważ Zygi Freud, co to także z Wiednia pochodzi i tylko dziesięć lat starszy od Kokoschki był, po Piekle się kręci, to go à propos fenomenu gynoida zapytam i relację Ci synuś szczegółową zdam, bo to Cię na sto procent zainteresować powinno.

Niektórzy w trakcie prelekcji Klimta jeśli nie zasypiają, to dużą niecierpliwość wykazują i ich końca jedynie wyczekują, ponieważ tak naprawdę malarstwo neosinistyczne zupełnie ich nie interesuje i tylko na rauty po prelekcji czekają. Bo rauty „po Klimcie" z tego słyną, że się w ich trakcie absynt za darmo serwuje. To zwykła ziołowa wódka jest, ale mitem jakimś niepojętym otoczona, że niby narkotyk jest i halucynacje wywołuje. Ja Ci tam synuś powiem, że to z prawdą zupełnie się mija, bo ja, obietnicą absyntu skuszona, kiedyś w depresji całą flaszkę w samotności do dna opróżniłam i halucynacji żadnych niestety nie miałam, a tylko przez pół nocy intensywnie rzygałam, bo na pusty żołądek piłam. A kac na drugi dzień taki sam był, jakbyś litr siwuchy na puste trzewia wypił. Ale socjalnie się absynt legendą swoją Piekłu odwdzięcza, bo ważnych ludzi po prezentacjach Klimta na rauty ściąga i od papparazzich odpędzić się nie sposób, co na interesujące fotografie w bulwarowych szmatławcach następnego ranka się przekłada. Kogo tam, synuś, spotkać można! Lista celebrytów długa jest i na sam pierwszy z brzegu przykład powiem Ci, że Henri de Toulouse-Lautrec, Pablo Picasso, Vincent van Gogh, Oscar Wilde, Charles Baudelaire, Ernest Hemingway, Edouard Manet, Edgar Degas przychodzą i absynt konsumują, do fotografii przy tym chętnie pozując. Z tego względu, że Wilde stałym bywalcem rautów „po Klimcie" jest, to kobiety młode i ponętne tłumnie się tam także pojawiają, co dla prasy dodatkową atrakcją jest, ponieważ fotografie bardziej grzeszne automatycznie się stają, jako że kobiety owe często bez majtek przychodzą, przypadkowo piersi odsłaniają i wyuzdaniem kuszą. Wilde Oscar niespecjalnie duże zainteresowanie tym wykazuje, ponieważ ostatnio w jego biseksualności raczej młodzieńcy dominują. Ale czasami coś trafnie skomentuje i to natychmiast jako cytat na www.hellcytaty.com się ukazuje. Hemingway przychodzi przeważnie już mocno napity. Hawańskiego cygara z ust nie wyjmuje i pod koniec rautu zamiast absyntu zwykłe whiskey pije, bo takie ma przyzwyczajenie i preferencje. Van Gogh na temat malarstwa Klimta w długich wypowiedziach swoje myśli wyraża, ale raczej niepozytywne i podejrzenie mam, że zawiść w nim kipi jak smoła w kotle. Zmieniony przychodzi i na temat swojego odciętego ucha wypowiadać się w szczegółach nie chce, oprócz tego, że brzytwę, a nie nożyczki lub nóż kuchenny jako narzędzie samookaleczenia wymienia. Czasami tylko włosy odsłania i widać, że ucho na miejscu znowu jest, czym tylko jeszcze większą legendę tworzy i chirurgom plastycznym reklamę za darmo czyni.

Czasami tam także Wyspiańskiego, Przybyszewskiego, Leśmiana i Wojaczka widuję. Co gatunek *Polonicum sapiens* w Piekle ku radości mojej ogromnej bardzo popularyzuje.

Bo ja, synuś, polskość moją jako szczęśliwy podarunek od losu traktuję, ponieważ Polska – nawet ta wirusem sowietyzmu zniewolona i biedna jak chuda mysz kościelna – dla mnie za życia i teraz tutaj przygodą poczucie szczęścia dającą była. I ciągle jest. Polskość mnie ciągle kręci. Jest pociągająca, atrakcyjna i ciekawa ogromnie. To, że urodziłam się w Berlinie, zwykłym przypadkiem jedynie mi się jawi. Przypadkiem dwójki ekonomicznych i chwilowych emigrantów. Twojego dziadka Brunona i babci Twojej Marty. Ty także synuś chwilowym emigrantem przecież jesteś. Chociaż ta chwila już tak *circa* 24 lata trwa. Ale przekonana jestem, że to jedynie chwila dla Ciebie synuś, prawda?

Trzej pierwsi absyntu nie piją i ku reńskiemu winu się raczej skłaniają, ale Wojaczek pije wszystko, co ciekłe jest, etanol zawiera i mu w rękę wpadnie, na esperal wszyty w pośladek zupełnie nie bacząc. Przy Wojaczku Rafale ostatnio piękna i romantyczna Sylvia Plath przebywa, co w Piekle z uwagą niezwykłą się odnotowuje i w mediach intensywnie nagłaśnia, bo oboje poetami smutku byli i oboje życie swoje samobójstwem spektakularnym zakończyli. Wojaczek w 1971 roku w mieście Wrocław medykamentami wieloma (z pięciu różnych fiolek) się otruł, etanolem je sowicie popijając, a Plath głowę swoją do kuchenki gazowej w poniedziałek 11 lutego A.D. 1963 w swoim londyńskim mieszkaniu wsadziła i się tlenkiem węgla na śmierć zaczadziła, nie bacząc, że w pokoju obok dwójka jej malutkich dzieci ciągle we śnie pogrążonych była. To trzecia próba samobójcza Plath była. Pierwszy raz zabić się chciała na skutek rozpaczy po śmierci jej ojca, biologa wybitnego, gdy dziesięcioletnim dziewczątkiem jeszcze była. Potem w wieku lat dwudziestu próbę, znowu nieskuteczną, ponowiła, w wyniku czego w psychiatryku wylądowała, gdzie z powodu depresji między innymi prądem elektrycznym jej mózg wstrząsano (co wówczas, jak synuś wiesz, bardzo modne było, a w Ameryce to ze szczególnym upodobaniem stosowane).

Plath Sylvia wiersze o swoich samobójstwach pisała. Na dni kilka przed śmiercią pisała autoironicznie w wierszu *Lady Łazarz*, gdzie jej pogodzenie się z unicestwieniem własnym bardzo wyraźnie wyczytać można:

> *Znów to zrobiłam,*
> *Co dziesięć lat*
> *Udaje mi się (...)*
> *Umieranie*
> *Jest sztuką tak jak wszystko*
> *Jestem w niej mistrzem.*
> *Umiem robić to tak, że boli*
> *Że wydaje się diablo rzeczywiste.*
> *Można nazwać to powołaniem*.*

Wojaczek Rafał Mikołaj rodzaj owego „powołania" również w sobie wytrwale pielęgnował, co Ci synuś w szczegółach znane być powinno, ponieważ niezwykłe zainteresowanie nim w tekstach

---

* Sylvia Plath, *Lady Łazarz*, przeł. Ewa Fiszer.

swoich przejawiasz nieustannie. Już jako młodociany uczeń liceum w rodzinnym Mikołowie pierwszą desperacką próbę samobójczą podjął. Wówczas – na szczęście dla jego najbliższych (szczególnie matki jego, Wojaczkowej Elżbiety, która swojego „Rafusia" miłością darzyła ogromną), a także dla poezji polskiej – nieskuteczną. Zakończyło się to tylko na ranach ciętych przegubów, bandażami owiniętych, co uwagi jego koleżanek i kolegów z klasy nie uszło. Tutaj u nas w Piekle tę uwagę specyficzną jak legendę podtrzymuje, chodząc z bandażami białymi liniami krwi czerwonej poplamionymi.

Wojaczek na krok Sylvii nie odstępuje, włosy jej całuje, warg palcami dotyka, do ucha jej coś szepta, w oczy smutno zagląda, ramieniem otacza i przed bliskością jej męża, który także na seminaria Klimta przychodzi, ją chroni. I w mojej opinii słusznie robi, ponieważ Ted Hughes – rozwiedziony z Plath małżonek – także poeta, jej pierwszy i jedyny, chociaż bez wątpienia Piekłu swoim prowadzeniem się na ziemi przysłużył, to z podejrzeniami jest traktowany, ponieważ o spowodowanie samobójstw dwóch kobiet oskarżony został. Hughes swoją małżonkę Sylwię z domu Plath z kobietą niezwykłej urody o nazwisku Assia Wevill regularnie i z przyjemnością zdradzał. To rzekomo w reakcji na tę wiadomość Plath życiu swojemu przedwcześnie kres zadać postanowiła. Sześć lat później, 23 marca A.D. 1969, Wevill Assia, kobieta Hughesa, z powodu której Plath życie zakończyła, podobny koniec istnieniu swemu zadała i także w Londynie to uczyniła. Drzwi i okna kuchni swojej uszczelniła, materac do kuchni przyniosła, środki nasenne w whiskey rozpuściła, swoją i Hughesa czteroletnią córeczkę Shura do kuchni przyprowadziła i piecyk gazowy, nie wzniecając płomienia, uruchomiła, czym siebie i dziecko uśmierciła. Ale epizodów samobójczych śmierci w otoczeniu Hughesa i Plath to niestety jeszcze nie koniec. Niedawno temu, 16 marca A.D. 2009, syn Plath i Hughesa życie swoje na Alasce poprzez powieszenie zakończył, czym w Piekle podziw wzbudził, ale Sylvię smutkiem ogromnym napełnił. Dlatego ja troskę Wojaczka o Plath w całej rozciągłości rozumiem i gorąco im szczęścia życzę. Bo gdyby Plath z Wojaczkiem w wyniku połączenia dziecko poczęli, na co wszystko wskazuje, i czytać oraz pisać dziecię swoje z łoża nieprawego nauczyli, to poezja wymiaru czwartego by nabrała i niektóre doktoraty oraz historię poezji na nowo przepisać by trzeba było. Bo załóż synuś, tak hipotetycznie, że Wojaczkowi i Plath córka się rodzi i jako Aurelia (po matce Plath) Nadzieja (po myśli i pragnieniu pijanego Wojaczka) Plath-Wojaczek w wieku lat osiemnastu wiersze pisać zaczyna i tomik poezji w wydawnictwie Sign of Hell Ltd, wydaje. Na okładce małej książeczki napis Aurelia Nadzieja Plath-Wojaczek się znajduje i na stronie pierwszej wiersz *Prośba do Ariel o zatrzymanie śmierci przedwczesnej* w tomiku się pojawia i wersem pierwszym myśli zatrzymuje:

A ja strzałą ku śmierci wystrzeloną jestem i modlitwę pokorną
do Ariel wznoszę, aby celu nie osiągnąć i po drodze upaść.

To mój jest wers, w krótkotrwałym natchnieniu napisany. Ja tam synuś wierszy nawet do Leona nie pisałam, bo okropny strach przed lapidarną formą czułam, ale Tobie na Fejsie to opublikuję. Dalszy ciąg wiersza Aurelki Nadziei Plath-Wojaczek, jeszcze niepoczętej, znam, ale to tylko jej jedynej prawdę kiedyś wyznam, bo tak jest bardziej uczciwie.

I gdy ten werset z duszy mojej na papier przelałam, to jakaś głębsza refleksja w temacie samobójstw mnie ogarnęła, utulając melancholią swoją. Myśli samobójcze, czego ukrywać nie zamierzam, także i mnie nachodziły. I to wielokrotnie. Gdy nieszczęśliwie kochałam, już jako nastolatka, miłością dziecinną i śmiesznie infantylną, to śmiercią swoją samobójczą młodzieńca, który mojej miłości nie dostrzegał, ukarać chciałam, by wyrzuty sumienia piekielne do końca dni swoich odczuwał. Czyli raczej z powodu zemsty, a nie miłości, życie odbierać sobie chciałam. W liczbie mnogiej synuś piszę, ponieważ to były raczej śmierci wielokrotne, hipotetyczno-teatralne w mojej wyobraźni, wieczorami, w łóżku, gdy światło zgasło. Chciałam wówczas, łzami zalana, się zabić, aby kogoś ukarać. Co wcale takie dziwne nie jest, bo u nas w Piekle całe rzesze takich się znajdują, co to śmiercią swoją innych ukarać postanowili.

Potem, w wieku już dojrzałym, tylko raz jeden śmierć z powodu miłości, tęsknoty i bezsilności zadać sobie chciałam. Wówczas, gdy w poranek styczniowy A.D. 1945 wypełniony tłumem statek pasażerski „Wilhelm Gustloff" od nabrzeża w Gdyni majestatycznie się przy syrenach wyjących oddalał. Wtedy i ja wyłam, jak gdyby mi serce na połowę nożem tępym i pordzewiałym bez znieczulenia przecinali. I w momencie owym do lodowatej wody w Bałtyku skoczyć chciałam, coby temu bólowi i tęsknocie mojej ostateczny kres zadać.

Bo ja wówczas w jakimś obłędzie byłam. On tam w Anglii, tutaj ja z Niemcami w trwodze, a kilkanaście kilometrów dalej na wschód Sowieci w swoich czołgach i ze swoim planem zemsty. Uciec chciałam. Do niego tak bardzo chciałam. Męża wówczas mojego. Po drugiej stronie frontu. Ta perfidna wojna od pierwszej chwili nas naznaczyła. We czwartek 31 sierpnia A.D. 1939 o godzinie piętnastej po południu żoną Widelewskiego Stefana się stałam, akt małżeństwa w odpowiednim urzędzie w Toruniu podpisując. Ta data to jakiś przypadek zupełny. W niej nic mistycznego nie ma, chociaż jak na to teraz spojrzeć, to niezwykle symboliczna się wydaje. Stefan, z zawodu skrzypek w orkiestrze symfonicznej zatrudniony, w ten akurat czwartek wolne miał, a ja z powodu ślubu swojego dzień urlopu wzięłam. W sali urzędu było nas pięcioro, licząc dwóch wymaganych świadków i wąsatego, jąkającego się urzędnika. Rodzina moja, podobnie jak Stefana, w zgodnym przekonaniu, na znak protestu ślub nasz zignorowała. Ja dla wszystkich rozwiązłą rozwódką byłam, a Stefan przeze mnie opętanym wariatem. Po ślubie prosto do parku się całować poszliśmy, a wieczorem na dansing w hotelu „Polonia". Około czwartej nad ranem 1 września 1939 roku mój poślubiony drugi mąż wniósł mnie na rękach przez próg pokoju numer 143, na szerokie łoże jedwabną pościelą przykryte upuścił. I nasza noc poślubna się oficjalnie w tym momencie rozpoczęła. Rano Stefanowi papierosów zabrakło, więc do pobliskiego sklepu kolonialnego się udał. I kiedy do mnie do łóżka wrócił, dwa papierosy jednocześnie podpalił, jeden dla siebie, a drugi dla mnie, i powiedział: „Wojna się zaczęła".

Wojnę z nim w łóżku zaczęłam, przez całą wojnę na niego czekałam, a gdy wojna się kończyła, to z tęsknoty za nim umrzeć chciałam. Ale jakiś anioł stróż uważny mnie przed tym ochronił, jak gdyby przyszłość znając oraz wiedząc, że Leona mojego spotkam i z miłości połączyć się z nim zapragnę oraz Kaziczka, a potem Ciebie synuś na świat wydam. Gdybym bowiem na „Gustloffa" wsiadła, to chwilowe moje pragnienie utonięcia w wodzie Bałtyku lodowatej spełniłoby się niechybnie – jak historia pokazuje – już po kilkunastu godzinach od jego wypowiedzenia.

Potem o samobójstwie więcej nie myślałam, chociaż życie jako pasmo licznych udręk przeklinałam często w słowach niewybrednych i wielokrotnie nie całkiem cenzuralnych. Ale samobójstwa, także ludzi zupełnie mi obcych, takich, o których jedynie z gazet się dowiadywałam, zawsze z nieokreślonym napięciem uwagi przyjmowałam. W pragnieniu dobrowolnego przekroczenia granicy pomiędzy życiem i śmiercią zawsze się jakaś niesłychana tajemnica zawiera. I zawsze oprócz smutku i rozpaczy, dla tych, którzy pozostali, staje się to bolesną zagadką. Dla mnie to synuś zawsze wyraz niepogodzenia się ze światem stanowiło. Bo przecież świat wiele nieszczęść na człowieka nieustannie sprowadza: starość, choroby liczne, miłość beznadziejną, ból nie do wytrzymania, hańbę, wstyd, śmierć najbliższych, publiczne ośmieszenie, honor splamiony, twórczą niemoc, poniżenie, podłość ludzką i wiele innych jeszcze tutaj nienazwanych. Niektórzy ludzie z owymi nieszczęściami zmagać się od pewnego momentu ochoty nie mają i ostateczną Wielką Ucieczkę na drugą stronę wybierają. Z powodu kruchości ich psyche, z powodu ograniczonej odporności na ból wszelaki albo po prostu z powodu utraty jakiegokolwiek celu w powtarzalnym, codziennym porannym wstawaniu, kolejnym myciu zębów, jedzeniu, trawieniu, wydalaniu, a przede wszystkim w myśleniu. Ty synuś doskonale wiesz, o czym ja wypisuję tutaj, ponieważ takie poranki przez długich sześć lat miewałeś, i to wielokrotnie, z powodu depresji głębokiej, kiedy to egzystencja Twoja codzienna z brodzeniem po zastygającym i twardniejącym betonie Ci się kojarzyła. Nie potrzeba inteligencji wielkiej, abym przypuścić mogła, że również Ty o radykalnym zakończeniu tego cierpienia i bezsensu myślałeś.

Zdaniem moim synuś każdy ma prawo do ucieczki takiej.

Podobnie w czasach zamierzchłych właśnie tak uważano. Już u ludów pierwotnych sporadycznie, ale jednak samobójstwo występowało, chociaż naukowcy tym tematem się zajmujący co do jego znaczenia zgodni nie są. Większość uważa, że w przeciwieństwie do kultury naszej, w której samobójstwo to najczęściej wyraz „nieporadzenia sobie", to dawniej motywy takiej decyzji altruistyczne czysto były – na ten przykład jeśli ktoś był chory, to życie sobie odbierał, żeby rodzinie ulżyć. W czasach późniejszych, jeśli nawet samobójstw nie pochwalano, to dopuszczalne były. W antycznych Atenach na przykład władze pewien zapas trucizn dla tych, którzy zapragnęli umrzeć, posiadały. Zacniejsi filozofowie czasów tamtych – co regułą się stało – żegnali ziemski świat w momencie przez nich wybranym. Tolerancja ta w starożytnym Rzymie w rodzaj swoistego obyczaju się przeistoczyła. W Chinach z kolei samobójstwa często wdowy popełniały, kiedy umierali ich mężowie; matki, kiedy umierały ich dzieci; panny, jeśli nie chciały wiązać się na życie całe z mężczyzną niekochanym; a nawet ludzie, którzy w ten sposób protest przeciwko niesprawiedliwym zarządzeniom cesarza wyrażali.

A Japonia w okresie europejskiego średniowiecza samobójstwo – w okolicznościach pewnych – rodzajem nieomal obowiązku uczyniła. Seppuku, bardziej pod nazwą harakiri znane, głęboko szanowane było, ponieważ dowodem najwyższego męstwa było. Rycerze rozpruwali sobie brzuchy, a zaraz potem dla pewności podrzynali gardła. Robili to z powodów najczęściej szlachetnych: obawa przed niewolą, uszczerbek nieodwracalny na honorze, wierność cesarzowi. Tradycja seppuku falą wielką powróciła w czasach mojego życia ziemskiego. W postaci lotników-samobójców pod nazwą kamikadze (co tak naprawdę z nazwy pewnego tajfunu się wywodzi) znanych. Amerykanie potracili z powodu kamikadze mnóstwo okrętów, o marynarzach nie wspominając, gdy ci samolotami wypełnionymi materiałami wybuchowymi w aktach samobójczych w nie uderzali. Z historycznych raportów amerykańskiej Navy wyczytać można, iż kamikadze nierzadko w swoich samolotach, tuż przed uderzeniem, wnętrzności z brzuchów mieczami rozciętych na zewnątrz wydobywali, czym rycerskość swoją przez stulecia pielęgnowaną udowadniali.

Ale takie samobójstwa charakter z natury rzeczy inny miały. Przez przewidywalność swoją oraz obmyślony skutek, który odnieść miały. Ja bardziej nad, nazwijmy je „prywatnymi", samobójstwami pochylić się pragnę, które na ziemi wymiaru wiecznego potępienia nabierały, co matce samobójcy, która swe dziecko i Boga kochała, podwójne rany duszy cierpieniem ogromnym i lękiem spowodowane zadawało.

Można rozumieć ból nieskończony tych najbliższych, którzy pozostają po takim samobójczym odejściu, ale na Boga potępiać na wieki samobójcy się nie powinno. Traktowanie odebrania sobie życia jako grzech przez religię chrześcijańską – pozwól, że na niej się skupię – jest dla mnie pomyłką okropną i chrześcijaństwo w kompromitację wielką wpycha. A tak przecież w początkach tej religii nie było! To wiele wieków później się dopiero pojawiło. Ani w Starym, ani w Nowym Testamencie wzmianki o zakazie samobójstw synuś nie odnajdziesz. Szkoda czasu Twojego cennego na mozolne szukanie. Starotestamentowi samobójcy, a dokładnie czterech ich było, żadnego potępienia nie doświadczyli. Później nawet powszechnie z ambon rozgłaszane samobójstwo Judasza jednoznacznie traktowane jako kara za grzechy było, a nie jako grzech. Co więcej, pierwsi teologowie – co o zdumienie niesłychane mnie przyprawiło – śmierć Jezusa Chrystusa Nazareńskiego w kategoriach samobójstwa skłonni interpretować byli (sic!!! z trzema wykrzyknikami w tym momencie). I nagle w wieku szóstym naszej ery Kościół, z przyczyn mi niepojętych zupełnie, odbieranie sobie życia oficjalnie potępił, jako ciężkie przestępstwo je traktując. To, co Kościół w czasach tamtych potępiał, wkrótce normą prawną się niestety stawało. W roku 533 rada miasta Orleanu wszystkich samobójców, o jakikolwiek występek oskarżonych, prawa do religijnego pochówku pozbawiła. Trzydzieści lat później rada miasta Bragi za ciosem poszła i prawo owe już na wszystkich samobójców rozszerzyła, także tych jak kryształ w swojej uczciwości czystych. Ale to synuś nie koniec szykan oraz prześladowań. W hiszpańskim mieście Toledo w roku 693 jednogłośnie rozwiązanie jeszcze bardziej radykalne przyjęto. Ekskomunikowano każdego, kto choćby próby samobójstwa się dopuścił. Chętnie tym poczynaniom katoliccy teologowie wtórowali. A jakżeby inaczej. W wieku jedenastym niejaki św. Bruno zaczął samobójców od „męczenników szatana" wyzywać. Ale dopiero po dwustu latach rozpoczęło się bezprecedensowe, w skali dotychczas niespotykanej, prawdziwe prześladowanie i tępienie tych, którzy sami moment własnej śmierci wybierali. Wspominany już św. Tomasz z Akwinu postępowanie samobójców jako „grzech śmiertelny przeciw Bogu" uznał. Ta informacja ustami św. Tomasza przekazana po świecie lotem błyskawicy się rozniosła. I moc swoją przez wieki okazywała. W roku 1601 niejaki Fulbecke, angielski prawnik, sugerował, aby niedoszłego samobójcę koniem na miejsce pohańbienia zawlec i go w tym miejscu powiesić. Inny strażnik prawa o nazwisku Blackstone z kolei uzupełniał to wszystko inną interesującą radą w przypadku samobójców skutecznie działających. Takich należy na gościńcu pełnym końskich odchodów pochować, a ciało kołkiem nieociosanym przebić, podobnie jak to z wampirami się czyni. To poniewieranie zwłok samobójców ulegało bardzo licznym oraz wymyślnym przeobrażeniom w czasie. Radzono (szczególnie w cywilizowanych rzekomo Anglii oraz Francji) wieszanie ich nogami do góry, wywożenie na wysypisko śmieci albo ładowanie do beczek i spuszczanie rzeką. Wszystko, aby tylko najszczerszą pogardę publicznie i ku odstraszeniu innych zademonstrować.

Trwałość takich praktyk jest synuś zdumiewająca. W roku 1969, kiedy ludzka stopa odcisnęła się na Księżycu, pewien sąd w centrum Europy, na brytyjskiej wyspie Man, skazał oficjalnym wyrokiem na karę chłosty pewnego nastoletniego młodzieńca za to, że w chwili krótkotrwałej desperacji postanowił się zabić. Gdy ta informacja do moich oczu dotarła, ręce mi opadły bezwładnie i mowę na jakiś czas odjęło.

Samobójca nie ma synuś, jak sam widzisz, lekko, a na Sądzie Ostatecznym to ma już na samym wejściu z definicji przechlapane, gdyby nawet w pełni pobożne i tym samym w pełni nudne życie w zgodzie z Dekalogiem 1.0 na ziemi przeżył. Dla nas Polaków, w mniemaniu moim, najbardziej bolesne bywa uporczywe odmawianie przez kler pochówku samobójcy z tak zwanym obrządkiem religijnym. Polacy przykuli się jak kajdanami do wierzenia, że gdy na cmentarzu nie ma księdza, który skropi trumnę wodą z cieknącego kranu w zakrystii, to trupowi w trumnie jest jakoś niefortunnie. Więc powiem Ci synuś, że trupowi w trumnie jest to absolutnie *egal*. A ja wiem, co mówię, ponieważ swój pogrzeb, że tak się wyrażę, na skórze własnej przeżyłam. Najbardziej denerwowało mnie podczas ceremonii, że ten mężczyzna w habicie ze smutkiem na twarzy udawanym dokładnie nie kojarzył nazwiska oraz imienia trupa, którego trumnę skrapia. Gdyby mu ministrant na kartce długopisem w kolorze czerwonym nie napisał, toby mnie z Marianną, którą skrapiał około godziny wcześniej, niechybnie pomylił. A to by Leona zdenerwowało chyba bardzo. W pewnym sensie chciałam tego, bo chociaż na chwilę zamieniłby Leon rozpacz w nerwowość i na chwilę od smutku by się oderwał. Bałam się jedynie, co Kaziczek uczyni, bo jak go znam, a znam go od samego urodzenia, toby kapłana z powodu tej pomyłki niecenzuralnymi słowami, w trakcie pogrzebu mojego, zbeształ i być może do rękoczynów nad niezasypanym jeszcze grobem moim by doszło. Sam synuś brata swego znasz, więc wyobrazić sobie to dokładnie możesz. Dlatego, chwała Bogu, ministrant na kartce słowo „Marianna" skreślił oraz „Irena" literami drukowanymi dopisał. W ten sposób do żadnej zadymy na cmentarzu podczas pogrzebu mojego nie doszło, nad czym trochę ubolewam, ponieważ odejście moje szybko zapomniano. Gdyby Kaziczek z powodu furii księdza do wykopanego dołu zepchnął, to pozostałabym w pamięci na dłużej. Wybacz synuś żartobliwość w tych okolicznościach raczej niestosowną, ale taka mnie w tej chwili obecnej naszła.

Z pogrzebu swojego najbardziej babcię Martę pamiętam, która

pod nosem po niemiecku szeptała, jak katarynka jakaś nakręcona, że „niesprawiedliwa i wredna jestem, umierając przed nią". Leona, który chciał jak najszybciej powrócić do domu, rozsypać nasze fotografie na stole, świece zapalić i upić się wódką na umór. Oraz Ciebie, który na powagę sytuacji nie zważając, w trakcie odklepywanej mowy kapłana paczkę klubowych z kieszeni kurtki wydobyłeś i zapałek znaleźć nie potrafiłeś. Wówczas Kaziczek czujny zapałki w kieszeni płaszcza swojego czarnego znalazł i ognia Ci podał. I Ty się dymem pierwszego „sztacha" zaciągnąłeś głęboko, tak że Cię trochę zamroczyło, bo na pusty od trzech dni żołądek zapaliłeś. A potem babcię Martę do siebie przytuliłeś, a babcia Marta – na dawne nienawiści osobiste nie zważając – Leona za rękę chwyciła. A Leon jej wtedy to, że Ty na główkę swoją łysą i niekształtną z łóżeczka w dzieciństwie z powodu mleka upadałeś, ostatecznie wybaczył i płakaliście zjednoczeni, jak w jakimś chórze greckich opłaconych płaczek. Ksiądz moderator spojrzał na Was tylko oka kątem, z oburzeniem i zniesmaczeniem wyraźnym i nieudawanym, ale Wy wszyscy jak mąż jeden głęboko gdzieś to mieliście, bo to był Waszej Irenki pogrzeb, a nie tej z jego kartki czerwonym długopisem przez ministranta opisanej. I wtedy pomyślałam, że co jak co, ale pogrzeb mi się udał znakomicie. I odeszłam w spokoju i godnie.

Ale przed tym na swoją trumnę ostatni raz popatrzyłam. Taką najzwyklejszą, dłońmi z drewna ociosaną, jak gdyby to cieśla

Józef z Nazaretu się nad nią pochylił. Najskromniejsza i najpiękniejsza, jaka była w magazynie. Leon do magazynu nie wszedł, Kaziczek w magazynie płakał, ale Ty po magazynie wędrując, nie płakałeś. Ty Nusza jednej łzy nie uroniłeś. Trumien wszystkich w magazynie dłońmi swoimi tak dotykałeś, jak gdybyś sukienkę ślubną dla mnie kupował. Na mój ślub czwarty. Na nową drogę życia. I wybrałeś mi trumnę najpiękniejszą w tym magazynie. Taką bukiem pachnącą, co jeszcze w katalogu nie była, ponieważ niepolakierowana stała. I jej lakierować surowo zabroniłeś i powiedziałeś im stanowczo, że jeśli polakierują, to „ich kurwa do sądu" podasz. Bo chciałeś, abym ja w dalszą drogę bukiem pachnąca poszła. Bo dla Ciebie śmierć jest ciekawostką – tak sobie chyba z rozpaczy wmówiłeś – po której dalej wędrować trzeba. Śmierć jest naprawdę ciekawostką synuś. Rację miałeś. Niczego sobie Nusza nie wmówiłeś.

Jednakże od mojego pogrzebu abstrahując, z rodzinami grzebanych samobójców się duchowo utożsamiam. To bolesne być synuś musi, gdy głęboko wierząca katolicka matka syna samobójcę pogrzebać godnie pragnie, a kleryk jej wmawia, iż syn jej złoczyńcą i grzesznikiem jest, ponieważ sobie żyły żyletką podciął. Mordercą w pełni się stając. Zamordował przecież. Siebie samego. Nie chciałabym spotkania z takim klerykiem, synuś, przeżyć. A gdybym nawet przeżyła, to kleryk z pewnością nie. Udusiłabym go jego różańcem lub rękami swoimi.

Jednakże bywają klerycy, którzy konwencji owej z powodów różnych podporządkować się niekiedy nie chcą. Bo im się to ani w duszy, ani w mózgu pomieścić nie może. Nie zważając na konsekwencje, z premedytacją ową konwencję łamią. Jednym z nich był Wojtyła Karol. Dokładnie on, synuś. Ciągle bardziej krakowski niż rzymski, ponieważ to przed długą delegacją służbową (z której nie powrócił) Wojtyły do Watykanu było. Sama o tym w poważnym tygodniku za 6,90 (w tym 8% VAT) powszechnym wyczytałam. Zabił się wartościowy człowiek. Z woli własnej. Ani przyjaciel, ani spokrewniony z Wojtyłą. Ot człowiek, ale dla Wojtyły Człowiek. Namawiano Karola, aby samobójcy słowem Bożym w drodze ostatniej nie pocieszał. Bo to nie przystoi. Ale on namówić się nie dał. Zapytał tylko: „A skąd wiecie, o czym przed śmiercią swoją myślał?". Tak synuś zapytał. I trumnę samobójcy wodą święconą skropił i myśli swoje mu podarował. Wojtyła był momentami czasami tak pięknie antyklerykalny. I to mnie w nim synuś kręci. Tak do szpiku kości.

Ale nie tylko katolicki samobójca ma los ciężki. Samobójstwo do dzisiaj przez niemal wszystkie wielkie religie światowe (islam, chrześcijaństwo, judaizm), z wyjątkiem buddyzmu, potępieniu podlega. Postawa buddystów mnie nie zadziwia zupełnie. Oni już dawno odkryli najświętszą prawdę, że życie tak czy owak wielką masą nieszczęść jest i nic na to poradzić nie można. Niektórym chce się te nieszczęścia znosić do kresu w postaci śmierci naturalnej, innym z kolei nie. Ich sprawa zdaniem buddysty. Co ciekawe, wśród buddystów odbieranie sobie życia jest raczej mało rozpowszechnione. Samobójstwa popełniane przez buddystów są ewenementem rzadkim. Udało się im w jakiś stoicki sposób ograniczyć pragnienia i przeciwności losu ze spokojem przyjmują. Nie są przywiązani do potrzeb, nie wpadają w histerię, gdy im się coś nie udaje, zbyt daleko nie sięgają, zbyt wiele nie chcą. Czasami synuś chciałabym zainspirować Cię myślami moimi, cobyś na buddyzm pośpiesznie przeszedł. Tak mi się zdaje, że Ci tego bardzo synuś teraz potrzeba. Bo ja mam takie wrażenie, iż ostatnio nie możesz poradzić sobie ze swoją potrzebą afirmacji. Masz atawistyczną potrzebę uznania. To jest dość naturalne i z trudem usuwalne. A buddyzm pozwoli Ci to wszystko zdusić, wyzwoli Cię od pożądliwości przedmiotów, statusu sławy i poklasku. To, że na to wszystko, zaniedbując najbliższych i zdrowie swoje, ciężko pracujesz, dla świata ma znaczenie marginalne. Rzadko kiedy świat pochyla się nad kosztami. Świat docenia jedynie wyniki. Drugi na mecie jest dla świata pierwszym wielkim przegranym. Złote medale trzyma się w sejfach na specjalne okazje, ale srebrne niekiedy zanosi się do jubilera, a w skrajnej ostateczności nawet do lombardu. Więc ty synuś srebrnych medali chcieć nie chcesz. Wystarczy na Twoje kuriozalne świadectwo maturalne spojrzeć, a potem na dyplomy szkół wyższych, które ukończyłeś. Tam Twoje obsesje, pragnienia

„bycia najlepszym" w konkretnych zapisach, pieczątkami i podpisami zamaszystymi dziekanów uwiarygodnione na światło dzienne wychodzą. Po co Ci to synuś? Na Boga, po co? Gdybyś wyrzekł się kilkunastu pragnień, ograniczył kilka oczekiwań, przeżywałbyś swoje epizody arytmii serca o wiele rzadziej. Buddyzm pomoże Ci o wiele skuteczniej na Twoją arytmię serca i duszy niż te połykane co rano i wieczorem 40 miligramów sotalexu. Uwierz starej matce swojej. Dla buddystów możesz katolikiem spokojnie przy tym pozostać. Dla nich wieloreligijność żadnym problemem nie jest. Możesz zawieszać na szyi swój medalik z JP2 z Rzymu i przy tym wierzyć, zdaniem Twoim pewnie pogańsko, w boskość dębu lub kamienia do tego dębu przytulonego. Przejdź synuś na buddyzm. Gwarantuję Ci, że rzadziej będziesz musiał do kardiologa wędrować.

Ale do samobójców na krótko ponownie powracając. Hipokryzja islamu w temacie owym mnie ostatnio zastanawia bardzo, bowiem islam samobójstw zakazuje, i to bardziej zdecydowanie oraz bardziej restrykcyjnie od chrześcijaństwa. Pomimo to plaga rytuału samobójczej śmierci „w ataku na wroga" rozprzestrzenia się jak zaraźliwa jakaś choroba psychiczna przenoszona prątkami memów Dawkinsa. Zapewnione miejsce na liście bohaterów, obiecane przez duchownych miejsce w raju, 82 czekające tam chętne dziewice w kwefach lub bez. Okej. Ja to wszystko synuś wiem, bo się naczytałam jak głupia po 11/9, ale pomimo to nie pojmuję, jak można ugasić w sobie najpierw instynkt samozachowawczy, potem pragnienie ciekawości, co będzie jutro, a następnie owinąć się wiązką granatów wokół talii i pociągnąć sznurek, nacisnąć guzik, podpalić zapalniczką lont (wiesz może synuś, jak technicznie wiązkę granatów terrorysta lub terrorystka odpala?) i po drodze do raju spotkać zmasakrowane zwłoki bez kończyn, czyli bez rączek i nóżek, czteroletniej córeczki muzułmanina ze Stambułu, który z powodów turystycznych z rodziną akurat „tym" autobusem w Londynie jechał. I spojrzeć w jej ogromne, czarne, przerażone oczęta i nie chcieć się zabić po raz drugi, ale przed tym wyjaśnić dziecięciu, że właśnie „w ataku na wroga" umarło. Tego ja synuś nie rozumiem i zrozumieć do Wieczności końca kurwa nie chcę. Nie wybaczaj mi synuś, proszę Cię, wulgarności teraz.

A tak na marginesie ku sprawiedliwości dodam, iż krucjata chrześcijaństwa przeciwko samobójcom nieznacznie ucichła, chociaż nie w obszarach wszystkich. Tematem gorącym jest ostatnio dla chrześcijańskich Kościołów eutanazja. Ale to temat synuś oddzielny jest i się nad nim rozwodzić obecnie nie będę, ponieważ i tak już bezprzykładnie długą dygresję uczyniłam, od Klimta wychodząc, o czym zapomnieć w międzyczasie prawo miałeś.

Czasami, w czasie rautów u Klimta, pary kochanków Plath-Wojaczek na krok niejaki Baudelaire Charles nie odstępuje.

Poeta, pijak, seksualny mitoman i skandalista nie mniejszy niż Wojaczek i do tego nieokiełznany wielbiciel kobiet oraz opium. Ponieważ w swoim zbiorze wierszy *Kwiaty zła*, co w Polsce na *Kwiaty grzechu* niektórzy przetłumaczyli, za który to zbiór z powodu obrazy dobrych obyczajów proces mu we Francji wytoczono, Baudelaire miłość i śmierć ze sobą zrównuje, więc mnie jego obecność przy Plath i Wojaczku zupełnie nie dziwi. U Baudelaire'a bowiem upojne wiersze miłosne raczej zapachem zwłok w kostnicy zalatują i to mnie odrazą napełnia, gdy ich czytaniu się kiedyś oddawałam, czego teraz już czynić nie zamierzam. I dlatego z France'em Anatolem, także pisarzem i poetą z zawodu, się zgadzam, że Baudelaire „...oddycha wonią trupów jak afrodyzyjskimi perfumami". Na dodatek poeta Baudelaire z *petit mort* mi się kojarzy, co na polski jako „mała śmierć" przetłumaczone być powinno. Na ludzki rozum oznacza to nic innego, jak to, iż śmierć samobójcza z miłości definitywnym, czyli ostatecznym erotycznym kopem jest. *Petit mort* dla wielu jako synonim orgazmu się objawia. Istnieją relacje o tym, że wisielcy, którzy z miłości śmierć sobie przez powieszenie zadali, erekcję prącia w chwili śmierci mieli. Podejrzewam w związku z tym, że obecność Baudelaire'a przy parze samobójców Plath i Wojaczek, którzy życie sobie w wyniku miłości odebrali, przypadkowa nie jest i dowodzić może, że śmierciomiłość lub miłościośmierć ciągle cieszy się zainteresowaniem. W Piekle oczywiście to swoje niezaprzeczalne przełożenie na propagowanie grzechu posiada i dlatego Baudelaire często na salonach jako celebryta występuje.

Chociaż to nie on najsilniej śmierciomiłość propagował, a raczej Heinrich von Kleist, Niemiec we Frankfurcie nad Odrą blisko Polski urodzony. Młodzież niemiecka do dnia dzisiejszego z jego książek dramat narodowy okresu romantyzmu poznaje, o czym ty synuś jako ojciec dwóch córek w Niemczech kształconych doskonale wiesz, bowiem sam z ciekawości jego dzieło *Rozbity dzban* przeczytałeś. Ten Kleist to już czystą nekrofilię z miłości uczynił i Bogu ducha winną kobietę w sobie rozkochując, do wspólnego samobójstwa z „miłości" namówił, ponieważ neurotyczno-erotyczna tęsknota za śmiercią nim owładnęła. Kobieta owa, Henriette Vogel, przyjaciółką jego była i faktycznie we wspólnym samobójstwie strzałem z pistoletu śmierć sobie zadała w dniu 21 listopada A.D. 1811 na wzniesieniu nieopodal jeziora Wannsee w pobliżu Poczdamu. Ale to Kleistowi nie wystarczyło, więc dla pewności ze swojego pistoletu do trupa kobiety w nim zakochanej prosto w serce strzelił. A następnie między stopami kobiety klęknąwszy, pistolet do ust sobie wsunął i kulą z niego wystrzeloną mózg swój na strzępy rozerwał.

Ja tam oprócz Wojaczka podczas absyntowych rautów Klimta z dala od polonii w Piekle się trzymam, bo to skłócona bezgranicznie grupa jest i zamiast się jak Żydzi zawsze podpierać, wspierać i popierać, na wszelkie sposoby się między sobą żre, co jedynie wrogom *Polonicum sapiens* służyć może. Niemniej o polskości nie zapominam i ludzi z polskimi genami w towarzystwie wyszukuję. Ostatnio bruderszafta – on szklanką absyntu, ja literatką wódki – z niejakim Wilhelmem Albertem Włodzimierzem Apolinarym Kostrowickim, znanym intelektualistom bardziej jako Guillaume Apollinaire, popełniłam. WAWA Kostrowicki połowę polskich genów posiada, ponieważ jego matka, Angelika Kostrowicka, polską szlachcianką była. Druga połowa ze spermy nieznanego dokładnie z nazwiska mężczyzny pochodzi, chociaż słuchy po Piekle krążą, iż z jąder Francesco Flugi, szwajcarskiego Włocha wytrysnęła, którego przebywanie blisko łoża Kostrowickiej Angeliki niektóre źródła historyczne w pełni potwierdzają. WAWA po wypiciu szklanki absyntu od nudnego flirtu do hardcore'owego surrealizmu w swoich wypowiedziach przeszedł, czym mnie synuś absolutnie oczarował. Ja świadoma jestem, iż surrealizm bliski Twoim gustom jest, ponieważ na wystawach surrealistów chętnie bywasz, więc pewnie to po mnie odziedziczyłeś, a nie po Leonie, który w Stutthofie surrealizm jako realizm na własnej skórze przeżywał i we własnym mózgu do końca życia przetwarzał. Dla Leona surrealizmem długi czas było, gdy zęby mógł rano umyć i kromkę chleba świeżego z masłem lub bez masła połknąć. Dlatego on też na natręctwo mycia zębów chorował i piekarnie jak święte miejsca traktował. Dlatego też zęby piękne jak z reklam past do zębów posiadał, a chleba u nas nigdy nie brakowało. Obojętnie jak bardzo pijanym mu się z roboty do domu wracać przydarzyło, to w swojej aktówce bochenek chleba zawsze ze sobą przynosił, dzięki czemu zbieracze suchego chleba dla konia nasze mieszkanie sobie gremialnie upatrzyli i często ku niezadowoleniu babci Marty do drzwi pukali. On po prostu z powodu swojej biografii surrealizm inaczej pojmował, czemu dziwić się nie można ze względu na okoliczności jego cierpienia.

Ale nie o Leonie chciałam, tylko o Guillaumie. Gdy po szklance absyntu w rodzaj transu wpadł, to mi o swoim pastiszu powieści erotycznej opowiadał. Nie wiem, jakie zamierzenie wobec mnie w związku ze swoją opowieścią miał, ale już mu na początku, coby się nie trudził, zdradziłam, że w moim typie nie jest to, po pierwsze, a po drugie jego mniemanie, że mnie od wierności Leonowi odwiedzie, jest bardziej surrealistyczne niż jego oskarżenie artysty Pabla Picassa, że ukradł z Luwru *Mona Lizę* (co w aktach paryskiej policji odnotowane zostało). Ale Guillaume w to tak do końca chyba nie wierzył, bo kobiety raczej podmiotowo traktował i wiarę przejawiał, że słowo „nie" z ust kobiecych padające zawsze jakoś obejść można i swoje chucie w mózgu oraz w podbrzuszu i tak w końcu czynem lubieżnym skutecznie rozładować.

W trakcie gdy Guillaume swój trans przeżywał, ja o jego publikację o tytule *Jedenaście tysięcy pałek, czyli miłostki pewnego hos-*

podara, której swoim nazwiskiem nie opatrzył, tylko na inicjały „G.A." się zdecydował, zapytałam. Książeczka owa długie lata w podziemnym obiegu krążyła, rumieńce na twarzach niektórych niedoświadczonych i młodych niewiast wywołując, i dopiero w czasach „wolnej miłości" lat sześćdziesiątych wieku dwudziestego, w rezonansie z Woodstock, Janis Joplin, Jimim Hendrixem i podarowaniem kobietom pigułki antykoncepcyjnej, w księgarniach ziemskich się pojawiła. Ja tam w niej niczego szczególnego nie znalazłam, oprócz nadmuchanej, rozdmuchanej i niewiarygodnie przedmuchanej apoteozy „męskiego chuja". Użyłam tej wulgarności synuś w wypowiedzi swojej, ponieważ tylko taka konweniowała mi z nastrojem i językiem nawalonego absyntem pisarza, który sam swoimi słowami się – niebezpiecznie dla czci mojej – podniecał. Podobał mi się w *Pałkach*... humor, szczególnie ten makabryczno-surrealistyczny, podobała mi się paralela do Sade'a, ale perwersyjność mnie nudziła okropnie. Jakiż na Boga wszechmogącego jest surrealizm w onanizmie, biseksualizmie, sadomasochizmie czy nawet nekrofilii? Toż to normalka w Paryżu była, gdy Apollinaire to pisał. O czym grzesznicy z tamtych czasów u nas w Piekle swoim słowem honoru zaświadczają. A te kawałki o trójkątach czy czworokątach damsko-męskich to u mnie ziewanie wywoływały. Wolałam już sobie czytanie na później odłożyć i jakąś spowiedź rozwiniętej ponad swój wiek nastolatki podsłuchać, szczególnie gdy rude włosy miała.

Ale pozwól mi teraz synuś do Klimta Gustava powrócić.

Jak na www.hellpedia.hell sobie teczkę Klimta w spokoju czytałam, to mi się link do Twojej strony pojawił. Co niespodzianką dla mnie nie było, bo Ty w nastroju Klimta czasami pisujesz i łechtaczki oraz ich okolice też dogłębnie poruszasz, w sensie tematu oczywiście. I się na Twoją stronę natychmiast zlinkowałam i wzruszenie mnie naszło takie, że łzy mi z oczu popłynęły jak strumień. Bo tam u Ciebie na stronie fotografia czarno-biała jest taka, na której Kaziczek i Ty i Leon i ja jesteśmy. I Leon jest taki przystojny, a Wy tacy moi, i ja zmarszczek nie mam, i włosy jakbym od fryzjera dopiero wróciła ułożone, i z nowej farby rude wyraźnie. I mi się wtedy Leon przypomniał, i jego pocałunki, i ten cały Klimt nieskończenie nudny mi się wydał. Bo tego, jak mnie Leon całował, namalować się nie da, chociażby się Picasso, da Vinci, Klimt i Matejko w tej samej firmie malarskiej zatrudnili. No nie da się synuś, bo Twój ojciec całował mnie niewyobrażalnie pięknie i żaden malunek tego objąć by nie mógł. Bo dreszczy, które czułam, i myśli, które miałam, i pragnień im towarzyszących, i wilgotności nadchodzącej żaden pędzel na płótno nanieść by nie potrafił.

Ale ja przecież o drugim mężu przed mężem trzecim Leonem młodym opowiadać chciałam. Romantyk do bólu był. Szukam go w Piekle, bo być tu z racji popełnionych grzechów powinien, ale go jeszcze nie znalazłam. Bo Piekło synuś przeogromne jest.

Ale przed sobą całą wieczność mam przecież. Pewnie go kiedyś więc znajdę. Chciałabym go zapytać, dlaczego mnie tak podle zostawił. Bo mnie tchórz jeden niegodziwy zostawił. I dlaczego mi nie powiedział, z jakiego powodu. Dla kobiety to ogromnie ważne wiedzieć. Ta wiedza, dlaczego mężczyzna nagle postanawia odebrać kobiecie swoją uwagę, czułość i opiekę, wartość w sobie ogromną niesie. Bez wiedzy tej zaczyna się być jak „zaginiony" w serialach o osobach, co bez wieści przepadły. Nie ma ich, ale także trochę są. Każde pukanie do drzwi może ich pukaniem być.

I wtedy dziewczynom mój ostatni dzień w Gdyni w szczegółach opowiadam.

Zimny, bardzo zimny dzień. Bo 30 stycznia 1945 roku bardzo zimnym dniem był. Chociaż mało komu było tego dnia zimno. Gdy człowiek się boi, to nie jest mu zimno. A gdy ucieka, to tym bardziej. Mój skrzypek był w Anglii. Zdezerterował. Z Wehrmachtu do Anglii się przedostał i czekał na mnie. Ja bardzo do niego chciałam. Jak niczego na świecie. W Gdyni ogromny pasażerski statek „Wilhelm Gustloff" przycumował. Armia Czerwona się do Gdyni zbliżała. Wszyscy chcieli opuścić miasto. Głównie ze strachu. Bo horrory o tym, co rosyjscy czerwonoarmiści wyczyniają, gdy wejdą do miasta, wyobraźni granice przekraczały. Opowieści o gwałceniu kilkunastoletnich dziewczynek i siedemdziesięcioletnich staruszek opowiadane przez uciekinierów przybywających do Gdyni z terenów, które „wyzwalali" Sowieci, na porządku dziennym były. Można było uciekać z Gdyni na piechotę, można było odjechać pociągiem, gdy wiedziało się, kiedy taki pociąg odjeżdża, ale można było także z Gdyni na pokładzie „Gustloffa" uciec. Ja chciałam Gdynię opuścić nie ze strachu. Ja chciałam ją z miłości do męża mojego opuścić. Pewien wrażliwy i pociągiem fizycznym do mnie otumaniony SS-man obiecał mi, że wejście na „Gustloffa" mi „załatwi". Miałam spakowana na keję przyjść i czekać. O piątej rano, gdy ciemność jeszcze trwała, przyszłam. Tak dla pewności. W szamoczącym się tłumie czekałam. SS-man nie pojawił się nigdy, a ja przecież „niepełną Niemką" byłam. Niemką z tak zwanej trzeciej grupy jedynie byłam. Niemcy mają taką dziwną tendencję i niemieckość liczbami mierzą. Bo to ordnung jednoznaczny i matematycznie mierzalny wprowadza. A oni pociąg do ordnungu z mlekiem matki wypijają. Wprawdzie urodziłam się w Berlinie, mieszkałam z rodzicami w Toruniu, czyli w Prusach Zachodnich, mąż mój był oficjalnie żołnierzem Wehrmachtu (nie wiedzieli jeszcze wtedy i do dzisiaj nie wiedzą, że zdezerterował), ale ciągle nie byłam Niemką dostatecznie niemiecką. Statek „Wilhelm Gustloff" był przygotowany do wzięcia na pokład około 2500 pasażerów. Gdy w rejs do Kilonii odpływał, na pokładzie ponad 9500 ludzi się znajdowało. SS-manów, oficerów, ale w większości kalek, chorych oraz kobiet i dzieci. Przed statkiem tłumy takich jak ja stały. Tłumy niezliczone. Trzeba było kogoś z tego tłumu wybrać. Mnie nie wybrali. Złe dokumenty miałam. Niemką za słabą byłam. Bo trzy to nie jeden lub nawet nie dwa. Czekałam do odpłynięcia „Gustloffa", bo wiara we mnie była, że może jednak w chwili ostatniej mój SS-man się pojawi. „Gustloff" beze mnie odpłynął. Płakałam. Wrzeszczałam. Boga i Hitlera przeklinałam. Bezsilna się czułam. Porzucona i odrzucona. Zdradzona i sponiewierana. Oszukana. Z tęsknoty jak pies wyłam. Umrzeć bardzo chciałam. To wówczas, jak już Ci synuś nadmieniałam wcześniej, w lodowatym Bałtyku przez utonięcie swoje życie samobójstwem zakończyć pragnęłam. Ale odwagi takiej jednak nie miałam.

Po dwóch dniach pociągiem do Torunia wróciłam. Do dziadków Twoich. Na trzeci dzień w niemieckiej gazecie w Toruniu przeczytałam, że MV „Wilhelm Gustloff" zatonął 30 stycznia 1945 roku około 21.00 na wysokości Łeby, trafiony trzema sowieckimi torpedami, wystrzelonymi z łodzi podwodnej dowodzonej przez kapitana Aleksandra Marinesko. Tego wieczoru ponad 9400 ludzi umarło. Woda w Bałtyku bardzo zimna była, a na dworze więcej niż 18 stopni mrozu było. Katastrofa „Titanica" synuś w porównaniu z „Gustloffem" to jak historia kajaka, który uderzył w górę lodową, była. Marinesko doskonale wiedział, że na pokładzie „Gustloffa" są głównie kobiety i dzieci. Pomimo to odpalić torpedy rozkazał. Za to od Stalina liczne medale otrzymał.

„Za odwagę". Już pośmiertnie, bo w roku 1990, w dniu piątego maja dokładnie, prezydent Michaił Gorbaczow tytuł Bohatera Związku Radzieckiego mu nadał. Ku zdziwieniu mojemu ogromnemu. A tak na marginesie Ci powiem, że ten Gorbaczow – zdaniem moim skromnym – to jakiś taki mocno przefarbowany demokrata jest. I pojąć nie mogę, czym on tak tych Niemców nieustannie uwodzi.

Od Kohla Helmuta poczynając.

Kiedyś tutaj w Piekle Marineskę spotkałam. Skurwiel z bezgraniczną arogancją w oczach. Opowiada o „Gustloffie" jak o locie Gagarina w kosmos. Rzekomo nie trzy, ale cztery torpedy odpalili. Dla pewności. Pierwsza miała nadruk „Dla Ojczyzny", druga „Dla narodu radzieckiego", trzecia „Za Leningrad". Czwarta, która nie wypaliła, „Dla Stalina". Opowiada, że gdyby czwarta wypaliła, to „Szwaby zdychałyby jeszcze szybciej". No więc już teraz wiesz, jakich ludzi tu w Piekle mamy. Bez żadnego uczucia empatii. Powiedziałam Marinesce, że jest sowiecką zdemoralizowaną do szpiku kości gnidą i że wiedział, kto na pokładzie „Gustloffa" się znajduje. A on mi skurwiel jeden medalami od Stalina i Gorbaczowa zadźwięczał, „spolszczoną niemiecką skurwioną suką" nazwał i mnie na odlew w twarz uderzył, tak że z powodu utraty świadomości upadłam. I wiesz, kto mnie podniósł z kolan, gdy krew z moich rozciętych warg połykałam? Mój SS-man mnie podniósł. Ten, którego nie było, gdy rankiem mroźnym w Gdyni na niego w tłumie przed „Gustloffem" czekałam. I mu podziękowałam. Głównie za to, że mi urodzić Ciebie umożliwił. Bo tak naprawdę to on mi to umożliwił przez zaniechanie swoje.

Do Torunia wróciłam i błąkałam się po świecie, tęskniąc za mężczyzną, który nie miał odwagi do mnie powrócić. Czasami do parku na Bydgoskim Przedmieściu w Toruniu chodziłam i na mojej ulubionej ławce niedaleko stawu z łabędziami płakałam. Razu któregoś obok tej ławki przystojny mężczyzna przechodził. Że płaczę zauważył i się do mnie przysiadł. O powód płaczu nieśmiało zapytał. I papierosa zapalił. Nie powiedziałam mu „dlaczego", bo musiałabym całą historię stosunków polsko-niemieckich opowiedzieć, a wtedy ludzie tę historię jak najszybciej zapomnieć pragnęli. Potem znowu go spotkałam. Ja na tę ławkę tak raz w tygodniu przychodziłam. I on o tym wiedzieć nie mógł. I pomimo to znowu go spotkałam. To znaczy, że on tam każdego dnia przychodzić musiał. Jeśli mężczyzna w to samo miejsce każdego dnia przychodzi, chociaż kobieta mogła tam być tylko jeden jedyny, pierwszy i ostatni raz w jej życiu, to mężczyzna ważny jest. Przyznasz mi rację synku, prawda? Ty znasz się na mężczyznach. Piszą wprawdzie w gazetach, że się na kobietach znasz, ale to wymyślone dziennikarskie brednie są. Ty na kobietach się znasz niewiele. Ty znasz się na mężczyznach i opowiadasz to tak, że kobietom się zdaje, że znasz się na nich. Sprytnie to sobie synuś wymyśliłeś, oj sprytnie.

Leon Wiśniewski, ojciec Twój, przychodził do tej ławki chyba codziennie. I spotkał mnie tam raz drugi. I ja znowu tam sobie płakałam. I podał mi chusteczkę jedwabną. A potem ocierał mi nią łzy z oczu. A trzy albo cztery miesiące później, już dzisiaj nie pamiętam, na dansing do hotelu „Polonia" mnie zaprosił. I walca ze mną tańczył. I poloneza również. Lepiej niż ten SS-man w Gdyni, co mnie przed śmiercią poprzez utopienie zaniechaniem swoim uratował. I do piersi moich się przytulał, i włosy moje, na ten czas jeszcze rude oryginalnie, całował.

O swoim Stutthofie mi rok później opowiedział. Gdy całowałam jego ramiona i gdy papierosa zapalił i jak się jasno od zapałki zrobiło, to zauważyłam, że tam numer ma wytatuowany. I potem połączyliśmy się i się nam Kaziczek urodził. Twój brat starszy. A dwa lata później urodziłeś się nam Ty.

I Kaziczek, i Ty. Wy obaj bękartami byliście.

Wybacz synuś wulgarność. I dlatego nam Was ochrzcić nie chcieli. Bo z powodu grzechu powstaliście i aby wam grzech pierworodny zmyć, nie zasługujecie. Ja czekającą na rozwód mężatką byłam, a Wasz ojciec rozwiedzionym grzesznikiem był. Dopiero w listopadzie 1954 roku powiadomienie z pieczątkami otrzymałam, iż mnie oficjalnie z moim drugim mężem rozwiedziono. Dziewięć lat to trwało. Wmieszany był w to Polski Czerwony

Krzyż, polska ambasada w Anglii, angielski MSZ i polski MSZ. W końcu byłam znowu „kobietą niezamężną". Tak mówiła o mnie swoim koleżankom Twoja babcia Cecylia. Przez gardło jej przejść nie mogło słowo „rozwódka". A już fakt, że był to mój drugi rozwód, był najgłębszą tajemnicą przechowywaną jak wysuszony i przeżarty przez korniki szkielet w szafie. Bo to z rozwiązłą ladacznicą kojarzyć się mogło. Chociaż jej pierworodny Leon był rozwodnikiem. Ale Twoja babcia Cecylia, że to zupełnie co innego, w racji swojej uważała. Bo mężczyzna może się pomylić, ale kobieta nie. Dlatego stwierdzić mam pełne prawo, że Twoja babcia Cecylia feministką z pewnością nie była.

Dla mnie, gdy tak czekałam i czekałam, aż biurokraci w Anglii i w Polsce się w końcu zlitują, w pewnej chwili przestało to być ważne. Dopiero od ławki w parku na Bydgoskim Przedmieściu w Toruniu znowu czekałam na to. Twój ojciec także na to czekał. Bo chciał, aby matka jego dzieci także jego żoną była. Taki konserwatywny tradycjonalista z niego był.

Leon, Twój ojciec, wcale na ten chrzest nie nalegał. On od Stutthofu przestał wierzyć w tę plotkę o Bogu w Piśmie Świętym opisaną. Uważał, że milczenie Boga w Stutthofie jest najlepszym dowodem, że ta historia z nieskończenie dobrym Panem jedynie plotką jest.

Ale ja nalegałam. Bo ja w Boga wierzyłam i do dzisiaj wierzę. Chociaż dzisiaj w kontekście bardzo zmienionym. I rację pełną miałam. Bo bez Niego nie byłoby przecież Piekła. Gdy nie-ochrzczony Kazik dostał zapalenia opon mózgowych po szczepionce BCG, to lekarz mi powiedział, że może on „nam odejść, że modlić się trzeba i w cud wierzyć". I ja się modliłam, i wyrzucałam sobie, że go przeciw tej gruźlicy zaszczepiłam. Lepiej było nie szczepić, bo gruźlica była do wyleczenia, a to zapalenie opon nie zawsze. Gdy Kaziczek wyzdrowiał, to na mszę dziękczynną dałam, ale do księdza w sprawie tej mszy poszła babcia Marta i skłamała, że to za jej syna Kazika, mojego brata, który lotnikiem był i o Anglię walczył. Też ma Kazik na imię, więc w czasie mszy ludzie za Kazika się modlili i za Kazika pieniądze do koszyków wrzucali. Tylko my wiedzieliśmy, że to za naszego Kaziulka było, a nie za Kazika lotnika. A to najważniejsze, bo Bóg musiał przecież wiedzieć, że to nasze obmyślone kłamstwo było tylko urzędnicze, z desperacji, szlachetne. Bo liczy się człowiek. Gdybym ja Bogiem była, to tych jego urzędasów na ziemi, w zakrystiach i plebaniach, na cztery wiatry bym rozpędziła. Bo oni „czarny PR" Mu robią. Ludzie się do Boga plecami odwracają, aby zauważył, że jego urzędnicy na ziemi nóż im w te plecy wbili.

Poza tym często nie radzą sobie ze sobą. Kręcą się tutaj u nas w Piekle tacy w czarnych sutannach. Powołanie im minęło bardzo szybko i się po prostu uczłowieczyli. Gdy z nimi rozmawiam, to dużo racji mają. Trudno im było na ziemi zapomnieć o tym, że mężczyznami są, potrzeby mają, dotykania im brakuje, kobiety wodzą ich na pokuszenie. I mężczyźni też. Tych to ja nawet rozumiem, bo ile razy można się masturbować. Ale tych, którzy dusząc w sobie pożądanie do kobiet, skanalizowali je w pożądaniu małych chłopców, którzy ministrantami byli, to zupełnie nie. Ostatnio z ziemi przybywa do nas mnóstwo właśnie takich. Gardzi się nimi w duchu, ale z drugiej strony oficjalnie cieszy się ich obecnością. Bo dla Piekła ci pedofile napływający całymi wagonami z Anglii, Irlandii, USA, i niekiedy z Polski, to do dumy powód.

Ja takie silne przypuszczenie w sobie noszę, że Bóg wcale tego nie chce.

I ból odczuwa, i wstyd zarazem, że takich ambasadorów na placówkach ziemskich mu osadzono. Ale wiedzieć chyba o tym musi i tylko z jakiegoś nieznanego powodu zamilkł i nie interweniuje. Tutaj u nas w Piekle to milczenie Boga jest kultowe i szanowane. Odprawiamy niekiedy wydarzenia ofiarne, aby nigdy się nie skończyło. Milczący Bóg to skaranie boskie dla Nieba jest, ale dla Piekła to radość niebywała w kontekście każdym. Niekiedy także w niebywale synuś zabawnym. Ostatnio w ramach prelekcji na temat aktualnego stanu literatury katechetycznej na ziemi do łez się popłakałam, za brzuch się przy tym trzymając, gdy prelegentka (starsza poważna kobieta z wieloma tytułami ze szkół wyższych przeróżnych) fragment publikacji zacytowała, starając się przy tym powagę zachować. Niejaki Vaiani Cesare książeczkę pod włoskim tytułem *San Francesco d'Assisi* w roku 1996 popełnił, a która do Polski dopiero w roku 2009 trafiła. Vaiani w owej publikacji świętość i kult Franciszka z Asyżu na wszelkie sposoby rozgłasza. Ja tam synuś Franciszka z Asyżu szanuję ogromnie, ponieważ życiem swoim prawdziwej miłości do Boga i wszystkiego, co Bóg stworzył, wielokrotnie i niepodważalnie dowiódł. Sama osobiście wielu ateistów i gnostyków w Piekle naszym poznałam, których św. Franciszek z Asyżu do dzisiaj inspiruje. Dla wierzącego samo życie Franciszka dowodem cudu niesłychanego było. Ale pisarz Vaiani Cesare był zdania innego. Cud ascezy i miłości do Boga swoją drogą, ale nic tak do maluczkich i wątpiących jak „prawdziwy cud" nie przemawia. I opisał w związku z tym tak zwany cud „wilka z Gubbio". Nie będę Ci synuś całego tego barwnego opisu przytaczać, ponieważ książeczkę sobie sam przeczytać możesz (Cesare Vaiani, *Święty Franciszek z Asyżu*, ISBN 978-83-7502-157-8). Fabuła „cudu" okrutnego wilka, który włoską wioskę Gubbio nachodził, dotyczy. Gdy Franciszek do wioski owej w swoim życiu dotarł, to – zdaniem Vaianiego – poczuł się zobowiązany pokój pomiędzy wilkiem a mieszkańcami wioski wprowadzić. W tym celu do miejsca, gdzie legowisko wilka się znajdowało, się pośpiesznie udał. A teraz synuś zacytuję Ci, co Vaiani dalej pisze, bo to zaiste niezwykle śmieszne to jest, ale jedynie w oryginalnym przytoczeniu:

Gdy zwierzę rzuciło się w jego kierunku, Franciszek powitał je znakiem krzyża świętego, będącego źródłem siły każdego chrześcijanina, i zaczął piętnować jego dotychczasowe postępowanie, wzywając do poprawy.

Wilk jak urzeczony słuchał człowieka, który nazwał go „bratem wilkiem". W końcu Franciszek zaproponował mu pokojowy układ z mieszkańcami Gubbio. Wilk zobowiązał się, że nie zabije już nikogo, zaś mieszkańcy mieli mu dostarczać pożywienia. Na znak przyjęcia tej propozycji wilk podniósł łapę (sic!!!, synuś, widzisz teraz tę scenę tak jak ja, prawda? Widzisz???) *i podał ją Franciszkowi, potwierdzając ten niecodzienny pakt. Franciszek chciał, aby porozumienie było zawarte w obecności wszystkich. Udał się więc wraz z wilkiem na główny plac i tam publicznie powtórzył warunki porozumienia z mieszkańcami. Wilk po raz drugi podał łapę na znak zgody**.

I to synuś koniec cytatu jest, ponieważ dłużej pisać nie mogę. Łapię się bowiem teraz obu moimi łapami za brzuch mój obolały. Ale za chwilę śmiech mi z pewnością przeminie. I smutno mi się zrobi, gdy myśleć będę, jak bardzo niektórych ludzi od Boga takimi mitologicznie pogańskimi historiami odciągnąć można. Jedno synuś wiem. Gdyby Tobie lub Kaziczkowi taką historię na

---

* Cesare Vaiani, *Święty Franciszek z Asyżu*, Warszawa 2009, s. 28.

religii w salce plebanii ktoś opowiedział, to więcej Wasze nogi by tam nie postały. I przysięgam, z trzema łapami na sercu, iż słuszne by to było. I na dodatek przestalibyście bać się wilków. A to z dużym ryzykiem się wiązać może. Ale z drugiej strony przysłowie „Człowiek człowiekowi wilkiem" innego znaczenia by dla Was nabrało. Ale to tak na oddalonym marginesie tylko napisałam.

Wyzdrowienie Kazika mnie uradowało, ale strachu też na kilka lat mi napędziło. Lekarz opowiadał Twojemu ojcu, że Kaziczek może „nie za bardzo mądrym być". Zdrowy będzie na ciele, ale niedorozwinięty na umyśle. I dlatego go przez całe życie obserwowałam. Ale się tak na szczęście nie stało. Szkoły pokończył jako najlepszy. A teraz doktorat ma. I mądry jest, i oczytany nieskończenie, aż strach z nim rozmawiać, aby na głąba nie wyjść.

Nauczycielem został, więc czas na czytanie ma. Oni, nauczyciele, mało pieniędzy mają, ale za to czasu bardzo dużo. I powiem Ci synuś, że nasz Kaziczek jest erudytą o wiele większym niż Ty. On kupuje więcej książek niż niektórzy schorowani przewlekle ludzie lekarstw. Ostatnio żona Kaziczka mnie rozbawiła, gdy mu powiedziała: „Gdy ja stracę pracę i jak nastanie głód, to zawsze możemy wpierdalać celulozę z twoich książek". Dosadnie, ale prawdziwie mu powiedziała, bo u nich w mieszkaniu więcej książek jest niż w całym ich bloku.

Jutro jest Wielki Piątek.

To ważny dzień u nas w Piekle. Mamy jutro pogadankę na temat „Co czuł Bóg w Wielki Piątek?". Te pogadanki, dumnie seminariami nazywane, nudzą mnie, bo ciągle o tym samym gadają. Od ponad trzydziestu kilku lat tych samych tez wysłuchuję i te same stare obrazy Jezusa na krzyżu widzę. No nie, tak naprawdę nie te same. Najpierw były czarno-białe, ale teraz są kolorowe. Jezus ma na nich coraz mniej zmarszczek, coraz bardziej puszyste włosy, coraz bardziej wyraziste cierpienie na twarzy i coraz więcej krwi na dłoniach oraz stopach swoich. I coraz bardziej czerwieńsza ta krew jest. Bo Jezusa synuś obrabiają Photoshopem tak samo jak każdą inną gwiazdę albo celebrytę. Jeszcze kilka lat i Jezus na krzyżu metroseksualny będzie.

Ja doskonale wiem, co mógł Bóg w Wielki Piątek czuć.

Wiem to od każdego ojca, któremu zabili syna w Wielki Piątek. Ale Bóg miał lepiej niż na przykład ojciec chłopaka, którego w Wielki Piątek pijany kierowca rozjechał. Bo Bóg o tym, co stanie się w tym konkretnym dniu, doskonale wiedział. Powiem Ci synuś więcej. Bóg sobie Wielki Piątek obmyślił i zaplanował. A Wielką Niedzielę tym bardziej.

I tutaj u nas w Piekle uważają to za najdoskonalszy przekręt w historii Wszechświata. PR na najwyższym poziomie. Począć za pomocą Ducha Świętego w macicy Maryi zawsze Dziewicy syna, przekonać męża dziewicy, prostego cieślę Józefa, że za dziecko swoje powinien go uznać. Potem uczynić syna Maryi i Józefa mędrcem. Wyuczyć go cudami chodzić po wodzie, zamieniać wodę w wino, przywracać wzrok ślepcom, uzdrawiać umarłych, stawać zawsze po stronie leniwych, ale biednych, chłostać innowierców, przebaczać zdrajcom. Populizm uczynić religią. Zorganizować sektę oddanych tej religii partyzantów, nazywając ich apostołami. Absolutnie oryginalny projekt to jest. Znakomity. Nie do podrobienia przez ostatnie ponad dwa tysiące lat. I jeszcze ten przepiękny, mitologiczny, poruszający epilog rozpisany na stacje. Na ostatniej stacji podnoszą trzy krzyże i przybijają pośród nich proroka gwoździami do krzyża. Matka pod krzyżem, a oni mu dłonie i stopy dziurawią. A on jeden z nas w tym momencie. Człowiek. Na środkowym krzyżu, obok takich jak my normalnych grzeszników. Złodziei. Słabych charakterem. Ułomnych, normalnych ludzi. Umiera za nas, za nasze zbawienie. Jest w tym nadzieja ogromna, do oczyszczenia nawoływanie, do poprawy, do pokuty. To nie mogło nie zadziałać. Tak o tym u nas z zazdrością i zawiścią w Piekle mówią. Pomysł na Chrystusa jest we wszystkich podręcznikach marketingu analizowany. Póki co jako wzorcowy i póki co niedościgniony.

A ta przepiękna historia ze wskrzeszeniem Łazarza, w największych szczegółach opisana, od której kult Jezusa masy krytycznej nabrał i jako lawina jego uwielbienia się potoczył, absolutnym hitem u nas w Piekle jest i do klasyki marketingu weszła. Bo to jako bałwochwalstwo równego sobie niemające się objawia.

I ten kult oraz to uwielbienie niebywałe przez dwa tysiące lat z hakiem nie osłabło i trwa. I Fejs się w rzeczy samej do tego – jak ostatnio zauważyłam – z całą mocą rażenia swojego przyczynia. Ostatnio synuś „polubiłam" na Fejsie profil *Jesus Daily*. Z ciekawości go „polubiłam", bo co o Jezusie Chrystusie Nazareńskim tak na co dzień ludzie myślą i mówią wiedzieć pragnę. Jezusa na Fejsie do pogubienia się jest pełno, ale jakoś ten profil magią prostoty swojej mnie zatrzymał. Pewien lekarz, syn religijnych rodziców z amerykańskiej Południowej Karoliny, niejaki Aaron Tabor, profil ten niedawno w marcu 2011 roku utworzył i do dzisiaj pielęgnuje. I przeciętnie cztery miliony ludzi w tygodniu w „lubię to" na tym profilu klikają. W skali tygodnia „współczynnik lubienia" tej strony sumę wszystkich „lubień" wszystkich stron pochodzących ze Stanów Zjednoczonych na Fejsie przekracza! „Dżizus Krajst!" jak wykrzyknąłby, z akcentem, wierzący lub niewierzący w Boga Polak z „Szikago". Jezus codziennie miliony ludzi przyciąga. Nie tylko do kościołów. Ale także na Fejsie. Wygląda na to, że na Fejsie o wiele milionów więcej. Na *Jesus Daily* przyciągnęło nas wszystkich prawie dziesięć i pół miliona (ja „polubiłam" *Jezusa Codziennego* w trzeciej dekadzie listopada

2011 roku jako 10 430 406. osoba). Na Fejsie ponad siedemset pięćdziesiąt milionów ludzi mniej lub bardziej regularnie bywa. Z tego ponad – jak się okazuje – 14% Jezusa Chrystusa codziennie w trakcie swojej obecności lubi. Ponad 14% oraz ponad dwa tysiące lat po jego śmierci. Te dwa tysiąclecia i te procenty (one o wiele bardziej) Piekło przerażająco niepokoją. Bo Jezus Chrystus Nazareński jako celebryta, pomimo wszelkich Piekła wysiłków, niedoścignionym się objawia.

W czasach Jezusa bowiem, przeciętnie, mężczyźni żyli około lat 37, a kobiety 35. Ludzie wówczas jeszcze pojęcia o medycynie nie mieli, więc każda choroba potencjalnie śmiertelna była. Czasem jednak się „uzdrowiciel" pojawiał, a wtedy ludzie, żeby się do niego dostać, wiele robili. Jezus Chrystus najpierw ludzi „leczył" (najczęściej efekt placebo wykorzystując), a następnie o potędze modlitwy i potędze Bożego Królestwa ich cierpliwie nauczał. Więc historia Łazarza o bezgranicznych dyplomatycznych oraz politycznych talentach Jezusa Chrystusa w pełni zaświadcza. Nie mówiąc o Jego dużej wiedzy z zakresu farmakologicznej magii efektu placebo.

Dwie niewiasty, Maria i Marta, w czasie owym Chrystusowi bliskie, przywołują go, ponieważ ich chory brat Łazarz umiera, a one uzdrowienia jego od Jezusa pilnie oczekują. Ten wcale uzdrowienia Łazarza nie zamierza wykonać i jego śmiertelną chorobę jako ku chwale Bożej przyczyniające się wydarzenie traktuje. Spokojnie czeka, aż Łazarz umrze, a potem uczniom swoim obwieszcza, aby „się radowali", że go tam wcześniej nie było, „abyście uwierzyli", jak sam rzecze, według Ewangelii św. Jana. Bo cierpienie i choroba Łazarza interesuje go o wiele mniej niż to, co po śmierci Łazarza uczynić zamierzał. A postanowił z całym medialnym orszakiem do wioski się udać. Fakt, że z czterodniowym opóźnieniem to czyni, co na swoją korzyść sprytnie już na miejscu przerabia. Kiedy Maria i Marta w boleści swojej wyrzuty mu czynią, że „gdybyś przyszedł wcześniej, to nasz brat by nie umarł", Jezus we wściekłość ogromną wpada i podniesionym głosem przed tłumem żałobników obwieszcza, że niewiasty z większą siłą wierzyć w niego winny, bowiem Synem Bożym przecież jest i w związku z tym nic zupełnie dla niego niemożliwym nie jest. Potem tłumem otoczony do miejsca wiecznego spoczynku Łazarza zaprowadzić się natychmiast każe. Po drodze łez swoich nie ukrywa, czym tylko poruszenie w tłumie wzbudza i o miłości do Łazarza gawiedzi spektakularnie zaświadcza. Pieczara, w której ciało Łazarza od czterech dni przebywa, zamknięta przed głodnymi i drapieżnymi zwierzętami płytą skalną jest. Jezus płytę tę odrzucić poleca, a na rozsądną w rzeczy samej uwagę jednej z kobiet, iż ciało Łazarza po czterech dniach cuchnąć już może, złością odpowiada i obcesowo zamknąć się jej każe. W Ewangelii oczywiście przedstawione jest to jako zredagowane, mocno wygładzone i dyplomatyczne zdanie: „Czy

nie powiedziałem ci, że jeżeli uwierzysz, ujrzysz chwałę Bożą?".
I tłum tę chwałę na oczy własne dojrzy, o czym św. Jan w swojej
Ewangelii, jak w jakimś szczegółowym i chronologicznym reportażu dla stacji Al Dżazira z pola walki o cud, wiarygodnie dla
potomnych przedstawia. Ponieważ kamer nie ma, więc Jan Ewangelista na słowie i faktach się skupia:

11:58:03 Jezus ku otwartej pieczarze się zbliża.

11:58:59 Jezus oczy ku niebu wznosi.

11:59:18 Jezus do Boga, którego swoim Ojcem nazywa, się
zwraca: „Ojcze, dziękuję, że mnie wysłuchałeś. Ja wiedziałem, że mnie zawsze wysłuchujesz. Ale ze względu
na otaczający mnie lud to powiedziałem, aby uwierzyli,
żeś Ty mnie posłał".

11:59:44 Jezus kieruje wzrok na pieczarę.

11:59:48 Jezus rozkazuje: „Łazarzu, wyjdź na zewnątrz".

12:00:00 Łazarz ze swojego grobu w pieczarze wychodzi. Nogi
i ręce powiązane przepaskami mając i twarz chustą
przesłoniętą.

12:00:03 Tłum milknie, wstrzymując oddech.

12:01:00 Jezus nakazuje: „Rozwiążcie go i pozwólcie mu chodzić!".

12:02:15 Wskrzeszony Łazarz twarz swoją ukazuje i zaczyna iść
w kierunku tłumu.

12:02:18 Tłum na kolana pada, potem wstaje i histerycznie skanduje: „Jezus, Jezus, Jezus…".

To, co przy pieczarze Łazarza św. Jan w swoim reportażu dokładnie opisał, niespotykany wydźwięk propagandowy miało. Obecni przy wskrzeszeniu Łazarza Żydzi natychmiast do ugrupowania Jezusa wstąpili. Nie uszło to oczywiście uwagi arcykapłanów, którzy o cudzie Jezusa usłyszeli, ponieważ się to głośnym echem z ust do ust przekazywanym rozniosło. Długowłosy wędrownik kaznodzieja o imieniu Jezus, syn nieznanego cieśli Józefa i niewiasty Maryi, niebezpieczny się dla nich stał, więc z obiegu go wycofać postanowili. A dla samego Jezusa świetnie zaplanowany czyn wskrzeszeniu Łazarza stał się prologiem do bezprecedensowej w historii kariery, zakończonej chcianą i sprowokowaną przez niego samego jeszcze bardziej legendarną śmiercią na krzyżu.

A śmierć Chrystusa na krzyżu to jedna z najważniejszych podstaw chrześcijaństwa jest. Tak mi się synuś na dzień dzisiejszy wydaje. To wyekstrahowana miłość Boga do ludzkości. Taki *caritas* absolutny. Jak święty Jan się wypowiedział: „Tak Bóg umiłował świat, że Syna swego jednorodzonego dał (…)". Ten przekaz miłości szczególne znaczenie posiada, a jeszcze szczególniejszego nabierał w początkach, kiedy tylko się chrześcijaństwo rodziło. To coś niezwykłego bowiem w czasach tamtych było. *Novum* w rzeczy samej niesamowite. Bo do tej pory to człowiek przed bogami klękał i im ofiary w celu przebłagania składał. A tu nagle pojawił się nowy Bóg, który nie tylko nie żądał od ludzi, by zabijali baranki, owieczki albo inne niewinne żyjątka, ale sam największą ofiarę złożył. Z syna swojego ukochanego, a tym samym z siebie samego.

A zastanawiałeś się kiedyś synuś, jak dzisiaj świat by wyglądał, gdyby w trakcie procesu nad Jezusem Chrystusem rzymski namiestnik Judei, Poncjusz Piłat, z zawodu prokurator, nie skazał JC na śmierć przez ukrzyżowanie? Wcale nie musiał w rzeczy samej. Występek Jezusa – zgodnie z historiami z Biblii – był w mniemaniu Piłata raczej błahy. Chociaż w mniemaniu obowiązującego kodeksu wcale nie. Pamiętaj synuś, że na początku, kiedy jeszcze tworzył się system prawny, jaki obowiązywał w biblijnych czasach, spory rozstrzygane były i przestępcy przez starszyznę danej społeczności karani byli. Reformę tego systemu dopiero w dziewiątym wieku przed urodzeniem Jezusa niejaki król Józefat wprowadził. Te reformy polegały na tym, że w większych miastach Judei powoływani byli stali sędziowie, ale w Jerozolimie funkcjonował trybunał sanhedrynem zwany, z kapłanów, arystokratów oraz faryzeuszy złożony, z najwyższym kapłanem jako „prezesem zarządu" na czele. I ten trybunał to ostateczna i najwyższa instancja sądu była. W czasach Jezusa obowiązywało prawo, zgodnie z którym 12 przestępstw było, za które ludzi na śmierć skazywano: zabójstwo, porwanie człowieka w celu sprzedania go do niewoli, bluźnierstwo, bałwochwalstwo, czary, naruszenie szabatu, ciężkie przewinienie wobec rodziców, cudzołóstwo, uprawianie nierządu przez córkę kapłana, męski homoseksualizm, kazirodztwo oraz sodomia. Jezus, zdaniem moim, pod trzy paragrafy podpadał: o bluźnierstwie, o bałwochwalstwie oraz o czarach. Więc sam synuś przyznasz, że dość poważny kryminał JC skręcił jak na czasy owe. Z trzech paragrafów – formalnie – mógł go Piłat uśmiercić wyrokiem w pełni zgodnym z prawem. Pomimo to, według zgodnego przekazu czterech ewangelistów, Piłat o niewinności Jezusa był przekonany raczej.

Dzisiaj Jezus dostałby co najwyżej wezwanie na kolegium, a nie przed sąd. Z powodu małej szkodliwości czynu. Piłat mógł spokojnie Jezusa za karę do pracy w kamieniołomach na przykład wysłać. Albo nawet jego niewinność orzec. Bo JC żadnym zagrożeniem dla imperium rzymskiego w owych czasach nie był. W pewnym sensie wykroczenie popełnił, a nie przestępstwo. Géza Vermès, żydowsko-węgierski Anglik w roku 1924 urodzony, który życie swoje badaniom fenomenu Jezusa poświęca, wskazuje, że tak naprawdę wątpliwe jest, czy fakt, iż Jezus za Mesjasza i Bożego Syna się uważał, w tamtym okresie bluźnierstwem był. Żaden prawny przepis podawania się za mesjasza nie zabraniał i nie traktował tego jako bluźnierstwo. Tym bardziej że już dawno przed nim Flawiusz Józef, żydowski historyk z rodu kapłańskiego pochodzący i tuż po męczeńskiej śmierci JC uro-

dzony w roku 37, wspomina o innych licznych „mesjaszach"
jeszcze z okresu sprzed pierwszego powstania żydowskiego przeciwko władcy Rzymu. Żaden z tych „mesjaszów" nigdy w stan
oskarżenia postawiony nie został i żadnego nigdy nie skazano.

W ocenach Ojców Kościoła Piłat nie zdecydowałby się Jezusa
skazać, gdyby żydowski tłum nalegać nie zaczął. Tłum nalegał,
ponieważ przez kapłanów manipulowany był, a Piłat z arcyka-
płanem Kajfaszem, prezesem sanhedrynu, przecież się blisko za-
dawał. Kajfasz dla jednych tchórzem był, a dla innych rozsądnym
patriotą. Chciał wszelkim buntom zapobiec, aby broń Boże Rzy-
mianom się nie narazić. Według Ewangelii: „Cóż my robimy
wobec tego, że ten człowiek czyni wiele znaków? Jeśli Go tak
zostawimy, przyjdą Rzymianie, i zniszczą nasze miejsce święte
i nasz naród".

Słabość swojego charakteru generalny prokurator Poncjusz
Piłat życiem swoim w pewnym sensie opłacił. W roku 36 (lub
39 jak inne pisma podają), odwołany z urzędu do Rzymu, samobójstwo popełnił, a zwłoki jego do Tybru wrzucono. W tym
kontekście jest prawdopodobne, iż Piłata kiedyś tutaj w Piekle
napotkać mi się zdarzy.

Ale załóżmy synuś, że tłum nieprzekonany przez Kajfasza by
nie nalegał. Jezus Chrystus dostałby jakąś małą karę grzywny, co
z punktu widzenia ówczesnej jurysdykcji wyrokiem sprawiedliwym
by było. Wróciłby do swoich uczniów i chrześcijaństwo małą

sektą, jakich wiele, by pozostało. Bez wielkiego znaczenia. Zapomnianą po krótkim czasie. Religią dominującą stałby się, zdaniem moim synuś, judaizm. Taki trochę na nowoczesność podkręcony, do grecko-rzymskiego świata dostosowany. Bez nakazu obrzezywania i z pewnością bez koszerności, bo w Rzymie i Atenach dobrze pojeść lubili. JC nie cierpiałby na krzyżu, a zarzut, iż Żydzi syna Bożego ukrzyżowali, racji bytu żadnego by nie miał. A to przecież głównym powodem prześladowania narodu żydowskiego się okazało, jak spisana w szczegółach okropnych historia zaświadcza. Gdyby Poncjusz Piłat nie uległ Kajfaszowi i nie popłynął na fali politycznej gnojówki populizmu, nie byłoby synuś Krzyża, nie byłoby Zmartwychwstania, nie byłoby chrześcijaństwa i nie byłoby Auschwitz. I Stutthofu ojca Twojego Leona także. A ja nie musiałabym tańczyć poloneza z SS-manami. I w encyklopediach terminu Holocaust nikt by się nie doszukał. Tak sobie głośno myślę synuś. Ale tak się nie stało. Zindoktrynowany tłum widoku krwi pragnął. I widowiska także. Jak korridy. Tak było i w Rzymie gladiatorów, tak było pod Poncjuszem Piłatem, i tak było o wiele wieków później pod Stalinem Józefem także. Publiczne egzekucje wymuszone przez wiwatujący tłum to stary pokazowy numer dyktatorów wielu. I zawsze się sprawdzał. W trakcie rewolucji francuskiej stał się nawet widowiskiem kultowym. Wystawianym nieomal codziennie. Jak serial pod tytułem *Gilotyna na złe i na najgorsze.* W *prime time* oczywiście. Obejrzeć pięć minut aktualnego odcinka wystarczy, aby zrozumieć kilkaset poprzednich. Tłum krwią napoić najłatwiej jest synuś. Trudniej go chlebem natomiast do syta nakarmić. Zresztą po co? Wygłodniały tłum przy egzekucjach na chwilę o głodzie swoim zapomina. Stalin odkrył, że można jeszcze taki spragniony tłum wódką upoić. Wtedy show jeszcze lepszy się okazuje. Gdy tak sobie myślę synuś o tym wszystkim czasami, to mi za ludzkość całą wstyd jest piekielnie. Mnie się wydaje, że Jezusowi także za ludzkość wstyd być musiało. Dlatego się dziwię, że zechciał za nią na krzyżu umrzeć. I to w boleściach takich. Myślę, że wyboru większego nie miał, bo woli Ojca uległ. Zgodnie z planem Jego.

Ale wracając do sedna rzeczy. Oprócz podręczników otworzyli u nas w Piekle tak zwaną Białą Księgę Jezusa Chrystusa Nazareńskiego. Coby dane do akt Jezusa zbierać i z drugimi się dzielić, aby wreszcie cała sprawa na jaw wyszła. Wszelkie potwierdzone, niepotwierdzone lub tylko zasłyszane wiadomości związane z życiem i śmiercią Jezusa można tam wpisywać. Im dziwniejsze i bardziej nieprawdopodobne, tym lepiej. Nie wolno jednakże nic wymyślać, bo to Białą Księgę plami i kara poważna za to grozi. Konkurs na najciekawszą wiadomość, z nagrodami, rozpisali, więc się społeczeństwo w Piekle stara, wiadomości na wszelkie sposoby szuka i do Księgi skwapliwie wpisuje. Odkąd książkę Niemki Uty Ranke-Heinemann *Nie i amen* z zainteresowaniem ogromnym w oryginale przeczytałam, w przekonaniu byłam, że już nic szokującego więcej w kwestii Jezusa i Biblii wynaleźć nie sposób. Bo Uta, jak ten ojciec biologiczny i chrzestny gazety „Hustler" (niespecjalnie wyuzdanej), Larrym Flyntem współczesnej teologii się okazała, tyle że swoje „skandale" solidną wiedzą podpiera, a nie fantazmatami. Bowiem profesor Uta Heinemann z domu Ranke, żona prawowita prezydenta Niemiec, mądrą niewiastą jest niezwyczajnie. Na tyle mądrą, że nawet w niemieckim Kościele to zauważyli i jako pierwszej kobiecie teologię w wyższych szkołach wykładać pozwolili. Potem Uta – nie tak jak Kościół chce – coś o celibacie w kontekście wypowiedzi Jezusa językiem swoim niewyparzonym chlapnęła, więc przestali ją na najwyższych piętrach w episkopacie hołubić, a wkrótce także lubić, i na skutek tego prawo do wykładania teologii w roku 1987 nagle odebrali. Jakimś artykułem i paragrafem. W dekrecie oczywiście. Bardzo w naturze swojej stalinowskim, na mój gust skromny. Ale, jak sam synuś wiesz, dekrety Stalina z dekretami Kościoła wspólnego mają przecież bardzo wiele. W wyniku wprowadzania w życie paragrafów z dekretów Kościoła nie mniej ludzi umarło niż z powodu paragrafów w dekretach Stalina.

Bo Kościół na ten przykład naukę celowo i z zamysłem przez wieki całe ograniczał i właściwie ludzi do cierpienia zmuszał. Choroba jako sprawiedliwa kara za grzechy tłumaczona była i coś, z czym pogodzić się trzeba, bo skoro Bóg tak chce, to tak ma przecież być.

Ale do tego, żeby wierni oporu nie stawiali, ciemnota potrzebna była. W wieku piętnastym na ten przykład, który to w dziejach Europy jako okres wojen, klęsk żywiołowych i głodu strasznego się zapisał, epidemii wiele było i nagromadzenia chorób różnych. Również tych, które dziś mianem wenerycznych się określa. Wówczas jednak myśl syfilityczna dopiero się rodzić zaczęła, a w jej ukształtowaniu, przynajmniej w pewnym zakresie, cały ogromny kosmos oraz Bogu ducha winna astronomia i astrologia dopomogły: *Większość pisarzy przyjmuje, że połączenie w dniu 25 listopada 1484 Saturna i Jowisza w znaku Skorpiona i Domu Marsa było przyczyną zarazy* (w tym wypadku o kiłę synuś chodziło), *a dobry Jowisz uległ złym planetom Saturnowi i Marsowi. Znak Skorpiona, któremu podlegają narządy płciowe wyjaśnia, dlaczego właśnie narządy płciowe, były pierwszym atakiem nowych chorób* (...)*. W związku z czym niektórzy uważali też, że choroby weneryczne Bóg zesłał, bo chciał, żeby ludzie nierządu unikali.

Najczęściej jednak choroby jako skutek opętania tłumaczono, więc najlepszym lekarstwem egzorcyzmy były przez księdza odprawiane. Ale także modlitwa, pielgrzymki lub zbawienne relikwii pośrednictwa. W przypadku ostatnim wymiar czysto ekonomiczny to posiadało, bo relikwie niemałe dochody kościołom i miastom, w których się znajdowały, przynosiły. Poza tym wiarę

---

* Ludwik Fleck, *Powstanie i rozwój faktu naukowego*, przeł. M. Tuszkiewicz, Lublin 1986, s. 26.

zwykłego ludu w cuda umacniały, nawet jeśli po wielu wiekach się okazywało, że kości świętego tak naprawdę kośćmi kozy były, tak jak kości świętej Rozalii, które w Palermo złożono.

Tezy nieprawdziwe cierpiącym na choroby wszelakie obywatelom wciskano.

Taki na ten przykład Grzegorz z Nazjanzu głośno krzyczał, że medycyna niepotrzebna jest, a wyleczyć tylko konsekrowane ręce mogą. Wtórował mu św. Augustyn, który twierdził, iż „wszystkie choroby chrześcijan trzeba przypisać owym demonom. Głównie ich znęcaniu się nad świeżo ochrzczonymi chrześcijanami, a nawet nad niewinnymi nowo narodzonymi dziećmi". „Demonami" w czasach św. Augustyna przede wszystkim bogowie pogańscy, którzy szatanowi służyli i wściekli z powodu rozpowszechniania się chrześcijaństwa, byli.

Plagi i zarazy, które szczególnie średniowieczny świat nękały, były albo demonom, albo gniewowi Boga przypisywane. Już wówczas bardzo czujny finansowo-ekonomicznie kler świetny sposób na przebłaganie znalazł. Metodą uniknięcia bożego gniewu było na przykład podarowanie Kościołowi ziemi. A także inne samoponiżanie. Popularnym i atrakcyjnym obrazkiem średniowiecza późnego szczególnie procesje samobiczowników były. Prosili oni Boga o miłosierdzie w czasach, kiedy zarazy okrutne panowały. Samobiczowanie formą poniżenia się oraz oddania czci Bogu należnej być miało. Ale i tu okazało się, że prawa rynku i marketingu wszechobecne są, i to dużo wcześniej niż w średniowieczu. Już wykastrowani kapłani semickich i anatolijskich bogiń z samookaleczenia i samobiczowania publiczne widowisko zrobili, datki od widzów sowite zbierając. Dodatkowego smaczku sytuacji nadawały ich twierdzenia, że w czasie „wypełniania rytuału" są przez bóstwo owładnięci. Poniżenie mogło także formę uległości seksualnej przybierać, co również się z czasów wcześniejszych wywodziło. Dotyczyło to szczególnie mężczyzn, którzy role kobiece przyjmowali. Podobnie było w przypadku eunuchów, którzy swe ciała, w ramach samoponiżenia, do stosunków homoseksualnych darowali.

Cenionym sposobem przebłagania rozgniewanego Boga było też mordowanie Żydów.

Około roku 1348, w czasie kiedy tak zwana czarna zaraza panowała, w germańskiej Bawarii około 12 tysięcy Żydów zabito, a w Erfurcie 3 tysiące.

Często jednak nawet zamordowanie Żyda czy oddanie największej działki klerowi nie pomogło, bowiem ludzi choroby nadal dotykały, a wtedy „jakoś" leczyć je należało, w co też Kościół angażował się aktywnie. Papież Pius V pod koniec wieku szesnastego odnowił dekrety, które nakazywały, by lekarz do chorego najpierw księdza wzywał, bo przecież słabość cielesna być tylko skutkiem grzechu mogła. Nakazał również, by lekarz dalszego leczenia odmawiał, jeżeli w ciągu trzech dni od rozpoczęcia kuracji pacjent księdzu swoich grzechów nie wyzna. W przypadku chorób umysłowych ich leczenie niezwykle przesądny charakter miało. Uważano bowiem powszechnie, że obłęd wynikiem opętania człowieka przez diabła jest. Często „leczenie" takiego chorego było religii i magii tragicznym połączeniem. Magiczne więc terapie wymyślano. Takie jak ta synuś na ten przykład: „Gdy diabeł opanuje człowieka lub kontroluje go od wewnątrz za pomocą choroby, przyrządź napój z łubinu, podagrycznika, lulka czarnego i czosnku. Połącz je wszystkie i zetrzyj na proszek, dodaj piwo i święconą wodę". Z czasem stwierdzono, że najlepszym sposobem na wygnanie złego ducha jest torturowanie i upokarzanie go (to znaczy destrukcyjnego ducha w Bogu ducha winnym ciele chorego). Używano więc coraz bardziej odrażających substancji, ale też coraz bardziej obscenicznych słów. Kiedy to nie pomagało, pacjenta w obecności rodziny biczowano, a jeśli i to efektów nie przynosiło, bardziej wymyślne tortury stosowano. W Wiedniu w roku 1583 „wygoniono" z ludzi (a dokładnie rzec ujmując, jezuici wygonili) 12 652 diabły.

Praktykując magiczne rytuały różnorakie, bardzo długo Kościół rozwój medycyny hamował i na przykład wykonywania sekcji zwłok zabraniał, co przecież niezbędne było, żeby organizm człowieka najpierw dogłębnie poznać i potem leczyć. Było to z bullą

Bonifacego VIII związane oraz z przekonaniem Ojców Kościoła, że w ciele człowieka jedna niezniszczalna kość występuje, która umożliwia zbawienie, bo zmartwychwstanie ciała gwarantuje. Kości takiej w ciele człowieka nie znalazł Andreas Vesalius, za pioniera naukowej anatomii uznawany, przez co klerowi się naraził mocno. Przez pewien czas jednak uniknąć kościelnej cenzury zdołał. Uniknął jej tylko dlatego, że był nadwornym lekarzem cesarza Karola V, który bał się, że jeżeli pozbędzie się medyka, na niebezpieczeństwo własne zdrowie narazi. W okresie rządów Karola V konferencja teologów opinię wydała, w której wyraźnie zapisano, że sekcja zwłok świętokradztwem wcale nie jest. Jednak już Filip II, będąc w pełni sił, nie widział powodu, dla którego miałby chronić „podejrzanego lekarza". Inni medycy go więc bardzo uważnie obserwowali i wkrótce znaleźli coś, co mogło pogrążyć Andreasa. Otóż kiedy za zgodą rodziny badał ciało hiszpańskiego granda, dotknięte nożem serce wykazało pewne oznaki życia (tak stwierdzili wrogowie Andreasa). Lekarz oskarżony o morderstwo i przekazany inkwizycji pośpiesznie został.

Niekiedy jednak w temacie tym wyjątki Kościół czynił. Taki René Descartes, powszechnie jako Kartezjusz znany, na polu matematyki i fizyki najbardziej zasłużony, medycynę również w wieku siedemnastym uprawiał. Dziwnym i tajemniczym układem z Watykanem, w ograniczonym wprawdzie zakresie, ale jednak prawo do wykonywania sekcji zwłok uzyskał. Nie wolno mu było „czaszek

rozkrajać" oraz „duszy badać", ponieważ Kościół właśnie w mózgu –
a nie w sercu, jak powszechnie w czasach tamtych sądzono –
i w niezdefiniowanej „duszy" siedliska ludzkich emocji upatrywał.
Kartezjusz zaleceniom Kościoła się podporządkował, bowiem bardziej siedliska chorób niż lokalizacja emocji go interesowały. Sądził
bowiem, że umysł i ciało dwa całkowicie różne istnienia stanowią.
Co dla mnie – filozofki amatorki matury przedwojennej nieposiadającej – trochę dziwnym się wydaje jak na myśliciela, który zdanie
słynne „Myślę, więc jestem" dnia pewnego w olśnieniu wypowiedział. Jeśli umysł z ciałem rozłączny jest, to może przecież się zdarzyć, iż ciała już dawno nie ma, a umysł jednakże pozostał oraz
ciągle coś pracowicie wymyśla. Ale może ja bajdurzę, bo czegoś
synuś w wywodzie Kartezjusza nie pojęłam?

Przy czym – dekrety Stalina z dekretami Kościoła porównując – sprawiedliwym synuś być trzeba i przyznać, że Kościół na
ich wprowadzanie w życie więcej czasu niż Stalin miał. Dekretalny czas Kościoła mierzy się w tysiącach, a czas Stalina w dziesiątkach lat. Ale pomimo to, odkąd w naszą Białą Księgę zaglądam, Uta wydaje mi się tylko nieszkodliwą ciekawską kobietą.

Synuś, czego tam w księdze naszej białej jak welon panny młodej dziewicy nie ma?!

Najwięcej jest świadectw żywych, ale są też takie od dawno
umarłych. Przytoczę Ci kilka, bo niektóre to jak oceny biegłych
powołanych w procesie o zabójstwo Chrystusa.

Najciekawsze pochodzą od doktora Pierre'a Barbeta, Amerykanina z Uniwersytetu Columbia, który badaniu tematu ukrzyżowania Jezusa i Całunowi Turyńskiemu pół swojego życia poświęcił. Barbet, studiując ślady na Całunie, wystawił rodzaj obdukcji: Jezus ma duży krwiak pod prawym okiem, szeroką ranę od nosa przez policzek, wyrwane włosy z brody, pękniętą żuchwę, pęknięte łuki brwiowe i złamany nos. Na Całunie odbija się 700 śladów ran różnych, z czego 121 to rany głębokie, które mogły powstać po biczowaniu. Biczowano w stylu rzymskim, więc razy padały bez ograniczeń. Zalecenia były takie, by nie uderzać w brzuch i w serce. Chodziło o to, by skazanego zbyt szybko do zgonu nie doprowadzić. Uderzało dwóch ludzi, biczami o krótkiej rękojeści z kilkoma rzemieniami zakończonymi kulkami żelaznymi lub ostrymi kośćmi zwierzęcymi. Wbijały się mocno w ciało, wyrywały skórę, rozrywały mięśnie i naczynia włosowate, penetrując ciało aż do kości.

Oprócz tego Barbet próbował ustalić szczegóły techniczne dotyczące samego aktu ukrzyżowania. Cierpliwie i skrupulatnie rekonstruował tę scenę metodą prób i błędów. Wstawił do laboratorium krzyż i przybijając do niego kolejne zwłoki mężczyzn o posturze Jezusa, mierzył i liczył. Sprawdzał, czy to możliwe, aby Jezus utrzymał się na krzyżu przybity za dłonie.

Czasami zastanawiam się synuś, jak daleko w poszukiwaniu prawdy posuwać się można. Bo wizja przybijanych do krzyża zwłok w laboratorium Barbeta i samego Barbeta stojącego ze stoperem, czekającego, aż zwłoki opadną na podłogę, gdy gwoździe rozerwą dłonie ukrzyżowanego trupa, przerażeniem i odrazą mnie napawa.

Ale pomińmy moje przerażenie i moją odrazę. Doktor Pierre Barbet ustalił ponad wszelką wątpliwość, że to nie byłoby możliwe. Liczne jego eksperymenty potwierdziły, że kości śródręcza nie wytrzymywały i ciała przybijanych do krzyża trupów krótko po wbiciu gwoździ spadały na ziemię. Wywnioskował więc, że Chrystus został przybity do krzyża za nadgarstki.

Tak jak gdyby miało to dla wiernych jakieś duże znaczenie. Biblia prawdę przecież koloryzuje. Biblia to z pewnością nie literatura faktu. Biblia to literatura piękna. Zmieszanie różnych gatunków. Od historycznej fantasy, poprzez niezły kryminał, do ubarwionego filozoficznego reportażu z elementami kiczowatego harlequina. Niektórzy także w Biblii literaturę niebezpieczną widzą, po przeczytaniu której komuś może do głowy ochota na zamordowanie brata przyjść lub pomieszanie zmysłów spotkać.

A to mi doskwiera, bowiem Biblię z umiłowaniem i nadzieją się czytać powinno.

Nawet po pijanemu w hotelu, gdzie egzemplarze Biblii zaraz obok broszury z cenami alkoholi w minibarze leżą. Ale nie wszyscy tak czynią. Szczególnie naukowcy niektórzy dociekliwi w tym celują. W roku 1998 wyniki prac programu, który 11 lat trwał i majątek kosztował, szczegółowo i w procentach opisane zostały. Program badawczy *Jesus Seminarium*, badaniom Nowego Testamentu poświęcony, przez 150 i niepokornych, i niewiernych Tomaszów prowadzony był. Ponad wątpliwość ustalili oni, iż tylko 16% wydarzeń lub czynów, które się z osobą Jezusa Chrystusa Nazareńskiego wiążą, i tylko 18% wypowiedzi, które są Mu przypisywane przez cztery Ewangelie (Mateusz, Jan, Marek, Łukasz), za mające swoje źródła w rzeczywistych wydarzeniach historycznych uznać można. Prawda zawarta w Biblii w przeliczeniu na procenty! No coś takiego! Gdybym była Bogiem, przestałabym ludzi lubić, synuś. Ale to tak na marginesie szerokim Ci przytaczam i dla wiedzy Twojej.

Barbet nie jest jedynym biegłym, który zgłosił się do procesu w sprawie zabójstwa Chrystusa ze swoimi ocenami. Niejaki profesor Władysław Sinkiewicz z Bydgoszczy, co to kieruje Kliniką Kardiologii Collegium Medicum w naszym Toruniu, co z powodu pewnej radiostacji pasującej jak ulał do kontekstu ostatnio najbardziej słynie, twierdzi, że najbardziej prawdopodobną przyczyną śmierci Jezusa był zawał serca spowodowany wycieńczeniem i zmasakrowaniem ciała. Oprócz tego Sinkiewicz przekonuje, iż zmasakrowany Jezus nie udźwignąłby wielkiego krzyża. Taki wysoki krzyż mógł ważyć około 600 kilogramów. Zależnie od drewna, z jakiego był wykonany, bo na przykład dąb jest cięższy od sosny. Prawdopodobnie nie był to krzyż łaciński, ale krzyż przypominający literę „T". Jak się ocenia, ważył prawdopodobnie tylko 140 kilogramów. Jednak i taki ciężar byłby nie do udźwignięcia przez osłabionego i wycieńczonego biczowaniem Jezusa. Poza tym często na miejscach egzekucji stawiano słup, a skazaniec donosił jedynie *patibulum*, czyli poprzeczną belkę. Co i tak byłoby dla Jezusa udręką, bo ta belka ważyć mogła około 50 kilogramów i celowo nieheblowana była, przez co drzazgi w ciało skazańca się wbijały.

Chrystus, gdy umierał, krwią się pocił.

Tak opisuje to św. Łukasz. To także w wątpliwość podano, choć biegły medycyny sądowej doktor Frederick Zugibe – jest u nas w Piekle – z Rockland w stanie Nowy Jork, uważa, że jest to możliwe. Opisuje to zjawisko jako *hematidrosis*. Tak zwany krwawy pot pojawia się często u ofiar gwałtów czy więźniów skazanych na karę śmierci tuż przed egzekucją. Gdy człowiek bardzo się boi, targają nim silne emocje, to podskórne naczynia włosowate mogą się rozszerzać i pękać przy zetknięciu z rozsianymi po skórze gruczołami potowymi. To rzadkie przypadki, ale według Zugibe spotykane.

Ale to nie wszystko, synuś. Jezusa Chrystusa o poważną chorobę psychiczną się podejrzewa. W pewnym teoretycznym sensie trudno mi się – na pierwszy rzut oka – z podejrzeniem tym nie zgodzić. Jezus Chrystus Nazareński wszystkie objawy zespołu Geschwinda przejawiał. Ponadprzeciętne zainteresowanie sprawami religii i moralności, połączone z potrzebą głoszenia, posiadania grona uczniów oraz oziębłością seksualną. Zespół Geschwinda (na nasz polski zespół dyskoneksji) wypisz wymaluj. Ale to jakaś paranoja i zmowa przeciwko Jezusowi i biednemu Geschwindowi jest. Nikczemnicy jacyś jego badania nad neurologią behawioralną dla swoich niecnych i wrednych celów wykorzystali, aby Jezusowi Chrystusowi chorobę psychiczną przypisać. I to taką oficjalną. Z numerem z katalogu – zaszpanuję teraz synuś angielskim – World Health Organization (WHO). Jezus Chrystus chorował psychicznie na ICD-10. Według tych padalców na WHO się powołujących. No coś takiego! Takiego WHOjostwa synuś to ja jeszcze nigdy nie słyszałam. I na tym Nusza skończę, aby o swoje zdrowie psychiczne w tym momencie zadbać. Co by w jakiś katalog nie popaść.

Niektórzy z kolei uważają, że proces Jezusa to nic innego jak „zbrodnia sądowa" była. Jak dowodzi mecenas Łukasz Chojniak z Warszawy (jest na Fejsie), który pisze akurat pracę doktorską o sądowych pomyłkach, nie ma wątpliwości, że skazanie na śmierć Jezusa było taką zbrodnią. Nie ma wątpliwości, że w tym wypadku nie było nawet namiastki sądu. Wyłącznie polityka wredna. To, co opisano w Ewangelii, nie ma nic wspólnego z procesem, obiektywną oceną i ważeniem przewinień. Nie zapisano nawet daty wykonania wyroku. Wiadomo tylko, że był to miesiąc nisan, który przypada na wiosnę. Znam nazwę tego miesiąca z powodu mojej ulubionej książki i ciągle ten cytat pamiętam:

> *W białym płaszczu z podbiciem koloru krwawnika, posuwistym krokiem kawalerzysty, wczesnym rankiem czternastego dnia wiosennego miesiąca nisan, pod krytą kolumnadę, łączącą oba skrzydła pałacu Heroda Wielkiego, wyszedł procurator Judei, Poncjusz Piłat*.*

Według zapisów 14 dnia nisan, co tak naprawdę *Abib*, czyli „kłosy" się w starożytnej Judei nazywał, w roku żydowskim 3790 miał zostać skazany Jezus Chrystus. I w tym mniej więcej czasie miało miejsce zaćmienie Księżyca, co nie zdarza się zbyt często. Sir Isaac Newton zeznał w związku z tym, że śmierć Jezusa nastąpiła albo 3 kwietnia 33 roku, albo 23 kwietnia 34 roku. Inaczej być nie mogło, jeśli zaćmienia Księżyca z teologią łączyć. Newton dużo wiedział o zaćmieniach. Ale Ty synuś fizyk. Wiesz pewnie lepiej niż nasza Biała Księga. Ostatnio, podekscytowana wpisami do Księgi, z owymi złodziejami dwoma, co ich obok Jezusa ukrzyżowali, długo rozmawiałam. Oni rzekomo nic o tym, że biorą

---

* Michaił Bułhakow, *Mistrz i Małgorzata*, przeł. I. Lewandowska, W. Dąbrowski, Warszawa 1969, s. 14.

udział w historycznym wydarzeniu, które przejdzie do encyklopedii i Ewangelii, nie wiedzieli. Mężczyzna o imieniu Jezus na krzyżu pomiędzy nimi dla nich zwykłym, nieznanym im skazańcem był. Gdy okazało się, że umarli na krzyżach obok Jezusa, to się im w głowach poprzewracało. Stali się w Piekle kultowi. W każdy Wielki Piątek mają swoje wielkie pięć minut. Koncerty organizują, tańce z gwiazdami, coraz młodsze talenty z nimi wyśpiewują, happeningi z płonącymi krzyżami ustawiają. Specjalnymi celebrytami się sprzedają, chociaż to małe złodziejaszki były i do tego analfabeci. A jeden to kłamczuch chyba ogromny, chociaż na swoją rodzoną matkę przysięgał, że prawdę świętą mówi. Opowiadał mi, że to wcale nie Jezusa ukrzyżowali, tylko Judasza, bo do niego podobny był. I jak on tak sobie obok Jezusa na krzyżu swoim wisiał, to przyjrzeć mu się dokładnie czas miał i do wniosku doszedł, że to Jezus Nazareński nie był. I że św. Barbara o tym w swoim apokryfie opowiada. Ja tam w to nie wierzę, bo gdyby prawda to była, to od dawna w Piekle by o tym głośno huczało. Więc mu kłamstwo w oczy bezpośrednio zarzuciłam, na co on tylko ironicznym uśmiechem zareagował. Zapytałam go wtedy, co Jezus *vel* Judasz przed śmiercią ostatniego wyrzekł, bo on to słyszeć przecież powinien. I on mi odrzekł – znowu na cześć matki swojej przysięgając – że Jezus w słowach ostatnich zapytał: „Boże mój, Boże mój, czemuś mnie opuścił?". To bardzo pięknie ludzkie jest, bo do zwątpienia przed śmiercią każdy prawo posiada.

Ale to zwątpienie tylko dwie pierwsze Ewangelie potwierdzają, które szybko jako herezja uznane zostały i Ewangeliami, bardziej poprawnymi politycznie, św. Łukasza i św. Jana zastąpione zostały. A w nich Jezus na krzyżu umierający rzekomo rzec miał: „Ojcze, oddaję w Twoje ręce ducha mego!".

Przybijanie do krzyża złoczyńców, w tamtych czasach, na porządku dziennym było. Najpierw że cierpieć przed śmiercią długo mieli, a potem że jako demonstracyjna prewencja miało to ukrzyżowanie działać. Potem robili to inni. Publiczne egzekucje mające odstraszyć. Ale to nie działało i wtedy, i nie działało także później. Podczas takich egzekucji kieszonkowcy mieli swój raj na ziemi. We Francji, w trakcie rewolucji francuskiej, publiczne egzekucje stały się nagminne. Zdarzało się, że w Paryżu wykonywano do dwunastu egzekucji dziennie. Mordercom gilotyną odcinano głowy, zdrajcom rewolucji przebijano mieczami serce, a kieszonkowcom odcinano ręce. I pomimo to na placach zapełnionych ciekawymi widoków takich okrucieństw ogromną ilość sakiewek kradziono. Okazało się, że wizualizacja cierpienia i publiczne karanie za grzechy na ludzi nie działa tak, jak sobie to obmyślono.

Dzisiaj także nie. Czasami tutaj o egzekucjach w USA opowiadają. Tam od rewolucji francuskiej zmieniło się niewiele. Chociaż o niej niewiele wiedzą. Za dawno to dla nich było. Amerykanie mierzą czas od napisania ich konstytucji. Dla nich osiemnasty wiek to czasy prehistoryczne, kiedy na ziemi ciągle strzelano z łuków do dinozaurów, które hodowali Indianie. A jak butelkę z końca dziewiętnastego wieku znaleźli, to w muzeum etnograficznym w San Diego za szkło kuloodporne jako eksponat wstawili. Ja taką butelkę synuś do skupu bym odniosła i pieniądze za nią zgarnęła.

W Ameryce Północnej publiczne egzekucje są bardzo lubiane. Ludzi podczas nich zabijają, wieszając, w żyły im trucizny wstrzykując, rozstrzeliwując lub zagazowując. W telewizorze to relacjonują. Czekamy tutaj tylko, aż pokażą w *prime time* na amerykańskim Fox, jak powieszony wisielec w majtki sra. Bo gdy kogoś wieszają, to puszczają mu zwieracze i każdy musi przed śmiercią stolec oddać. Nie ze strachu, tylko z powodu fizjologii.

Ja na pogadankę pod tytułem „Co czuł Bóg w Wielki Piątek?" w związku z moimi przekonaniami i tym razem nie pójdę.

Mnie bardziej interesowałoby, co czuł w Wielki Piątek cieśla Józef, a najbardziej, co czuła Maria Magdalena z Magdali.

O Józefie zupełnie zapomniano. Bo dla niego, tak szczerze mówiąc, Jezus Chrystus był podrzutkiem, więc to temat mało raczej zbadany. Ewangeliści, ale nie ci protestujący, to pisarze systemowi byli i pisali tylko o tym, co system im akceptował. To wcale nie Watykan i komuchy wymyślili cenzurę. Cenzurę wymyślili twórcy Ewangelii. Ale wtedy i dzisiaj ciągle jeszcze nazywa

117

się to „Słowem Bożym". Przypuszcza się, że Józef mógł czuć się podle, ale nigdy się na ten temat nie wypowiadał. Chociaż Jezusa jak syna swojego przygarnął. Maria Magdalena z Magdali (MMM) natomiast jest tematem gorącym i się tutaj na jej temat cały czas spekuluje. Bo MMM jest erotyzująca jak Marilyn. Przeszłość do momentu nawrócenia piekielnie piękną miała, bo rozwiązłą. Łona rzekomo nigdy nie szczędziła. Św. Augustyn ją najpierw hołubił, a potem nie wiadomo dlaczego zbezcześcił. Ale Augustyn to w pewnym sensie ideologiczno-polityczny desperat. Moim zdaniem, konformista skończony. Najpierw zmieniał kobiety, a potem nagle zmienił poglądy. I to bardzo skutecznie zmienił. Politykom często się to zdarza. W związku z tym nie ma go w Piekle i ciągle „św." przed imieniem posiada. Gdyby święci doktoryzować się mogli, to dra św. hab. Augustyna byśmy mieli. Bo on miał takie zapędy, aby wszystkich pouczać i profesorzyć. A bez habilitacji to ponoć nie wolno.

A tak na marginesie powiem Ci, Nusza, że Ty też takie jakieś dziwne przywiązanie do tytułów wykazujesz. Po co Ci synuś one? Jak mądry jesteś, to wcale nie musisz tego udowadniać i zaświadczenia na mądrość ze szkół wszelakich przedstawiać. Ludzie albo to wiedzą, albo nie. I nawet gdybyś pokazał im sto kwitów „na mądrość", to i tak nie uwierzą, gdybyś durniem był. Po co Ci synuś ta habilitacja była? W bolączkach okropnych ją robiłeś, czas bliskim odbierałeś, córki zaniedbałeś, żonie samotność zgotowałeś. I co Ci z tego zostało? Tak naprawdę nic, bo to, co wiedziałeś przed habilitacją, wiedziałeś także po niej. No sam przyznaj. Chciałeś coś komuś udowodnić? Mnie nie musiałeś. Leonowi także nie. Babcia Marta i tak uważała, że jesteś najmądrzejszy na świecie, odkąd w drugiej klasie tabliczki mnożenia, nie takiej prostej do dziesięciu, ale takiej poważnej do stu, się nauczyłeś. Ona Cię pytała, ile jest 68 razy 77, a Ty jej w mig, że 5236 odpowiadałeś. I potem ona oszołomiona po piętrach w kamienicy naszej chodziła i sąsiadom opowiadała, że Irenka co jak co, ale synów to mądrych ma.

Chociaż Ty mądry być nie miałeś i raczej na półgłówka wyrośnięcie Ci niektórzy wróżyli.

Najpierw Kaziczek miał być niedorozwinięty przez opony mózgowe, a potem Ty miałeś być durniem, bo z łóżeczka na główkę upadłeś, jak babcia Marta Cię zostawiła i do kuchni poszła, aby mleko dla Ciebie przynieść. Wróciła, a Ty na podłodze leżałeś, krew z ust Ci wypływała i mówić przestałeś. Leon dopiero wiele lat później nieuwagę babci Marcie wybaczył. Bo co dopiero otrząsnął się po „być może durnym Kaziczku", a tu jego Nusza też może z głową coś mieć nie tak. Babcię Martę za to winił. Dopiero po śmierci mojej, na cmentarzu, gdy moją trumnę do dołu opuszczali, jej wybaczył. Ale to tak na marginesie synuś dodałam.

Ale teraz do Piekła wracając. Marii Magdaleny z Magdali także w Piekle nie ma. A szkoda. Bo chciałabym się dowiedzieć od niej samej, jakim kochankiem był Jezus. Bo to także wiele świadczy o mężczyźnie. To tak do końca nie jest pewne, czy Jezus Chrystus z MMM sypiał. Jedne źródła twierdzą, że nie, inne, że Jezus z nią dziecko miał. W każdym razie MMM nieustannie blisko Jezusa przebywała. I mu przy wędrówkach po świecie towarzyszyła, i przy ukrzyżowaniu była, i przy włożeniu do grobu, i jako pierwsza jego zmartwychwstanie odkryła. Tak jest przecież w ewangeliach szczegółowo udokumentowane.

I na przeróżnych obrazach również. Gdy tak, synuś, bogatej ikonografii męczeństwo ukrzyżowania Jezusa ilustrującej się szczegółowo przyjrzeć, to MMM pojawia się tam bardzo często. Nieomal tak samo często jak Maryja, matka Chrystusa. I od innych niewiast na malowidłach przedstawionych się wyraźnie odróżnia. Głównie urodą swoją, pewnym wyzywającym dysonansem w stroju (zważywszy tragizm przedstawianych wydarzeń) oraz długimi, rozpuszczonymi, najczęściej pofalowanymi włosami, tak ręką malarza rozjaśnionymi, że z MMM blondynkę dla obserwatora czynią (chociaż na wielu portretach swoich jako rudowłosa niewiasta – o czym Ci chyba już synuś pisałam – jest przedstawiana). Maria Magdalena, rozpaczająca nawet w czasie dramatu składania Jezusa Chrystusa ukrzyżowanego do grobu, blondynką ma się objawiać, co w powszechnej opinii do dzisiaj z grzesznością się kojarzy. Tym bardziej, że spojrzenie odmalowane na twarzy Marii Magdaleny jednocześnie miłość i autentyczne oddanie wyraża.

Z drugiej strony specjaliści od biografii Jezusa tutaj u nas w Piekle intymność pomiędzy Jezusem i innymi ludźmi w ziemskiej jego wędrówce raczej wykluczają. Jezus, ich zdaniem, napierającemu i pęczniejącemu Erosowi nigdy się nie poddał. Według dobrze udokumentowanej informacji kusicieli z czasów, gdy Jezus po ziemi osobiście stąpał, a to ponad dwa tysiące lat już minęło i ciągle prawdą się okazuje, nie udawało się go nijak zbałamucić, dziewczęta mu chętne, jędrne i sprężyste oferując lub młodzieńców lubieżnych. Kuszenie Jezusa Erosem całkowitą porażką się okazało, ponieważ go jedynie władza interesowała. Dlatego mu ją nad królestwami wszelkimi tego świata Piekło zaproponowało, pod warunkiem, że przed kusicielem uklęknie i cześć mu odda. Ale jak synuś sam wiesz, daremne to było, bo Jezus z władzy w żadnym wypadku rezygnować nie zamierzał, ale na inną silniejszą w owych czasach partię postawił i z Niebem się na wieki wieków związał. Słabość w tym momencie wyraźnie wykazał. Ludzką słabość. Ale może Jezus nie tylko Bogiem był, więc zrozumieć go należy.

A ja tam Jezusa lubiłam i mnie mocno kręcił.

Był superprzystojny i charyzmatyczny. Byłby bardziej ludzki, gdyby okazało się, że pragnął kobiet. Odurzenie przez Erosa na

Jezusa zesłane nim nigdy niestety nie wstrząsnęło, co mu jakiś taki nieludzki wymiar nadaje i dystans wprowadza w mniemaniu moim. Mężczyźni, którzy kobiet nie pragną, są albo gejami, albo coś skrywają, albo z nimi coś nie tak i nie można im ufać. Jezus gejem nie był, bo gdyby był, to my w Piekle wiedzielibyśmy o tym jako pierwsi. Bo to byłaby „ta wiadomość dnia, na każdy dzień". Absolutny *headline* by to był. Ale MMM bardzo do Jezusa pasuje. Tak jak MM bardzo do JFK pasowała. Jak się patrzy na malowidła MMM, na przestrzeni wieków, to ona jest na nich za każdym razem bardzo sexy. Na większości z nich ma długie, często rude lub blond włosy, nie całkiem zasłonięte piersi i prześliczne sterczące sutki. Nie ma w tych malowidłach ascezy i aseksualnego apostolstwa. Jest w nich erotyka i zmysłowość. Może to przypadek, a może próba obejścia cenzury i przekazania między wierszami tego, o czym wprost pisać nie było wolno. Gdyby „Playboya" wtedy wydawali, to MMM byłaby na okładce i na rozkładówce w środku także.

Zastanawiałam się dzisiaj, jak wyglądałby profil Jezusa Chrystusa na Fejsie. Pod jakim adresem e-mailowym by się Jezus Chrystus zarejestrował? Pod Jezus@chrystus.com, a może Jezus@chrystus.net, aby było tak międzynarodowo? A może pod Jezus@chrystus.info. Gdyby był pod Jezus@chrystus.pl, to nie byłoby to dobrze. To byłoby okropne. Polacy zaczęliby wtedy święcić każdy komputer, każdy modem, każdy monitor, każde łącze DSL, każdy kabel, każdy przekaźnik Wi-Fi, każdą klawiaturę i każdą myszę, i tę przewodową, i tę na Bluetooth też. Bez poświęcenia każdy bit byłby wtedy niegodny. W każdym sklepie „Media Markt" lub „Saturn" przy kasie stałyby czary z wodą święconą i można by nią było wyświęcić swój komputer. Niektórzy święciliby całe kartony, a inni po kolei całą konfigurację.

Zastanawiałam się także, kogo nie „podłączyłby" do swojego profilu Jezus Chrystus. Teoretycznie powinien podłączyć wszystkich. Bo jest przecież symbolem przebaczenia, tolerancji, dobroci i ekumenizmu. Myślę, że Maria Magdalena ukryłaby się pod jakimś nierozpoznawalnym nickiem i wysyłałaby do niego tylko wiadomości. Jezus z zaznaczoną opcją „jest w związku" miliony kobiet by rozczarował. I inaczej zorientowanych mężczyzn także. Więc pewnie nie odhaczyłby tej opcji. Myślę, że Jezus miałby pełen skromności profil. Niewiele fotografii. Może tylko kilka z apostołami, scena chodzenia po wodzie, scena z rzucania kamieniem w grzesznicę, scena z Kany Galilejskiej. Kilka linków do organizacji charytatywnych i link do profilu Buddy. Bo u nas w Piekle twierdzą, że Jezus spotykał się z Buddą i bardzo dużo z jego mądrości zaczerpnął, a potem je jako swoje sprzedał. Nie uszanował przy tym żadnych praw autorskich i nigdzie w Biblii znaczek © lub ™, lub ®, czyli wszystko, co na copyright wskazuje, się nie pojawia. To jest wbrew prawu autorskiemu, a to fajne, jak synuś sam rozumiesz, nie jest.

Rozmawiałam o tym ostatnio z Leonem. On nie ma dobrego zdania o Jezusie. Copyright go wprawdzie nie interesuje, ale według niego Jezus to heretyczny kaznodzieja, strasznie apodyktyczny i zarozumiały typ. Miał ogromne parcie na władzę i na kierowanie ludźmi. Dzisiaj miałby także ogromne, zdaniem Leona mojego, parcie na szkło. Jezus koniecznie chciał być człowiekiem sukcesu. A Leon takich ludzi z definicji nie ceni. Leon bardzo się zdziwił, że moje myśli Jezus zajmuje, bo to historia zbyt nowoczesna, a do źródeł sięgać trzeba. Historia świata po Jezusie, według Leona, jest mało interesująca i generalnie opiera się na historii wojen. Dowiedziałam się od niego, że od przyjścia na świat Chrystusa nie było ani jednego dnia, aby w jakimś miejscu na ziemi nie toczyła się jakaś wojna. Przez 2011 lat na ziemi nie było ani jednego dnia pokoju. A wszystkich wojen, odkąd ludzie historię świata spisywać zaczęli, naliczono czternaście tysięcy czterysta. W trakcie prawie czternastu i pół tysiąca wojen ludzie się zabijali. Łącznie od pierwszej w historii – 2550 lat przed Chrystusem – zarejestrowanej wojny pomiędzy sumeryjskimi miastami Lagas i Umma (dzisiaj to Irak, zniszczony długoletnią wojną potentata naftowego i przez pewien okres prezydenta USA niejakiego Busha George'a Juniora) aż do dzisiejszych wojen w wielu miejscach na ziemi toczonych, około trzy i pół miliarda ludzi życie utraciło. To jak gdyby wybić 85% wszystkich ludzi w Azji (łącznie z ponad jednym miliardem wszystkich

Chińczyków). „W trakcie naszej wojny Iruś, tej drugiej światowej, zginęło tylko tak pomiędzy pięćdziesiąt a siedemdziesiąt milionów. Jak na jedną wojnę to bardzo dużo, chyba najwięcej ze wszystkich". Tak mi powiedział Leon. A on wie, co mówi.

A potem mi historię sprzed Jezusa opowiadać zaczął, do czasów sprzed naszej ery powracając.

Opowiadał mi na przykład o cierpieniu Kaina.

Według Leona, który zawsze był w poprzek, Kain to cierpiętnik i ofiara mediów, automatycznie jako symbol najgorszego, zwyrodniałego mordercy oznakowany. A czemu nikt się nie zastanowił nad tym, dlaczego Kain to zrobił, dlaczego zabił? Każdy psychoterapeuta, nawet nieszczególnie doświadczony, Bogu by powiedział, że nie można dzieci faworyzować, bo wówczas dochodzi do okropnej zazdrości, nienawiści i na końcu do zbrodni. Ale Bóg terapeutów nie słuchał. Bóg nigdy niczego sobie powiedzieć by nie pozwolił. Bo jeśli Bóg w ogóle był, to był despotą większym niż Stalin, Hitler, Mao i jakikolwiek Czerwony Khmer. Tak uważa mój ostatni i najważniejszy mąż Leon Wiśniewski. Twój ojciec, synku. Przyznasz sam, że on ma dość wyraziste poglądy. Ale to nie wszystko. Leon nie tylko o Kainie mi opowiada. On jest bardziej nowoczesny. Do Judasza nawiązuje. Opowiedział mi, że kilka lat temu w Wielkanoc roku 2006 wydano tłumaczenie odnalezionej w 1978 roku w Egipcie koptyjskiej kopii gnostyckiego apokryfu nazwanego *Ewangelią Judasza*, według którego sam Jezus poprosił Judasza, aby go wydał. Oznaczałoby to, że Judasz nie był zdrajcą, lecz posłusznym wykonawcą woli Chrystusa. Że niby to wszystko z ukrzyżowaniem i zmartwychwstaniem było sprytnie ukartowane i cała ta Wielkanoc to jeden wielki PR-owy bzdet. Ale to, według Twojego tatusia, nie jest cała prawda. On się raczej skłania ku bardziej racjonalnej, jego zdaniem, historii Judasza. Nie wiem dlaczego, ale w tym wypadku bardziej wierzy Niemcom niż komu innemu. Opowiadał mi, że istnieją również bardziej radykalne teorie dotyczące Judasza. Znana i kontrowersyjna niemiecka teolożka Uta Ranke-Heinemann jest przekonana, że Judasz tak naprawdę w ogóle nie istniał, a pojawia się w Nowym Testamencie jako antyjudaistyczna personifikacja Żydów, którzy odrzucili Jezusa jako Mesjasza. W starokościelnej tradycji oraz najnowszej historii postać Judasza była instrumentem walki z wyznawcami judaizmu. Na kanwie historii o Judaszu św. Jan Złotousty opracował zasady postępowania z Żydami. Dla wielu Ojców Kościoła Judasz był ikoną tej części Izraela, która nie poznała w Jezusie Chrystusa Mesjasza. Pogańska propaganda III Rzeszy widziała w Judaszu archetyp złego Żyda, który kradnie, oszukuje i zdradza. W latach trzydziestych minionego stulecia Anton Franz Dietzenschmidt, niemiecki pisarz, napisał tragedię w czterech aktach *Zdrajca Boga*, w której przedstawił Judasza jako jedynego z uczniów Chrystusa rozumiejącego boży plan zbawienia. Dietzenschmidt uważa, że dopiero czyn Judasza umożliwia rozpoczęcie właściwego dzieła odkupienia. Otwarta została droga zbawienia dla wszystkich poprzez męczeństwo i śmierć Jezusa Nazareńskiego.

Wyobrażasz to sobie, synku? Twojego ojca chyba w tym Piekle pogięło już zupełnie. Judasz jako jedyny oświecony, jedyny rozumiejący plan Boga! Coś takiego! I to na podstawie informacji od Niemców, którzy Twojego ojca raczej nie traktowali dobrze. Ja zawsze podziwiałam jego przywiązanie do prawdy, niezależnie skąd ona pochodzi. Ale aż takiej niezależności poglądów u Leona nigdy nie podejrzewałam. On powinien Niemców nienawidzić, wszystkiemu, co twierdzą, zaprzeczać, a tu nagle się na nich powołuje. Twój ojciec powinien być naukowcem, a nie kierowcą karetki pogotowia ratunkowego. I gdy go tak słuchałam, jak wyłuszczał mi te swoje herezje, to myślałam, że spłodziłam Was, Kaziczka i Ciebie, z właściwym mężczyzną. Nie wiem, czy istnieje w ogóle gen uczciwości. Ale jeśli tak, to Wasz ojciec go z pewnością posiada. I w tym kontekście mieliście dużą szansę go odziedziczyć.

A tak w ogóle, to tutaj w Piekle czasu nie ma na nic.

Niby czasu mamy tu multum, bo do nadejścia kresu Wieczności daleko, ale poczytać nie można, zastanowić się nad sobą albo zwyczajnie po ludzku chilloutować nie ma jak. Ciągle jakieś wyjazdy dezintegracyjne, szkolenia, akademie, zjazdy i eventy nam robią. Że niby to takie modne ostatnio tutaj *incentives* być mają, no takie na nasz polski motywatory, synuś, znane z technik zarządzania zasobami ludzkimi. Czego oni tutaj nie wymyślają.

Na przykład we środę, w moje urodziny, uroczysty koncert z okazji urodzin Hitlera się odbył. Ja to nawet rozumiem, bo to zasłużony dla Piekła człowiek był. Ale żeby zaraz musicale mu wystawiać, do talk-show zapraszać, w telewizji przy śniadaniu na kanapach go sadzać! Zagonili nas wieczorem do amfiteatru. A tam spotkanie niezwykłe. Ściągnęli z piekła wszystkich najważniejszych dyktatorów, dali im mikrofony do ręki i poprosili, coby o historii ludobójstwa opowiadali. Ale tak przystępnie, aby młodzi także coś z tego skorzystali i nauczyć się coś mogli.

Kogo tam synuś nie było! I Józef Stalin, i Benito Mussolini, i Saddam Husajn, i Mao Zedong, i Idi Amin, i Augusto Pinochet, i Slobodan Milošević. No prawie wszyscy wielcy. Gdy weszli na scenę, to Mussolini uściskał Hitlera jak kolegę z klasy na zjeździe absolwentów, ale na przykład Stalin się boczył i ręki Hitlerowi nie podał. Mao podał, ale był wyniosły jak zawsze, Pinochet uważał, że został tutaj zaproszony przez przypadek, ale przyszedł „dla dobra narodu chilijskiego", a Milošević nieustannie jakieś oświadczenie w sprawie Srebrenicy chciał złożyć, ale mu ciągle nie dawali dojść do głosu i obiecywali, że czas na oświadczenia jest przewidziany, tyle że na końcu eventu. Biedny Milošević chyba w to uwierzył. Idi przyszedł w swoim oficerskim mundurze i na piersi więcej medali niż Stalin posiadał. Było wyraźnie widać, że to Stalina mocno dręczy.

Wodę im w kryształowych kielichach postawili, tłumaczy kabinowych do słuchawek podłączyli i hołubili, oj hołubili. Adolfa H. oczywiście najbardziej, bo to celebryta u nas największy jest. Z najwyższej półki. Dlatego to w języku niemieckim z podpisami na monitorach plazmowych po hebrajsku się odbywało. Z uwagi na ogromną populację zabitych przez Hitlera Żydów, którzy do Piekła trafili. Hitler się trochę burzył, że jak to, a po co, że na Madagaskar, ale mu producenci chyba do rozumu przemówili i się uspokoił. Żydzi to u nas w Piekle duży target jest, więc nikt z Żydami zadzierać nie chce. A producenci z racji oczywistych z finansami związanych to już szczególnie.

Najpierw jakiś opalony, z brylantyną we włosach, wypacykowany piękniś po operacjach plastycznych do wszystkich się łasił oraz ich zasługi wychwalał, potem odgrywali kawałki ulubionych przez Adolfa oper Wagnera, a potem Hitler się wypowiedział. Zapomniał, że mikrofony są, bo krzyczał jak na zjeździe NSDAP w Norymberdze. Opluł się po pachy, ale nowego nic nie wykrzyczał. Swój *Mein Kampf* cały czas cytował, a momentami nawet go recytował. Hitler się światu synuś znudził i charyzmę utracił. To nie te czasy i nie te okoliczności. Fenomenem to on kiedyś

był. Bo był. Co by nie mówić. Kiedyś, gdy Hitler do kobiet prze-
mawiał, to potem podłogi trzeba było długo zmywać. Bo kobiety
masowo na podłogi kamienne, a następnie głównie marmurowe,
w zbiorowym neurologiczno-urologicznym wydarzeniu sikały.
Trudno w to synuś uwierzyć, ale to prawda historyczna jest. Ale
te czasy już przeminęły dawno. Wszyscy – z kobietami włącznie – znudzeni milczeli, tylko Goebbels czasami jak jakiś opętany
szaleństwem swoim dureń z siedzenia wstawał i w dłonie klaskał.
Jakby ADHD z przymusem klaskania posiadał.

**Aż mnie wtedy współczucie wobec Magdy Goebbels mocne
i szczere naszło.**

Bo czysto jako kobieta poczułam, że Magdę nieskończony
wstyd ogarniać w tych momentach powinien. Nie ma chyba nic
gorszego niż głupkowaty mąż, który w towarzystwie się ośmiesza
i wstyd tym także na żonę automatycznie przenosi. I powiem Ci
Nusza, że Twój ojciec nigdy by nic takiego mi nie uczynił. Najpierw, że on dla nikogo klakierem nie był, a potem, że on zawsze
o honorze pamiętał. I jak już coś powiedział, to przed tym bardzo
długo myślał. A jak nie miał nic do powiedzenia, to nigdy nie
mówił, aby coś tam tylko dla zaistnienia wybekać. Uważali, że
on milczek jest albo nic do powiedzenia nie ma. Ale ja wiedziałam, że on ma dużo do powiedzenia. Nieraz całe noce mi opo-

wiadał, chociaż ja wolałam, aby się wreszcie zamknął i się mną zajął. Ale to tak jedynie à propos wtrąciłam.

Ja do dzisiaj nie wiem, co Magda G. w tym palancie Josephie widziała. Krasomówcą był, to prawda, doktorat miał, to prawda, pięknie kłamał, to prawda, władzę posiadał, to prawda. Ale żeby zaraz szóstkę dzieci mu za to urodzić? I potem je własnoręcznie dla idei otruć? Dla Führera rzekomo. Plotki chodzą tu u nas po Piekle, że Goebbelsowa się w Adolfie kochała i dlatego imiona jej wszystkich dzieci na literę „H" się zaczynają. I że Evy Braun nie znosiła i na wszystkich salonach w Berlinie o jej żydowskich korzeniach rozpowiadała. Braun żydowskich korzeni nie miała, ale przeciwko Żydom nie występowała. Jedna z jej służących, co mieszkanie jej sprzątała, Żydówką była. Adolf o tym ponoć doskonale wiedział. Ale tego ostatniego nikt udowodnić nie potrafi. Inni mówią, że Goebbelsowa nie potrafiła pogodzić się z młodością Braun i że Adolf tylko „młodą samicę" chciał mieć i że Joseph Goebbels tego Hitlerowi zazdrościł. No coś takiego! A jak jej mężunio doktor Joseph Goebbels, mówca przepiękny, złotousty, tę młodą czeską aktorkę Lídę Baarovą swoim penisem penetrował, to wszystko w porządku było? I żeby tylko penetrował. Zadurzył się w niej szaleńczo. Gdy Magda o tej aferze się dowiedziała, to Hitlerowi osobiście się poskarżyła. W końcu to był ojciec chrzestny jej dzieci z imionami na „H", bezpośredni i jedyny przełożony Josepha. Adolf Goebbelsowi niezwłocznie romans z Baarovą zakończyć nakazał. A tu nagle Goebbels się w poprzek Adolfowi postawił. Jedyny raz w swoim życiu chyba godnie się zachował. Poinformował Hitlera, że rozwiedzie się z Magdą, ożeni z Baarovą i wyjedzie z nią do Japonii. Hitler się na to oczywiście nie zgodził, bo mózgu Goebbelsa do swojej propagandy bardzo potrzebował. Goebbels z kolei wiedział, co SS-mani z ciałami osób, które nie zgadzają się z niezgodą Hitlera, wyczyniają. Wkrótce potem do Baarovej zadzwonili z policji, że *persona non grata* w Niemczech jest i że dostaje *consilium abeundi*, czyli na ludzkie zrozumienie, że ma jak najszybciej, w te pędy Rzeszę Trzecią opuścić. Tak też niezwłocznie kierowana instynktem samozachowawczym uczyniła i małżeństwo Magdy Goebbels na powrót stało się propagandowo „szczęśliwe".

Magda była swoją drogą trochę – powiedzmy dyplomatycznie – zapominalska. Nie trochę, szczerze mówiąc, bo jak zapomina się swój życiorys, nie mając alzheimera, to jest w tym pewna ohyda i interesowność. To, co Evie Braun zarzucała, dotyczyło w dużym stopniu jej samej. Magda z panieńska Rietschel, z pierwszego małżeństwa Quandt, a z drugiego Goebbels, otoczona była Żydami nie mniej niż Braun. Jej matka Auguste po rozwodzie z pierwszym mężem poślubiła żydowskiego przedsiębiorcę Richarda Friedländera, który później skończył w obozie koncentracyjnym Buchenwald. To tak dla rozjaśnienia sytuacji. Matka Magdy i jej ojczym Friedländer przeprowadzili się do Berlina, gdzie Magda intensywnie randkowała z bratem swojej przyjaciółki. Niejakim Haimem Arlosoroffem, który był znanym syjonistą i zginął w zamachu w Palestynie w roku 1933.

W wieku lat siedemnastu Magda – ciągle Rietschel – spotkała w pociągu Günthera Quandta. Mężczyznę dwa razy od niej starszego, przemysłowca, bardzo bogatego, współwłaściciela takich firm jak VARTA i posiadacza ogromnej części akcji BMW i Daimler-Benz. W dniu 4 stycznia 1921 roku, w wieku dwudziestu lat, za mąż za Quandta wyszła. To tak w komentarzu do „młodej samicy". A 1 listopada roku 1921 syna Haralda mu urodziła. Jedyne dziecko Magdy, które wojnę przeżyło. Harald został później pilotem Luftwaffe i Rzeszy jako żołnierz się istotnie przysłużył.

Quandt chyba dla Magdy aż tak ważny nie był, albo był dla niej nieszczególnie czuły, albo po prostu za stary. W każdym razie kochliwa Magda już w niecałe trzy lata po ślubie wdała się w romans ze swoim pasierbem, Helmutem Quandtem, synem męża z pierwszego małżeństwa. Smaczku temu romansowi dodaje fakt, że Helmut miał wtedy lat 18, a jego macocha 23. Potem romansowała także intensywnie. Podczas wspólnej z mężem podróży samochodem po Ameryce zawróciła w głowie młodemu mężczyźnie o nazwisku Hoover. To rodzony wnuk amerykańskiego prezydenta Hoovera był. Tak mocno mu zawróciła, że po rozwodzie z Quandtem wnuczek prezydenta na statek wsiadł, do Niemiec przyjechał i się Magdzie oświadczył. Bardzo romantyczna historia to była, bo Herbert Hoover poprosił ją o rękę podczas przejażdżki samochodem. Nie wiadomo dokładnie, co się wydarzyło, ale ta przejażdżka zakończyła się wypadkiem, z którego Magda ciężko poturbowana wyszła. Niektórzy dobrze poinformowani w Piekle twierdzą, że ten wypadek przypadkowy nie był, ale w pewnym sensie celowy.

Potem Magda na którymś z zebrań partii nazistowskiej poznała Goebbelsa, którego wkrótce, w grudniu roku 1931, poślubiła. Świadkiem na ślubie, który odbył się na farmie – którą Magda dostała w prezencie od byłego męża Günthera Quandta – w Meklenburgu był sam Adolf Hitler. Potem rodziła Goebbelsowi kolejne dzieci: Helgę Susanne, Hildegardę Tarudel, Helmuta Christiana, Holdinę Kathrin, Hedwigę Joahannę, Heidrun Elisabeth. Całą szóstką Goebbelsowie wspólnie – chociaż niektórzy twierdzą, że Josepha przy tym nie było – w dniu 1 maja 1945 roku w bunkrze Hitlera własnoręcznie otruli. Najpierw odurzyli je morfiną, a następnie rozbili kapsułki z cyjankiem potasu w ich ustach. Rosyjscy żołnierze, którzy weszli do bunkra, znaleźli zwłoki całej szóstki. Ubrane w piżamki i koszulki nocne. Jak do snu przygotowane. Dziewczynki we włosach kokardy miały. Tylko najstarsza, dwunastoletnia Helga, miała siniaki na ciele, co wskazywało na to, że musiała obudzić się i walczyć, zanim ją otruto.

Hitler z przejęciem swoje *Mein Kampf* recytował, a ja o Magdzie Goebbels myślałam.

Samej Magdy w amfiteatrze nie było, bo ona wie, że wszelkie granice grzechu przekroczyła. Zasługi dla Piekła ma ogromne, w każdej encyklopedii jest wzmiankowana, ale po tym, co swoim dzieciom zrobiła, innym kobietom na oczy woli się nie pokazywać. Bo u nas w Piekle synku taka struktura więzienna jest. Są grzechy godne i są grzechy wstrętne. Grzechy na dzieciach uchodzą tutaj za te wstrętne najbardziej.

Po mowie Hitlera kamery na Rudolfa Hössa skierowali, komendanta obozu Auschwitz, skazanego w Warszawie w czterdziestym siódmym i tego samego roku na terenie obozu powieszonego. Sama pamiętam, bo o tym w gazetach czytałam, jak w czasie procesu w Warszawie oskarżyciel zabicie 3,5 miliona ludzi mu zarzucił. I wtedy Höss bronić się zaczął, twierdząc, że on przyznaje się do zabicia tylko 2,5 miliona, ponieważ „milion umarł z głodu i chorób". Taki to dokładny był Rudolf Zabijaka Pierwszy, jak na niego tu u nas w Piekle wołają. *Ordnung* przecież *muß sein.*

Höss się do kamery krótko i konkretnie wypowiedział, chociaż zupełnie nie na temat urodzin Adolfa, co Hitlerowi wyraźnie nie w smak było. Raczej o śmierci, a nie o narodzinach mówił. Swoje pięć minut mając i uwagę kamer przykuwając, ideologię Piekła podważył. Według Hössa „zabitych Żydów z jego obozu w Piekle być nie powinno, ponieważ oni wszyscy w Niebie być powinni. Najpierw, że z dymem do Nieba ich posłał, a po drugie, że przez swoją męczeńską śmierć winy swoje odkupili i jako tacy są w Piekle bezprawnie, co wolą Boga by było".

Taką to nową formę antysemityzmu Rudolf sobie w swojej zżartej nienawiścią, schizoidalnej, aryjskiej główce na poczekaniu skonstruował. Oczywiście, że to natychmiast zadymę w amfiteatrze wywołało. Niektórzy go wybuczeli, inni zaczęli gwizdać, jeszcze inni na znak protestu swoje miejsca opuścili i demonstracyjnie wyszli. Hitler nie ustosunkował się co do tego, Husajn zaczął coś bredzić bez sensu o „zmowie syjonistów", ale mu mikrofon odłączyli, Idi Amin nie rozumiał, o co chodzi, i znudzony w swoim ogromnym nosie dłubał, Mussolini, że to „bolszewicka propaganda" wrzeszczał, Stalin w tym momencie z radości zacierać ręce zaczął, a Mao coś o „imperializmie żydowskich karteli będących na garnuszku wściekłych psów z Waszyngtonu" bełkotał.

Ale największą reakcję w amfiteatrze pewna krucha kobieta o siwych włosach i wypłakanych oczach wywołała, gdy głosem cichym do mikrofonu rzekła, że to, co Höss proponuje, to „kolejny akt prześladowania jej osobiście" jest, ponieważ ona w „konzentrakach" prostytutką była, w związku z czym „sobie pomówienia Hössa o jej nielegalność pobytu w Piekle wyprasza". Bo „kurwy w piekle" się – jej zdaniem – znaleźć powinny, chociaż to kurewstwo wymuszone warunkami było i z wolnej woli nie wynikało. A ona o tym coś powiedzieć może, ponieważ najpierw w Auschwitz I w bloku 24a, a następnie w Auschwitz III-Monowitz w bloku 10 morale uprzywilejowanych więźniów swoim ciałem podwyższała. To oczywiście przedmówca Rudolf Höss zapomnieć lub przeoczyć mógł, bo on raczej komory gazowe i krematoria, a nie obozowe burdele na głowie miał i w sercu nosił. To, co w lagrowych domach publicznych się odbywało, oczywiście ogromną przemocą seksualną było i za życia to ona nawet za to status ofiary, na co zaświadczenie z pieczątkami i numerem posiada, otrzymała, za czym śmieszne sumy odszkodowania w starych dobrych niemieckich markach na jej konto wpłynęły. Ale ona te pieniądze w całości na swój pochówek przeznaczyła, ponieważ z zadanym jej poniżeniem poradzić sobie nie potrafiła i długo to planując, któregoś dnia w desperacji tanią owocową wódką ze sklepu „Aldi" się odurzyła i żyły sobie podcięła – ku ogromnej rozpaczy pewnego dobrego ponad miarę Niemca, który ją kochać, pomimo jej przeszłości brudnej, postanowił. Dlatego ona minimum dwa powody posiada, aby w Piekle swój Heimat odczuwać, ponieważ najpierw przeciwko czystości i nienaruszalności ciała niezamężnej kobiety zgrzeszyła, a następnie śmierć sama sobie przedwczesną i nienaturalną z tego powodu zadała. I w związku z tym Rudolf Höss nic ze swoich błędów się nie nauczył i nawet tutaj w Piekle ją i wiele innych kobiet kolejny raz w desperację chce wpędzić, prawa do ich wła-

137

ściwego miejsca odmawiając. Dlatego ona postuluje, aby Hössa kolejny raz powiesić, następnie ze skóry obciągnąć i w stężonym kwasie solnym rozpuścić. Propozycja obozowej prostytutki z wypłakanymi oczami z jednej strony z ogromnym aplauzem wielu kobiet się spotkała, ale z drugiej z protestami pacyfistów, którzy przeciwko powtórnej karze śmierci się wypowiadają. I w tym momencie po raz kolejny do zamieszek w amfiteatrze doszło.

Żeby sprawę wyciszyć, jakiś niedorozwinięty ciołek puścił na ekranach klip z YouTube z fragmentem opery z cyklu *Pierścień Nibelunga* Wagnera, co tylko oliwy do ognia dolało, ponieważ z wyjątkiem chyba tylko tego skończonego idioty wszyscy wiedzieli, jak bardzo antysemicki bywał Wagner, i to szczególnie w libretcie tych oper. Zaczęło się więc tam robić w amfiteatrze znowu bardzo nieprzyjemnie.

W całym tym zamieszaniu na scenie Nietzsche się pojawił.

Friedrich Wilhelm we własnej osobie. To był dobry wybór z jednej strony – bo Nietzsche przecież skutecznie starał się w swojej filozofii uśmiercać Boga – i zły z drugiej, bo wiadomym było, że filozofia Nietzschego zarówno nazistów, jak i syjonistów inspirowała. Hitler w *Mein Kampf* go cytował, ale i Israel Eldad, ideologiczny przywódca z Palestyny, także się na niego w swoich podziemnych ulotkach i gazetkach powoływał. I na dodatek

Nietzsche wymyślił i wyartykułował Hitlerowi bliską koncepcję „nadczłowieka", którą Adolf chciał przenieść najpierw na siebie, a następnie na cały niemiecki naród. Poza tym wielu wiedziało, od czasu jego publikacji pod tytułem *Nietzsche contra Wagner*, co naprawdę Nietzsche o dopieszczanym tutaj nieustannie Wagnerze myśli. Ale to nie wszystko. Pojawienie się na scenie Nietzschego akurat w dniu urodzin Hitlera wzbudziło bardzo złe emocje u wszystkich polakofobów. Bo Nietzsche synuś, swoim własnym zdaniem, był bardzo polski, o czym mało się w naszej Polsce mówi i niegdyś zupełnie nie opowiadało. Kiedyś sam Nietzsche napisał: „Jestem czystej krwi polskim szlachcicem, bez kropli złej krwi, a z pewnością nie niemieckiej; Niemcy są wielkim narodem, ponieważ ludzie tego narodu mają tak wiele polskiej krwi w swoich żyłach. Jestem dumny ze swojego polskiego pochodzenia".

I gdy Nietzschego także wygwizdywać zaczęli, wrogie okrzyki przeciwko Polsce wznosić, od złodzieja samochodów go wyzywać, to się już zawierucha ogromna i niebezpieczna tutaj zarobiła. „Kibole" Wagnera przeciwko „kibolom" Nietzschego stawali, a wszyscy pod podobnymi sztandarami, w obronie czystości Piekła rzekomo.

I wtedy wreszcie ktoś w tej produkcji się otrząsnął. Światła zgasły i przy muzyce skrzypcowej wielki urodzinowy tort na platformie na scenę wjechał, pięćdziesiąt sześć gromnic się na nim paliło, małe flagi ze swastykami wyrastały z górzystych kul kremowych, a na czekoladowej polewie wokół tortu płonęły utworzone z pochodni cyfry „2011". Widownia się nagle uciszyła i na kulminację czekała. I reflektory zapłonęły, dzwony bić zaczęły, dymy w górę się uniosły, odgłosy nadlatujących samolotów dało się słyszeć z oddali, dudnienie kroków maszerujących żołnierzy, zawodzenie płaczących kobiet, a to wszystko na tle głosu wodza. No powiem Ci synuś, kicz absolutny, no megakicz wjechał na tej platformie. No taki discopolowy, jarmarczny patos, że rzygać się żółcią z trzewi chce, nie posmakowawszy nawet tego tortu. Ale to nie koniec był synuś. Oj nie koniec. Po chwili wszystko umilkło, bębny bić zaczęły, kościelne dzwony łkały i wtedy z tortu wyskoczyła prawie naga tancerka i po bawarsku *Happy Birthday Mr. Führer* jodłować zapoczęła. W krótkie skórzane spodnie na szelkach ubrana była, długie blond włosy z czerwonymi kokardami miała. Bardzo aryjska była, o białej skórze i błękitnych oczach, szerokich biodrach, wąskiej talii i ogromnych, pełnych, ciężkich piersiach. Jak jedna z rasowych, rozpłodowych samic z gigantycznych figur ulubionego przez Adolfa rzeźbiarza Arno Brekera. Wyobrażasz to sobie synuś, jak daleko przesunięto tu u nas w Piekle granice obciachu? I pomimo to można je ciągle przekroczyć.

Ale na całe szczęście po tym występie w amfiteatrze spokój nastąpił. Ludzie klaskać zaczęli. Idi Amin się obudził, a Hitler był jak wniebowzięty. Gdy piersiaste dziewczę wdzięczyło się do

Adolfa, to kamera pokazywała na monitorach Evę Braun. Śliczną suknię miała. Białą, szyfonową, z dużym dekoltem. Nic się Eva nie zestarzała. Ładniejsza na monitorze była niż na fotografiach. Delikatnie wybotoksowana, piersi powiększyła, tłuszcz z brzucha odessała, wargi nieznacznie podpompowała, ale to znaczy, że o siebie dba. Obok pani Evy Hitler z domu Braun, jednonocnej nieskonsumowanej żony, co to podpisać się poprawnie nawet na akcie ślubu nie potrafiła, siedział Kurt Cobain i wydawało mi się, że trzyma ją za rękę. Ale może mi się tylko przywidziało.

Po północy 29 kwietnia 1945 roku, czyli 30 kwietnia, w obecności świadków w osobach Goebbelsa i tego buhaja rozpłodowego Bormanna, Hitler poślubił Evę. Panna młoda na sobie czarną jedwabną suknię miała, a pan młody, niezbyt już młody (56 lat!), w mundurze generała był. Podpisując akt ślubu, Eva jako pierwszą literę napisała „B". Potem ją skreśliła i napisała „Hitler". Personel bunkra był poinstruowany, aby od 30 kwietnia zwracać się do niej „Frau Hitler". I tak się zwracał. Ale tylko zdyscyplinowany personel. Jej mąż ciągle, z przyzwyczajenia chyba, „Fräulein Braun" ją nazywał.

Trudno jest powiedzieć, co działo się w życiu Hitlera i jego nowo poślubionej żony pomiędzy szóstą rano i trzynastą po południu w dniu 30 kwietnia roku 1945. Ludzie z bliskiego otoczenia Hitlera twierdzili, że Hitler traktował kobiety „z przypadłością menstruacji" jako „brudne i chore". A ludzie z bliskiego otoczenia

Evy Braun-Hitler twierdzili, że Ewa w dniu 30 kwietnia okres miała. Tak więc jest bardzo prawdopodobnym, że małżeństwo Braun–Hitler nie nabrało prawdziwej mocy, przynajmniej w kontekście kościelno-biologicznym. Po godzinie trzynastej w dniu 30 kwietnia żegnali się w bunkrze z personelem i „najbliższymi przyjaciółmi". Około 15.30 służący Hitlera, niejaki Heinz Linge, i adiutant Hitlera, niejaki Otto Günsche, odgłos strzału usłyszeli. Gdy do gabinetu Hitlera wkroczyli, to dwa ciała na małej sofie odnaleźli. Hitler się zastrzelił, a Eva Braun-Hitler kapsułkę cyjanku potasu połknęła. To tak na marginesie synuś było.

Ale do amfiteatru w dzień urodzin moich i Adolfa Hitlera powróćmy.

Jak już ten tort wjechał i atmosfera się rozluźniła i piersiasta Bawarka wszystkich swoim śpiewem i podrygami uspokoiła, to emocje w amfiteatrze inne się zrobiły i do żadnych kryminalnych aktów nie doszło. Ja się z tego bardzo ucieszyłam, bo wieczór swoich urodzin chciałam w spokoju spędzić. Polityka Piekła mnie interesuje tylko tyle, żeby mniej więcej wiedzieć, kto mnie przez następne cztery lata będzie tutaj oszukiwał. Na wybory nie chodzę z przyzwyczajenia. W życiu na ziemi nie chodziłam i teraz też w Piekle chodzić nie będę. Nie mam przekonania po prostu do wyborów. Nie wierzę, że mój głos mógłby coś zmienić. Do żadnej partii też się nigdy nie zapiszę. Już raz mnie zapisali i nic dobrego z tego nie wyszło. Wręcz przeciwnie synuś, wręcz przeciwnie.

Pamiętasz synuś, że u nas w piwnicy jedna półka, ta obok kojca na ziemniaki, pełna radzieckiej gazety „Kraj Rad" była? Musisz to pamiętać, bo „Kraj Rad", wydawali na takim papierze, że dobrze na podpałkę się nadawał, a Ty w piecu często paliłeś. Na „Kraj Radzie", jak się dobrze go w kulę zgniotło, to i węgiel bez drewna się zapalał. Mieliśmy „Kraj Rad" z powodu mojej przynależności do partii, co w sumie pozytywnym było w tym względzie, że podpałkę w naszym piecu bardzo ułatwiało. Nikt tego nie czytał, bo litery inne były i że politycznie z przekonaniami naszej rodziny zupełnie nie konweniowało, jako ze Wschodu narzucone.

Bo ja synuś, nawet gdy będziesz teraz śmiał się i drwił z matki swojej rodzonej, partyjna byłam.

Takie czasy synuś były, że jeśli chciałeś zostać kierownikiem kominiarzy albo kierownikiem spożywczaka, to do partii należeć musiałeś. Jak mnie kierownikiem sklepu MHD na Mokrem w Toruniu zrobili, to kilka tygodni później pojawił się u mnie taki skacowany, nieogolony człowiek w garniturze i nic kupić nie chciał, tylko rozmawiać mu się ze mną chciało. Zabrałam go na zaplecze do magazynku, usiedliśmy obok skrzynek denaturatu

i worków z burakami i on mi po jakimś kazaniu podanie o wstą-
pienie do partii podsunął. Do podpisania. Ja go zapytałam, czy
jakieś straty finansowe z tego powodu miała będę. No czy składki
jakieś płacić trzeba? A on mi na to, że w żadnym wypadku,
chyba że premię za wyniki dostanę, to mi składki z tego odciągną,
ale że to „tylko parę groszy będzie i mocno nie poczuję". To
mnie uspokoiło i nawet ucieszyło, bo jeśli partia z premii się fi-
nansuje, to premie chętnie przyznawać będzie. I tak to przy wor-
kach buraków i w obecności buraka podanie o przyjęcie do partii
własnoręcznie lewą ręką podpisałam, chociaż ja, jak synuś pamiętasz, praworęczna byłam. Ale na ten moment święty chyba
duch mnie natchnął i myśl mi taką podsunął, że podanie o przy-
stąpienie do lewizny lewą ręką podpisać się należy. Poza tym
lewą ręką podpis mój inny niż prawą jest, więc gdyby jakaś ostateczność się przytrafiła, to wyprzeć się mogę i grafologowi w oczy
nakłamać, że to podpis przez kogoś podrobiony został. I tak
partyjna się stałam. Zdjęcie z legitymacji na tramwaj wyrwałam
i mu do legitymacji partyjnej przekazałam. Trochę marudził, bo
tam pieczątka na zdjęciu odciśnięta była, ale w końcu mi powiedział, że niebieską tramwajową wyskrobią i swoją czerwoną przy-
biją, tak że nic widać nie będzie, i że na zdjęciu pięknie wyglądam.
Ja mu wtedy odparłam, że to zdjęcie z Gdyni, gdy młoda byłam,
a fotograf był niemiecki, dobry bardzo, bo nawet gestapowców
liczne zdjęcia robił. Że nic nie słyszy udał, słowa jednego nie

wyrzekł, tylko ślinę przełknął i o wódkę poprosił. Nic mu nie dałam, bo potem miałabym przez partyjnego deficyt. Większy niż normalnie, bo na wódce zawsze deficyt przy remanentach miałam, ponieważ dziewczyny u mnie za ladą za kołnierz nie wylewały i zapominalskie były, więc w kasie pieniędzy nie zostawiały. Ale ja dla tego zrozumienie miałam, co atmosferę w sklepie bardzo poprawiało i jako *incentive* służyć mogło.

Myślałam, że jak się zapiszę, to mi spokój dadzą. Ale gdzie tam, synuś! Molestowali mnie jak księża ministrantów. Na zebrania zapraszali. Na Dwudziestego Drugiego Lipca, na Rewolucję Październikową, na dzień wyzwolenia Torunia, na Pierwszego Maja, na urodziny Gomułki. Ja, zamiast pranie i maglowanie z babcią Martą robić, obiad na drugi dzień wymyślać, rzeczy Wasze prasować, to tramwajem na zebrania jeździć po nocach musiałam. Takich absurdów jak ja się na tych zebraniach nasłuchałam, to niech Cię ręka boska broni. Kiedyś tak przynudzali, że aby nie zasnąć, dwóch towarzyszy moich partyjnych agrafką spięłam. Jeden był bardzo wysoki, a drugi kruszyna mały. I gdy na końcu zebrania do odśpiewania *Międzynarodówki* członków, czyli nas, przywołali, to powstaliśmy jak na komendę. Ten duży wysoki pociągał agrafką tego małego i śmiesznie się przy *Międzynarodówce* na sali zrobiło. Tak śmiesznie, że mi naganę dali i ostrzeżenie. Ale z partii nie wyrzucili. Dopiero kilka miesięcy później mnie wyrzucili. Ku radości Twojego ojca Leona zresztą.

Za jaja mnie synuś wyrzucili. Za jaja, chociaż jako takich posiadać nie mogłam.

No bo przysłali mi przed osiemnastą do sklepu kartony jajek i kazali prześwietlać. Bo taka propagandowa akcja przeciwko salmonelli wtedy była i trzeba było się wykazać, że partia dba o obywateli i jaja prześwietla, zanim je sprzeda. Bo partia myślała, że oni nie tylko kit ludziom sprzedają, ale że w ogóle wszystko w PRL sprzedają. Łącznie z jajami. To samo w sobie jest jak wielkie jaja, bo salmonelli nie da się prześwietlić. Ale mniejsza z tym. Nie można mi do sklepu ładunku jaj jak dla wojska przysłać przed zamknięciem i kazać je prześwietlić, gdy ja do domu się śpieszę, aby Tobie i Kaziczkowi kolację zrobić. To ja im powiedziałam, że nie prześwietlę dzisiaj, że prześwietlę jutro. To ten pryszczaty kierowca zadzwonił do komitetu i się na mnie wrednie poskarżył. Że pyskata jestem, że wrogo do zadań partyjnych na odcinku prześwietlania jaj nastawiona, i że w ogóle wywrotowa, a on przecież podpis po prześwietleniu mieć na fakturze musi. Na końcu oddał mi słuchawkę i powiedział, że osobiście sekretarz rejonowy ze mną chce rozmawiać. No to porozmawiałam z sekretarzem i mu powiedziałam, że osiemnasta już jest i że do domu muszę, bo rodzina czeka. A on mi rozkazy zaczął wydawać. Wyobrażasz to sobie synuś? No jaja absolutne. I jak tak zaczął, to ja mu powiedziałam, że ja te wszystkie jaja dzisiaj prześwietlę, pod warunkiem, że on tutaj teraz przyjedzie i najpierw te dwa swoje prześwietli. Dziewczyny w sklepie czerwone się zrobiły, a pryszczaty kierowca papierosa zapalił. Nic nie prześwietliłam, sklep zamknęłam i do domu do Was pobiegłam. Miesiąc później przysłali mi poleconym akt „relegowania z partii". W słowniku wyczytałam, że „relegować" to znaczy – na normalny język – na zbity pysk z partii wyrzucić. Leonowi to przeczytałam. Najpierw się obśmiał, a potem powiedział mi jedną z najważniejszych rzeczy, które kiedykolwiek w życiu od mężczyzny usłyszałam: „Ty Irenko się tylko nie martw. Jeśli z pracy Cię wyrzucą, to ja po dyżurze w pogotowiu węgiel z wagonów będę na dworcu przerzucał, choćby całą noc, i z głodu nie umrzemy".

Tak mi Leon powiedział, a ja płakać zaczęłam i temu sekretarzowi od jaj wdzięczna byłam, bo mi Leona w całej okazałości jako opiekuna ukazał. Takiego mojego mężczyznę i ojca Twojego i Kaziczka. Takiego, jakim mężczyzna być powinien. Leon mi o kochaniu nie opowiadał. Trudno mu chyba było „kocham" przez gardło przecisnąć, ale wtedy tym „węglem z wagonów" mi coś takiego powiedział, że żadne „kocham cię" się do niego nie umywa. A potem tuż przed północą wpadła do nas z wizytą ciocia Trudzia i wino z porzeczek, co Leon zrobił, piliśmy. Do rana.

Ale to taka tylko dywagacja dłuższa była w wyniku rozczulenia, synuś.

Ty też, jak te swoje książki piszesz, to ciągle od tematu odchodzisz i różne rzeczy wtrącasz. Nieraz te wtrącenia dłuższe niż wątek główny bywają i jak się nie uważa, to można się w Twoich książkach pogubić. To dla wielu ludzi dowodem jest, że literatem nie jesteś i warsztatu nie znasz, i natręctwo pisania u Ciebie się objawia, czyli mania pisania, albo inaczej grafomania. Tak piszą o Tobie czasami różni podający się za mądrych ludzie, co literaturą się zajmują i na pisaniu innych z racji szkół, które pokończyli, się znają. Ty niektórym się synuś przysłuchuj i ucz się od nich. Ale swoje rób, bo to często zawistnicy są i literaccy impotenci, co to wiedzą wszystko, jak to dobrze robić, ale sami tego zrobić nie potrafią i swoje gorzkie żale na innych w postaci pomyj wylewają. A ja tam te wtrącenia Twoje bardzo lubię, bo historie ciekawe opowiadasz, o których ja pojęcia za życia nie miałam.

Ale kończąc tę dywagację, powiem Ci, że po tym megaobciachu w amfiteatrze spokoju chciałam nabrać i ten koniec dnia moich urodzin przy czymś radosnym i pozytywnym spędzić. Więc na Fejsa weszłam i z tęsknoty Twoje notatki poczytać zapragnęłam. Ale te Twoje notatki wcale radości i ukojenia nie przynoszą. Piekielnie smutne są, bo głównie o smutku pisujesz i nad smutkiem się rozwodzisz. Jakbyś do smutku kajdanami się przykuł i tylko w smutku sens widział. Jakby Cię smutek uwiódł i jakbyś tylko z niego swoją radość pisania wysączyć potrafił. A Ty przecież taki wcale nie jesteś. Jako dziecko radosny byłeś, figle ciągle płatałeś, z byle czego się śmiałeś i innych rozśmieszać potrafiłeś. Smutny też bywałeś, ale nie bardziej niż inni i na dodatek ten smutek przed światem ukrywałeś. Płakać się wstydziłeś i nawet jak płakać należało, aby ulga przyszła, to Ty wargi tylko zagryzałeś i do środka łkałeś. Pamiętam, jak Cię kiedyś na płakaniu przyłapałam. Los Nemeczka z Budapesztu Cię wzruszył, bo sam takim chłopcem z placu Broni też zostać chciałeś.

A potem to tylko raz przy mnie sam płakałeś, jak Ci się pierwsza miłość Twojego życia skończyła, chociaż myślałeś, że wieczna będzie. I ja Ci wtedy powiedziałam, że miłości wieczne są z samej nazwy tak samo mylące jak pióra wieczne. Ale Ty słuchać nie chciałeś, bo ciągle ją kochałeś, a ona te same wiersze co Tobie innemu teraz w listach pisała. I wierzyć mi nie chciałeś, gdy Ci obiecywałam, że ten ból ustąpi i że kiedyś ta Twoja pierwsza miłość śmieszna Ci się wyda i jedyne, co Ci po niej pozostanie, to ten przeceniany przymiotnik „pierwsza". Bo ważniejsze są miłości następne, a najważniejsza jest i tak zawsze ta ostatnia. Wystarczająco wiele razy miłości doświadczyłeś, aby wiedzieć, że Twoja stara matka rację ma, prawda synuś? Ale wracając do Twoich notatek.

Dwie strony napiszesz i w te dwie strony pięć tragedii wpleciesz.
Ludzie się u Ciebie w notatkach nieustannie zdradzają, cierpienia sobie zadają, żony mężów nie kochają, mężowie w obcych łóżkach zasypiają, dzieci ojców tracą, matki dzieci, księża po-

wołanie, a zakonnice czystość. Szczęście ludzkie w procentach mierzysz, miłość do pożądania przyrównujesz, uczucia jako molekuły przedstawiasz, intymność w ankiety wpisujesz, grzech jak Einstein relatywizujesz, mózgi ludzkie w tomografy wsadzasz, aby tożsamość i sens, i nawet duszę na wykresach odnaleźć. W Boga powątpiewasz i w Piekło nie wierzysz. U Ciebie nic nie jest absolutne i nic do końca dobre być nie może, ani nic do końca złe. Bo u Ciebie absolutna jest tylko prędkość światła w próżni. Poezję z fizyką mieszasz, mistykę zabobonem nazywasz, a jak czegoś zmierzyć lub równaniami opisać nie można, to albo milczeniem pomijasz, a jak już wspomnieć zechcesz, to z pogardą taką. To po coś się synuś wierszy na pamięć uczył, jak teraz w Werterów wierzyć nie potrafisz? To po co do kościoła chodzisz i świece dla mnie i dla Leona zapalasz? Pogubiony jesteś czy wystraszony, że może jednak coś przed początkiem było i że po końcu zostanie, i jeszcze tylko tego w żadnej teorii opisać nie zdołali, bo to Projekt był naprawdę Wielki i na całej ziemi jedynie ten pokręcony Hawking to pojąć potrafi i ten Mlodinow razem z nim też chyba, bo razem o tym książkę napisali, a ona u nas w Piekle dużą sławą się cieszy i tematem rozmów często bywa.

Bo Hawking uważa, że Bóg w tym Projekcie udziału brać nie musiał, chociaż oczywiście mógł, i że przy powstaniu Wszechświata zupełnie zbędny był. To, sam synuś przyznasz, piekielnie daleko posunięta bezczelność i arogancja jest, i dlatego pewna jestem, że sir Stephen Hawking na Sądzie Ostatecznym niewiele czasu spędzi i natychmiast do nas trafi, bez prawa odwołania się od wyroku. Bo on herezje swoje nieustannie powtarza, i to w gazetach o dużym nakładzie. Ostatnio angielskiemu „Guardianowi" przypodobać się zechciał i przeciw Bogu wrednie bluźnił, powtarzając, iż – pozwól synuś, że zacytuję – „wiara w niebo, albo życie po życiu, to jedynie bajka dla ludzi, którzy boją się ciemności". A potem się nad mózgiem ludzkim rozwodził, który do „najzwyklejszego komputera" porównał i butnie zawyrokował, iż ten komputer „przestanie pracować, jak jakiś jego podzespół zawiedzie".

Dlatego ja myślę, że to przekonanie o zbędności Boga raczej w mózgu Hawkinga się zrodziło, a nie w mózgu Mlodinowa, bo ten ostatni dzieckiem żydowskich rodziców jest. Ojciec Mlodinowa w KZ Buchenwald cierpiał. Za to, że w naszej Częstochowie w czasie wojny żydowskim ruchem oporu dowodził. Sam Mlodinow jakiś czas w izraelskim kibucu spędził, więc przekonanie nabyłam, że w książce *Wielki Projekt* zdania o niepotrzebności Boga przy powstaniu świata raczej od Hawkinga, a nie od Mlodinowa pochodzą. Kiedyś, jak tu do nas do Piekła Hawking na swoim high-tech komputerowym wózku inwalidzkim wjedzie, to sama go zapytam, czy naprawdę Boga wykluczyć można i czy to nie tylko wredna prowokacja z jego strony była, aby temu wo-

151

jującemu ateiście Dawkinsowi z pobliskiego Oksfordu się przypodobać. Bo ja Dawkinsa Richarda opowieść o „Bogu urojonym" z dużym niesmakiem czytałam i na którymś seminarium czwartkowym u nas w Piekle, dwa czy trzy lata temu – już dokładnie nie pamiętam – herezją szkodliwą określiłam, za co mnie wielu ateistów, szczególnie angielskich, ukrzyżować chciało. Dawkins warczącym, ujadającym, bez kagańca, oplutym pianą, niezaszczepionym przeciwko wściekliźnie rottweilerem Darwina jest i wszyscy o tym u nas w Piekle wiedzą. A ja Darwina nie lubię, bo to antyfeminista był i kobiet jako takich nie szanował. I przebaczyć mu tego nie mogę. Kiedyś na czwartkowe seminarium także się do nas przybłąkał, więc mu to w oczy wygarnęłam. Potem rozmawialiśmy przez cztery godziny. Trochę przebaczenie dla niego mnie wówczas naszło, ale Ci synuś teraz tego całego wywodu nie streszczę, bo dygresja zbyt długa by była, ponieważ Darwin, chociaż bardzo dużo mówi, to sedna rzeczy i tak unika. Bo niby ewolucja ważna, jedyna i najważniejsza, ale kapłanom kreacjonizmu raczej narazić się nie chciał. On chciałby być tylko trochę w ciąży, ale tak się przecież nie da. Twój ojciec Leon uważał, że „trochę w ciąży bywają jedynie politycy", ale w nauce na szczęście tak bywać nie może. Bo albo się brzemiennym jest, albo nie.

Darwinizm dla Piekła bardzo ważny jest i rolę Piekła – co paradoksem wydać Ci się synuś może – podkreśla i Piekło w całej rozciągłości, a tym samym i Niebo, uzasadnia. I ja na miejscu papieża w Watykanie procedurę wyświęcenia Karola Darwina bym natychmiast uruchomiła. Darwin i darwinizm ukazały bowiem ludziom wszechświat celu pozbawiony i człowieka najmniejszego nawet znaczenia niemającego. Naturę z planu Bożego do świata przypadku, pozbawionego moralności, wypełnionego wyłącznie śmiercią, przemocą i seksem zredukowały. Nagle nauka przedstawia świat, w którym człowiek niczym od zwierząt się nie różni, bo tak samo jak szczura czy wiewiórkę po śmierci go pustka nicości oczekuje, a ostatecznie całego gatunku zagłada. Taka wizja dla większości nie do zniesienia się okazała. Sam Darwin nie był w stanie w pełni jej zaakceptować. „Trudno zaiste uwierzyć, że te wszystkie piękne łąki i spokojne pola są scenerią tak przerażającej, cichej i nieustannej wojny"* – w smutku powiadał, a jego dobry, zaufany koleś, Alfred Russel Wallace, przez Darwina współtwórcą teorii doboru naturalnego namaszczony, to nawet z tego powodu na spirytualizm się przesiadł. Nagle po Darwinie gatunek ludzki cel i znaczenie utracił, co deprymującym, sam synuś przyznasz, w rzeczy samej jest. I aby ten cel i znaczenie na nowo przywrócić, nauka dowieść powinna, iż umysł ludzki nadal po śmierci ciała nie tylko funkcjonuje, ale i dalej się rozwija. Bo jeśli wszechświat zważyć i zmierzyć można, to i życie czło-

---

* Christopher Potter, *Tu jesteś. Najkrótszy przewodnik po Wszechświecie*, przeł. J. Szwajcer, Warszawa 2011, s. 276.

wieka – jeśli sensu i celu wyższego nie posiada – można do liczb i danych suchych zredukować, ludzi tylko jako statystyczne przypadki analizować i przez to kontrolę nad nimi sprawować.

I wtedy na nowo religię odkryć trzeba, bo tylko religia życiu sens nadawać może (nawet Einstein Albert to przyznał, gdy stwierdził, iż nauka nie jest w stanie zaproponować człowiekowi wyższego celu istnienia jego). W rezultacie nauka wykorzystywana przeciw religii w kanał dla wiary w magię, czyli w rzeczy samej w religię, się zamienia. Dlatego i Niebo i my tutaj w Piekle panu Darwinowi i jemu podobnym ogromnie dużo do zawdzięczenia mamy.

Ale wracając do Hawkinga, Mlodinowa i Dawkinsa. Ta święta trójca ateizmu mnie bardzo ostatnio niepokoi. Oni mnie nocami we snach molestują, bo antyboscy są, ale Ziemia się w nich uważnie wsłuchuje, i to mnie ze snu wybudza i zimnym potem zrasza. Bo kto antyboski jest, to zarazem przeciw Piekłu występuje, a to dziwnym niepokojem i lękiem mnie napawa.

A Dawkins Richard z Oksfordu profesor na dodatek nauce, w której Ty się synuś tak bardzo lubujesz, szkodzi, o czym Cię chyba przekonywać nie muszę, bo Ty swój rozum posiadasz. Wykluczając religię, Dawkins okopy głębokie między religią i nauką tworzy i do wojny nawołuje, co w rzeczy samej idiotyzmem jest. Nauka religijności przecież nie wyklucza, o czym często jeden z największych fizyków, sam Einstein Albert, przypominał. Ja tam Einsteina jako człowieka nie poważam, co mu ostatnio przy jakiejś okazji sama w oczy powiedziałam, ale mądrość jego doceniam. Albert bowiem mimo wszystko szacunek do religii posiadał i naukę z religią jako uzupełniające się światy widzieć pragnął. On to taki wierzący „na pół gwizdka" był. Taki wierzący ateista zdaniem moim, synuś. Zresztą sam tak o sobie mówił.

A Dawkins Richard te myśli Einsteina Alberta w „głębokim poważaniu" posiada i gdzie tylko się da, światu obwieszcza (zacytuję Ci synuś, aby gołosłowną nie być):

Nie ma żadnego powodu, aby wierzyć, że istnieje jakikolwiek rodzaj boga i są wystarczające przyczyny, aby wierzyć, że bogowie nie istnieją i nigdy nie istnieli. To jest gigantyczną stratą czasu i stratą życia. Byłby to tylko żart kosmicznych rozmiarów, gdyby to nie było tragiczne*.

Nie będę Ci synuś tej herezji w szczegółach rozwijać, ponieważ Ty książki Dawkinsa z uwagą czytałeś, więc Ci dobrze znane są. Na najważniejszym się tylko skupię. W religijnym przekonaniu Wszechświat i istoty we Wszechświecie zbyt doskonałe się wydają, aby mogły przez przypadek powstać, co ku wnioskowi pro-

---

* Richard Dawkins, *The Improbability of God* [w:] „Inquiry" Summer 1998, przeł. J.L. Wiśniewski.

wadzi, że musiał jakiś inteligentny inżynier istnieć – Bóg – który to wszystko zawczasu zaplanował. Dawkins w swoich książkach, a głównie w *Bogu urojonym*, używając sprytnych przykładów – co na poczet zasług mu zapisuję – dowieść pragnie, iż Bóg jako inżynier-konstruktor zupełnie zbędny był i że to ewolucja wyjaśnia wszystko: rośliny, zwierzęta i nas ludzi na dodatek. On sobie z tej teorii bestsellera strzelił, w związku z czym masę ludzi omamia. Bo omamia synuś głównie jednym stwierdzeniem, które Ty z pewnością zauważyłeś, a mnie ono w wyniku jakiegoś objawienia oświeciło. Bo przebiegły Richard z Oksfordu przechytrzył samego siebie, twierdząc, że ponieważ ewolucja sama z siebie potrafi objaśnić życie, to dlatego tak czyni. I tutaj go, to znaczy Dawkinsa, poniosło za bardzo. Za mózg jak za jaja powinni się go mocno chwycić i przyznanie się do błędu w logice wymusić. Bowiem twierdzenie Dawkinsa (gdzie E = Ewolucja, a L = Życie):

Jeśli E spowodowało L, to każde L jest spowodowane przez E i tylko przez E

jest nie do udowodnienia przez nikogo, włączając w to wszystkich logików na świecie, z naszymi genialnymi polskimi włącznie.

I gdy tak sobie bestseller Dawkinsa pewnej nocy analizowałam, to myśl mnie naszła, że naukowo nie da rady udowodnić, iż inżyniera-konstruktora, który zmajstrował życie, wykluczyć można.

156

I w tym momencie Dawkins nie naukowcem mi się wydał, a raczej wyznawcą nowej religii, która Nauką się nazywa.

No może i mnie trochę poniosło teraz i przesadziłam. Bo to raczej bardziej mitologia niż religia jest. Mit, gdy czegoś się nie wie lub do końca nie rozumie, jest wprost niezastąpiony.

Mitologie bowiem zawsze możliwe przyczyny i rozwiązania proponowały, przy czym jednocześnie alibi dla wszelkiego zaniedbania dostarczały. Teraz te zaniedbania „przybliżeniem w ramach obowiązującej aktualnie teorii" się w nauce nazywa. Przypomniała mi się synuś teraz, w którymś z Twoich pism zacytowana, anegdota o fizyku teoretyku, którego o pomoc poprosił zdesperowany sąsiad, właściciel kurzej fermy. Kury z przyczyn mu nieznanych nieść się przestały i gospodarz postanowił wypytać się w tym temacie swojego sąsiada utytułowanego. Fizyk teoretyk odwiedził fermę i po tygodniu zaproponował swoje rozwiązanie problemu, rozpoczynając przemowę od zdania: „Załóżmy, że kura jest okrągła…". Dawkins w swoim „przybliżeniu" Boga wykluczającym kojarzy mi się bardzo z tym jajo(*nomen omen*)głowym fizykiem.

A przecież nawet ekstremista, antyreligijny angielski filozoficzny punk z Nagrodą Nobla, niejaki Russell Bertrand, który niesłychanie wiele obelżywych pism przeciw istnieniu Boga napisał, kiedyś sam osobiście przyznał, że: „Gdy nauka w swojej pogoni za potęgą stopniowo zwycięża, ta sama nauka w pogoni za prawdą jest zabita przez sceptycyzm powstały dzięki umiejętnościom mężów nauki". Jak się arystokrata Russell w kwestiach nauki wypowiada, to pal go licho, ale jego powątpiewania w ideę Piekła to ja synuś nie lubię. Russellowi bowiem nie za bardzo doktryna chrześcijańskiej miłości i humanitaryzmu do instytucji Piekła pasuje. Bo niby jak? Nieskończona miłość do wszystkich stworzeń oraz ludzi i grzesznych, i bezgrzesznych, i świętych, a tutaj – w kontradykcji zupełnej do swoich dogmatów – chrześcijaństwo z karaniem za grzechy poprzez cierpienie wieczne w Piekle jak filip z konopi wyskakuje. Russell przemądrzalec nieskromny rady chrześcijaństwu raczy dawać, coby ideę Piekła odrzuciło. Bo to z miłością, zdaniem jego, nie konweniuje zupełnie. To ja mu synuś powiem, gdy tylko go spotkam, że miłość miłością, ale jakby się na ziemi ludzie Piekła nie bali, to „ostatni światło gasi", pstryk i już chrześcijaństwa nie ma. Bo w chrześcijaństwie ciągle jeszcze strach nad moralnością dominuje i się z nią nieustannie miesza, o czym ja przekonywana jestem regularnie, spowiedzi podsłuchując.

Zarozumialec Rysiek Dawkins żadnej nauki z wiedzy Russella niestety nie wyciągnął i momentami bardziej wierzy, niż wie, i w rezultacie śmiesznym i żałosnym dewotem nauki sam się uczynił. Co mnie swoim paradoksem synuś bardzo uspokaja. Bo to w rzeczy samej jest paradoks. Naukowcy są bardziej paradoksalni w swojej relacji do religii, niż światu się objawiają, gdy się nad tym pochylić. Na ten przykład synuś niejaki Fred Hoyle – angielski astronom i fizyk z Tobie znanymi poważnymi osiągnięciami – stwierdził, co zacytuję: „Mimo że większość naukowców oświadcza, że odrzuca religię, to odniesienia religijne u uczonych pojawiają się częściej niż u duchownych". I to się z badaniami licznymi i ankietowymi zgadza. Wśród naukowców były bowiem takie ankietowe badania prowadzone. Wynika z nich wyraźnie, że ponad połowa z nich wierzy w jakiegoś osobowego Boga, podczas gdy tylko 30 fizyków na 100 (z wyników innej grzesznej ankiety) wierzy, że możliwe jest istnienie wszechświatów równoległych. To są dla Boga i Nieba synuś rezultaty bardziej niż znakomite. Ponieważ fenomen Boga w myśleniu elity potwierdzają. Wynik 30% dla istnienia Boga *vs.* wszechświat równoległy w mózgach fizyków z tytułem minimum magistra jest dla Boga prognozą korzystną niezwykle. Tylko 70% najbardziej podejrzliwych z racji wiedzy ludzi nie wierzy do końca w Boga. To jest niezwykle korzystny wynik wyborczy. Jak myślisz synuś, czy ślusarz ze wsi pod Toruniem słyszał kiedyś o wszechświecie równoległym, co wiarę w Boga mogłoby mu zaburzyć, albo nawet wykluczyć? Ja pomimo szacunku swojego ogromnego dla ślusarstwa, garncarstwa, stolarstwa i innych zawodów ze zręcznością rąk związanych nie mogę swoich przekonań oszukać i w związku z tym w to nie wierzę. Dawkins Richard Boga z duszy ludzi wierzących nie przepędzi i Boga nie wykluczy nigdy.

Bo jakby Boga wykluczyć, to po co ludziom Piekło?

A to, sam przyznasz synuś, dla mnie dylemat egzystencjonalny być może. Bo jeśli Piekła nie ma, to co ja tu robię? Jakiś Matrix czy co? A może ja we wszechświecie równoległym jestem i wcale nie w Twoim synuś przebywam? Może mój ma czasoprzestrzeń dwunasto-, a nie jedenastowymiarową, jak ten Twój, a może nawet, jezeli pecha miałam, trzynasto- i ja się na ten trzynasty wymiar załapałam, bo być może tylko w trzynastym wymiarze Piekło uzasadnić można? I że nawet teoria strun, a nawet (bo przecież wszystko „super" być musi) teoria superstrun – w dwudziestu sześciu wymiarach (no wybacz synuś, ale to przegięcie fizyków jest okropne, nawet gdy dla uspokojenia narodu twierdzą, że dwadzieścia dwa wymiary są „ukryte") – tego nie obejmuje i także ta nowa, poważana najbardziej, teoria M-modelu o jedenastu wymiarach wszechświata, sobie z tym nie radzi? Jeśli tak, to niezła osobliwość by to była. Większa nawet od tej przy Wielkim Wybuchu i następującej po nim Wielkiej Inflacji. Odkąd ta inflacja zdaniem fizyków teoretyków nastąpiła, to wszystko jasnym im (mi synuś niestety nie, ale ufam, że to kiedyś w przypływie czasu objaśnisz) się wydaje. Prawa fizyki odnośnie do tego, co się z wszechświatem działo i dzieje od momentu owego do dzisiaj, wszystko rzekomo wyjaśniają. Ale to, co się działo w czasie pomiędzy Wielkim Wybuchem ($t_0 = 0$) i momentem rozpoczęcia Wielkiej Inflacji ($t_{WI} = t_0 + 10^{-43}$ sekundy), niestety nie. Coś nie-

160

pojętego przez tyci, tyci momencik 10^{-43} (czterdzieści trzy zera przed przecinkiem!) sekundy się działo i ta zagadka ostatnio sen z oczu wielu fizykom i kosmologom na ziemi spędza. Przez 10^{-43} sekundy – czasem Plancka zwanym – Bóg coś przy Wszechświecie w tajemnicy być może majstrował i wszyscy chcą koniecznie się dowiedzieć, cóż to takiego robił. Rzekomo ta teoria superstrun, gdyby się potwierdziła, ma w tym śledztwie poczynań Boga istotnie dopomóc. Ja się razu pewnego z tą superstrunową teorią zapoznać chciałam, coby jakiegoś mniemania własnego nabyć. Ale to synuś nie na głowę moją starą. Oczy sobie tylko na tych wzorach i równaniach do łzawienia wymęczyłam i w mózgu moim namieszałam. Zrozumiałam jedynie, że cząstki elementarne jak struna skrzypiec lub gitary w wielowymiarowej przestrzeni wibrują. Taki elektron na ten przykład to nie jest jakiś tam punkt, tylko wzdłuż struny jest rzekomo rozłożony (krótkiej bardzo, bo to tylko tak zwana długość Plancka, czyli ledwie 10^{-35} metra) i sobie wibruje z częstotliwością pewną. Czyli Bóg – jeżeli to w ogóle On – elektron w strunę rozciągnął i, że tak się wyrażę, szarpnął lub smyczkiem po niej pociągnął i ta struna do dzisiaj drga. Dużo strun musiał szarpnąć lub smyczkiem potraktować, bo elektronów jest od diabła i ciut, ciut. Inne cząstki elementarne innymi strunami drgają oraz na częstotliwościach także innych. Więc to było naprawdę Wielkie Szarpnięcie. Bóg się naprawdę szarpnął przy Wielkim Wybuchu. A jeśli tak, to nam synuś ogromna orkiestra instrumentów strunowych od około 14 miliardów lat we wszechświecie przygrywa. I być może to Bóg jest dyrygentem. Tyle że wielu ludzi zaświadcza, że w kosmosie cisza przerażająca panuje. Co dziwnym nie jest zupełnie, bowiem w próżni fale dźwiękowe rozejść się nie mogą i w związku z tym do membrany w uchu dotrzeć nie są w stanie. Ta boska, patrząc na to na mój robotniczo--chłopski rozum, orkiestra gra sobie a muzom, ale głównie fizykom teoretykom przygrywa. I niektórzy z nich tę symfonię ponoć słyszą! Nie uszami, ale na skróty, od razu mózgiem. I nawet nuty na równania rozpisać potrafią. Tyle że aby to usłyszeć, wyobraźnię niezwykłą posiadać należy, ponieważ ta orkiestra w przestrzeni wiele ponadczterowymiarowej (x, y, z + czas) koncertuje. Normalny człowiek tego koncertu nie usłyszy nigdy. Bo to impreza zamknięta jest. Na zaproszenia. Elitarna okropnie. Mała grupa zaproszonych. Hawking, Penrose, Mlodinow, Anderson, Smolin, Witten, Kaku. Ty ich synuś znasz ze spotkań z ich książkami lub artykułami, Ty ich może po części rozumiesz, ale dla mnie to jacyś poszarpani mózgowcy są. Oni miliardy razy więcej niż przeciętna masy i szarej, i białej w swoich mózgach posiadać muszą. I inne pomiędzy neuronami połączenia. To ludzie o zdrowych zmysłach raczej nie są. Bo zdaniem moim dodatkowe zmutowane zmysły posiadają. Ja na nich w ramach samodokształcania w temacie teorii superstrun swoje oczy czytaniem niszczyłam. Ale tylko do momentu, gdy w głęboką intelektualną kałużę wpadłam, czytając, jak wymieniony wyżej Kaku Michio (Amerykanin, chociaż z genów Japończyk, o pięknym po japońsku narysowanym nazwisku 加來 道雄) wszechświat z perspektywy teorii superstrun opisuje. A opisuje tak:

Struna heterotyczna jest zamkniętą struną z dwoma typami drgań, zgodnie i przeciwnie do kierunku ruchu wskazówek zegara, które są traktowane oddzielnie. Drgania zgodne z kierunkiem ruchu wskazówek zegara odbywają się w dziesięciowymiarowej przestrzeni, natomiast drgania w przeciwnym kierunku wypełniają dwudziestosześciowymiarową przestrzeń, w której szesnaście wymiarów uległo kompaktyfikacji (w oryginalnej, pięciowymiarowej przestrzeni Kaluzy piąty wymiar był skompaktyfikowany przez zwinięcie do okręgu)*.

Po tym – w kałuży przytopieniu – odpuściłam sobie oraz spokój swojemu mózgowi ze strunami dałam. Ten wspomniany Kaluza, tak na marginesie synuś, to w naszym polskim mieście Opolu się urodził, co przy narodzinach jego Oppeln się nazywało, bo to w roku 1885 się odbyło. Czyli – jak by to babcia Marta dobitnie określiła – „za panoszenia się Niemców w Polsce".

---

* Michio Kaku, *Hiperprzestrzeń. Wszechświaty równoległe, pętle czasowe i dziesiąty wymiar*, Warszawa 1997, s. 128.

Ciekawość ludzka zdaniem moim synuś coraz bardziej nie-okiełznana się staje i wszelkie granice szacunku i prawa do prywatności Boga przekraczać zaczyna.

Prawie czternaście miliardów lat nieustannej oraz uporczywej inwigilacji i nawet temu ułameczkowi sekundy prywatności Boga odpuścić nie chcą. Ale diabli z tym. Dwadzieścia sześć, dwana-ście, jedenaście czy może trzynaście wymiarów Wszechświata. Niech im będzie. I niech się im teoria od tego nadmiaru wymiarów nie daj Bóg nie poplącze. W tym synuś kontekście o neutrinie z CERN, tym takim diabelnie szybkim, tym, co fotony na mecie we Włoszech przegoniło, tym, nad którym, czas Twój synuś cenny kradnąc, długo się rozwodziłam, pomyślałam głębiej. Może to neutrino sobie na skróty z Genewy do Gran Sasso pognało? W jakimś piątym, ósmym czy jedenastym wymiarze? Inne szerokim łukiem omijając? Ale to takie moje przypuszczenie tylko.

W tej trzynastowymiarowej z czarnym kotem przestrzeni, co to drogę innym wszechświatom przebiega, Piekło mogłoby się bez przeszkód odnaleźć. Ty czasami na Fejsie o tym pisujesz, więc Twoje notatki odczytuję tam łapczywie. A jak mi zbyt smutno się od nich stanie, to sobie spowiedzi podsłuchuję, aby się dowiedzieć, jakie grzechy są teraz w modzie i kogo w przyszłości spotkać mi tutaj przyjdzie. Ciężkie grzechy do przodu przewijam, bo one, odkąd spowiedź wymyślili, ciągle takie same i uroku żadnego nie mają, ale niektóre są tak słodkie, że wielokrotnie je sobie przesłuchuję i radość ze słuchania czerpię.

Teraz Wielkanoc się zbliża, więc ludzie do konfesjonałów jak najęci pędzą i nasłuchać wiele się można. Ostatnio rozczuliła mnie wprost Bianca, lat siedemdziesiąt, siostra zakonna z Niemiec. Szczerością mnie poraziła, bo to przy spowiedziach rzecz rzadka w ogóle synuś jest. Ta szczerość. A ona szczera była. Opowiadała znudzonemu staruchowi, co to młodych panienek wysłuchiwać woli, że pokusę czuje, bo siostra nie siostra, bo lat siedemdziesiąt, ale kobietą pozostała. Teraz wiosna nadeszła, ciepło się zrobiło – sama tak mówiła – więc ona czasami w krótkich rękawkach na ulicę wychodzi. I kiedy się zdarzy, że przystojny mężczyzna ją dłonią, najczęściej przez przypadek, dotknie, to ona w brzuchu motyle czuje. Bo ona zakonnicą jest, ale zakonnicą żywą. W ostatnim słowie na spowiedzi pełna pokory rzekła, że nad tym panuje i więcej modlić się zacznie. Puszczam sobie Biancę regularnie, bo jak jej podsłuchuję, to mi na sercu ciepło się robi, jak w jej grzesznym brzuchu z motylami.

Podsłuchałam także studentkę Karolinę, lat dwadzieścia pięć, ze Szczecina. Dziewczyna dziwna jest trochę, bo z seksem do ślubu chce czekać, ale problemy z tym czekaniem miewa. Chłopaka Patryka od trzech lat ma. On w Boga nie wierzy i do ślubu czekać w żadnym wypadku nie chce. I gdy petting, czyli pieszczoty, sobie czynią, to słabość Karolinę nachodzi i granice prze-

kracza, a potem bardzo źle się z tym czuje. Gdy te granice prze-
kroczy, to do spowiedzi oczyścić się chodzi. I tak już co dwa,
trzy tygodnie, a czasami częściej, bo Patryk wstrzemięźliwy nie
jest. Duszę przy spowiedzi odnowi i do następnego razu lepiej
się czuje, bo przekraczaniu granic oprzeć się nie potrafi niestety.
Karolinę sobie też czasami przed snem przesłuchuję i swoje granice wspominam, chociaż ślubu kościelnego to my z Leonem
mieć nie mogliśmy, ale w związku z tym granice wcale dalej nie
były, bo ja głupia i honorowa byłam, i przez to wiele możliwości
dotyku lubieżnego straciłam.

Czasami tak refleksyjnie sobie pewną mężatkę z okolic Poznania podsłuchuję. Z pragnienia wolności się spowiada, tak jakby
to grzech jakiś był. Matką dobrą jest, dzieci ponad wszystko kocha, ale żoną na smyczy być się nie zgodziła. Czas dla siebie
mieć chciała, książki po wieczorach czytała, zamiast męża po
głowie głaskać i za rękę trzymać, do teatrów jeździła i na opery
do dużych miast. A mąż jej nie tak sobie matkę swoich dzieci
wyobrażał. Chimeryczność i nieposłuszeństwo wyrzucał, o zdrady
pomawiał i w końcu rękę na nią podniósł. Po pewnym czasie jak
zamknięta w klatce się poczuła, potem kochać go przestała i pożycia odmawiała. Mąż dobrym człowiekiem dla innej kobiety
byłby, bo ojcem nienagannym jest i rodzinę jako świętość traktuje,
chociaż na swój sposób, bo ból jej przemocą zadał. Tyle że ona
w tę jego świętość wpisać się nie potrafi i szczęśliwa z nim być

nie może. Podsłuchując tę mężatkę, o Leonie myślałam i o tym, co ja bym zrobiła, gdyby Leon wolności mi odmawiał. Wiem jedno, że do spowiedzi bym z tym nie poszła. Potem, gdy do końca spowiedź podsłuchałam, to na jaw wyszło, że to nie tylko o jej wolność chodzi. Że mąż jej niedelikatny bywa i że jako kobiety jej po prostu nadużywa. Bo łączyć się z nią dla swojej osobistej przyjemności tylko pragnie, szybko i często, jak zwierzę, podczas gdy ona należną celebracją to otoczyć chce i wyższy sens temu nadać.

To przed Wielką Nocą, synuś, było. A potem wkrótce swój 11/09 tutaj w Piekle mieliśmy. Chociaż to wcale nie jedenasty września 2001 był, ale pierwszy maja 2011. Czyli 01/05 był. Rano to było. Syreny w całym Piekle zahuczały, co zdarza się rzadziej niż na początku lub na końcu jakiejś wojny światowej.

Osama do nas dotarł. Osama bin Laden. Sam osobiście.
Pokancerowany okropnie. Ale bardzo nasz. Najpierw podziwem go we wrześniu 2001 ogarnięto, bo Grzechu przez wielkie „G" dokonał, a potem na niego u nas w Piekle czekano. Niektórzy z powodu religii innej niż moja pomniki mu wystawiać za ziemskiego jeszcze życia chcieli. Bo pewność, że do nas przybędzie, mieli. Ale to przeciwko ideologii Piekła było. Hitler za życia pomnika nie miał i Stalin nie miał, to dlaczego niby Osama

miałby mieć? On zabił tylko 3000+ ludzi i to, że zrobił to spektakularniej niż Stalin lub Hitler, co dla Piekła ważne jest bardzo, niczego nie dowodzi. Bo technologia inna za Hitlera i Stalina była i CNN nie było, i Internetu także nie. I to ważyć sprawiedliwie trzeba, bo przed krematoriami w Auschwitz nie mogło być kamer CNN na przykład. Z powodów technicznych chociażby. Watykan ma swoje encykliki i Piekło też je ma. Od teorii encykliki do praktyki encykliki w Watykanie nieraz setki lat upływa. Dlaczego w Piekle miałoby inaczej być? Piekło na Watykan się ściśle orientuje, bo co nowego ma niby wymyślać. Na ten sam target w końcu oddziałuje. Islam w Piekle dużym problemem jest, bo islamiści coraz większą grupę popierających mają i to na wyniki wyborcze się coraz bardziej przekłada. Ale póki co czynnik historyczny mocno działa, tradycja i matematyka. Islam ma tylko tak *circa* 600+ lat, a chrześcijaństwo 2000+, więc islam według chrześcijan „niedorozwinięty" ciągle jest. Islam, zdaniem niektórych, w fazie katolicyzmu czasów inkwizycji i palenia stosów się znajduje, kiedy to na ten przykład Giordana Bruna spalono za to tylko, iż ośmielił się wyjść poza model kopernikowski i w swojej kosmologicznej teorii przedstawić Słońce jako jedną tylko z gwiazd i sugerować – dla Kościoła nie do przełknięcia – grzeszne teorie. Na przykład tę o istnieniu we Wszechświecie wielu inteligentnych cywilizacji. Okrzyknięto to wówczas herezją i za jej głoszenie i brak pokory spalono Bruna na stosie, całkiem niedawno, bo w lutym roku 1600. Czasami się zastanawiam, jak naszemu Kopernikowi udało się uniknąć tego samego losu, choć znamienne jest, że kiedy w roku 1829 w Warszawie pomnik Kopernika odsłaniano, to wśród ogromnych tłumów wiwatujących ludzi, które zebrały się, żeby uhonorować wielkiego astronoma toruńskiego, ani jednego katolickiego księdza nie było. Ale to tak na marginesie.

Islam tutaj u nas na równouprawnienie się intensywnie powołuje. To trochę tak jak na ziemi w Polsce obecnie „kwoty dla kobiet" ustalać próbują. Mądre kobiety tego nie chcą, bo to poniżające dla nich jest. Mężczyźni tego nie chcą, bo im się to siłą narzuca. Gejom jest to zupełnie obojętne. Zastanawiałam się, kto tego w Polsce chce. Szczuka? Krall? Gretkowska? *Egal.* I tak tutaj podobnie. Prawdziwi islamiści żadnych kwot nie wymagają i w siłę przekazu swojej religii dogłębnie wierzą.

Islam żadnych kwot nie chce. Islam chce niestety wszystkiego. Lobby się islamskie wokół Osamy utworzyło, ale jak dotychczas nic tak naprawdę nie wskórali. Bo islam to nie Osama i zabijanie do islamu nie przynależy, o czym wszyscy zdrowi na umyśle ludzie w Piekle wiedzą, łącznie nawet z Żydami. W islamie miłości jest więcej niż nienawiści. Swoją drogą więcej niż w każdym obrządku religii chrześcijańskiej. Osama tylko się na miłość orientował, ale po drodze nienawiść ogromną wzbudzał. Co w Piekle doceniane jest najbardziej.

No więc Osama do Piekła w końcu dotarł w dniu 1 maja 2011 o poranku. Syreny zabuczały i mnie ze snu wyrwały ku niezadowoleniu mojemu. Bo ja Osamę bin Ladena, wybacz synuś teraz bezpośredniość, głęboko w dupie miałam i ciągle mam. Nic takiego specjalnego do historii zła nie wniósł, bo niby co miał wnieść. Zabijał, kradł, cudzołożył, pornole oglądał, dnia świętego nie święcił, próżny był. Jak ludzi większość. Tak naprawdę to cały Dekalog zacytować bym Ci w kontekście biografii Osamy bin Ladena mogła.

W każdym razie dzisiaj dla Piekła przybycie Osamy wydarzeniem medialnym na skalę naprawdę wielką było.

Dla mnie jednakowoż nie, chociaż pilnie świat, gdy Osama do nas przybył, obserwowałam. To było dla mnie ważniejsze niż sam Osama, bo takich jak on teraz, w ramach aktu zemsty, będzie więcej. To tylko kwestia czasu jest. I dlatego o Ciebie się bać zaczęłam, bo Ty po świecie nieustannie latasz i o duże ryzyko się w związku z tym ocierasz.

A świat w swojej reakcji okazał się Piekłu sprzyjający być. Co tutaj u nas z prawdziwą radością odnotowano. Pominę te niezmierzone tłumy w Ameryce wiwatujące z powodu zabicia Osamy. Już kilka godzin po tym wydarzeniu wysylikonowane piersi amerykańskich kobiet uciskały T-shirty z napisami „Obama killed Osama" lub „Osama, the best fish food" i tym podobne. Amerykański rynek, tradycyjnie wyjątkowo wyczulony na trendy, zareagował natychmiast i zaczął tańczyć hip-hop na grobie Osamy, otwierając na wirtualnych cmentarzach w głowach Amerykanów malowane jarmarki. To reakcja w ramach poczucia spełnionej zemsty jest. I to ludzie mali to poczucie wyrażają. Bo Ameryka dla mnie jest miejscem zamieszkania ludzi małych, z niewielkimi znamionami wielkości: Harvard, Princeton, MIT, Microsoft, Google, Facebook, IBM, Woody Allen. Wiem synuś, pomieszałam gruszki z jabłkami, ale w Ameryce to codzienność. Tam z gruszek wyrastają jabłka lub bomby atomowe, a z jabłek pomarańcze lub rakiety balistyczne z głowicami, które zabiłyby więcej ludzi niż w Hiroszimie i Nagasaki razem wziętych. I tylko za to pomieszanie Piekło winno być Ameryce wdzięczne. Ameryka bowiem wprowadza obłęd w historię, wybija ją z rytmu, podnieca i powoduje historyczne erekcje. Chce zabijanie zorganizować w instytucję i tworzy Pentagon, bez którego nie byłoby Internetu, jest miejscem poczęcia Williama Henry'ego „Billa" Gatesa III, który świat obdarowuje lub świat zniewala swoim Windowsem, jest ojczyzną Jobsa, który jako student po ciężkiej pracy przy zbiorze jabłek na farmie, w garażu swojego domu firmę zakłada i ją Apple nazywa, w wyniku czego powstają Macintosh, a potem iPod, iPhone i iPad. A potem przygarnia i otacza opieką dwóch doktorantów – Amerykanina Larry'ego Page'a i Rosjanina Siergieja Brina, którzy na pomysł Google'a wpadają. A potem jest ten wizjoner Zuckerberg, który Facebooka zakłada i pozwala mi opowiadać Tobie synuś o sobie. Zuckerberg to taki mały sprytny młodzieniec z wizją przyszłości, podkradacz pomysłów, ale w przetwarzaniu pomysłów na kasę niezastąpiony. I na dodatek przepięknie udaje swoją skromność i swoim sukcesem zadziwienie. Dom skromny ma, kobietę z Azji nierzucającą się dekoltem w oczy ze sobą prowadza. No generalnie „sąsiad z naprzeciwka", co Amerykę rozczula. Bardzo podobnie, chociaż w innej skali, jak Ty Nusza.

Opowieść telewizyjna o zabiciu Osamy jak fragment z fascynującej gry komputerowej jest. Tak to w amerykańskich telewizorach od Atlantyku do Pacyfiku przedstawiają. Mamy tutaj na to podgląd, bo telewizory w Ameryce są u nas w Piekle najlepszym źródłem informacji o tendencjach w rozwoju grzechu. To jest paradoksalne, ponieważ Ameryka bardzo purytańska jest i na przykład pocałunek w wyświetlanym tam filmie nie może być dłuższy niż określone pensum milisekund. W telewizji powszechnie dostępnej jednakże. Bo z drugiej strony w Ameryce najwięcej w świecie filmów pornograficznych się produkuje. My tutaj w Piekle tę Amerykę spoza powszechnej cenzury podglądamy. I dlatego na przykład wiem, jakie pornusy są na aktualnych listach bestsellerów. Ale zabicie Osamy się na sam szczyt wszystkich możliwych list przebiło. Bowiem zabijanie i śmierć ogromnie podniecające są. O wiele bardziej niż wytryski litrów spermy z ogromnych penisów w ogromne usta kobiet z ogromnymi piersiami. I na dodatek to było jak fragment niezwykłej gry komputerowej. Nasi chłopcy z magicznego SEAL z twarzami pięknych avatarów lądują helikopterami, wysadzają kawałek muru, przebiegają niepostrzeżenie do avatara Osamy bin Ladena, zabijają go i zabierają jego zwłoki na pokład lotniskowca o wyglądzie „Titanica" z filmu Camerona. Potem z rzekomym szacunkiem dla islamu i wynikających z tej religii zwyczajów, wykonując rozkaz Obamy, karmią tym ciałem ryby w Oceanie Indyjskim. No piękne niezwykle synuś, no piękne do wymiotów. I na dodatek SEAL sobie to wszystko wyczynia w Pakistanie, w suwerennym, niezależnym państwie reprezentowanym w ONZ. Tak jak gdyby to Pensylwania była, jeden ze stanów w USA. Tyle że nie w USA. To tak jak gdyby oddział irackich komandosów na ranczu George'a W. Busha wylądował, zabił go i ciało do wód pobliskiej Zatoki Meksykańskiej wrzucił. Bardzo niby podobne, ale inną grawitację, sam synuś przyznasz, posiada. Przy tym scenariuszu tak zwany ważny świat by się oburzył, powiedziałabym nawet, że by się wkurwił, przepraszam synuś za wulgarność, ale przy scenariuszu zabicia Osamy, bardzo podobnym, ten świat w ręce głośno klaskał. Także dłońmi pewnej kobiety z Niemiec.

Ale ja jak zwykle synuś zboczyłam. Bo ja nie o tym chciałam. Ja o Niemczech chciałam w kontekście Osamy Bina, czyli syna

Ladena. Więc powrócę. Jak w Niemczech gruba, brzydka kobieta w telewizorze mówi, że ona „się cieszy z powodu zabicia Osamy", zacytuję po niemieckiu *Ich freue mich*, to mnie jasna cholera bardziej strzela niż reumatyzm i serce moje schorowane w arytmii wariuje, za przyczyną której i dysfunkcji zastawek umarłam.

Doktor Angela Merkel z chrześcijańskiej (sic!) partii CDU się publicznie cieszy, że kogoś zabito, i wykrzykuje tę swoją radość do całego narodu w telewizorze. No kurwa, synuś wybacz kolejną z emocji wynikającą wulgarność, ale powstrzymać się nie mogę, no kurwa, jak to jest?! W Dekalogu czarno na białym jest „nie zabijaj", a ona taką radością w telewizorach pała i gratulacje do Obamy śle. A pamiętaj synuś, że Angie M. to nie byle kto jest. To ona w 2011 roku ciągle milionami Niemców rządzi. Jak ona beknie lub gazy z odbytu wypuści, albo coś nieopatrznie powie, to świat się nad tym zastanawia i na giełdach zmiany w kursach zachodzą. Ja wiem, że Ty między innymi podatki płacisz na to, aby te telewizory w Niemczech pełne nienawiści kazania Merkel w świat emitowały, prawda, synuś? No więc Ci powiem, że pomimo iż ja Osamy lubić nigdy nie zamierzam, teraz całe poważanie dla doktor Merkel straciłam. Łącznie z szacunkiem. Bowiem obrzydliwym wdupowłazem Ameryki się okazała.

Po utracie szacunku do Merkel zastanawiałam się trochę, bo 11 września A.D. 2001 głęboko w pamięci przechowuję i nigdy nie zapomnę. I tej radości mojej, jak się dowiedziałam, że Ty z Ameryki tydzień przed tym do domu bezpiecznie powróciłeś, więc przy WTC być nie mogłeś. I o ludziach, co tam zginęli, pomyślałam, co to nawet kilku minut na pożegnanie z najbliższymi nie mieli, i o tych, co przed płomieniami uciekali, z okien wyskakując. I o wielu innych, co po 11 września na strzępy bombami rozerwani byli, i gdy smród palonych ciał w swoim nosie poczułam, to zamyśliło mi się trochę. Bo to, że taką zbrodnię pomścić trzeba, wątpliwości nie miałam. I to, że Osama życie zakończyć powinien w wyniku jakiejś egzekucji, także nie. Bo sąd nad nim jedynie bohatera by z niego uczynił, czemu zapobiec trzeba było, bo Osama z bohaterstwem ma tyle wspólnego co prostytucja z prokreacją. Niby podobne, ale o zupełnie co innego chodzi i w zupełnie innym kontekście. Ale pomimo to radości z jego śmierci okazywać nie należy. Można z ulgą odetchnąć, spokoju nabrać, że kara zasłużona go spotkała, ale czynić z tego święta szczęścia i radości się nie powinno.

Załóżmy, że moja ukochana, jedyna córka, co polityką wszelką się brzydzi, 11 września roku 2011 w wieży pierwszej WTC na piętrze 88. w biurze 88-4L ginie. Na to piętro wjeżdża windą Osama bin Laden i mi córkę zabija, deklamując przy tym jakieś antysyjonistyczne i antyamerykańskie pamflety. W rozpacz wpadam, nienawiść do Osamy czuję, zemsty pragnę. To normalne i w genach chyba zapisane. Ale potem ta nienawiść opada. Już po kilku dniach, tygodniach, a może u niektórych miesiącach.

Nienawidzę go, ale nie aż tak, aby potrafić śmierci jego pragnąć. Bo Osama matkę ma lub miał, bo ojca ma lub miał, bo dzieci swoje ma, co cierpieć będą. A tutaj mi Frau Merkel, która dzieci nigdy nie urodziła, a WTC może tylko turystycznie zwiedzała, dziką radość z powodu zabicia człowieka w telewizji na wielu kanałach ogłasza. Jakby o zwycięstwo Niemców w jakimś meczu piłkarskim chodziło. Krótko mówiąc, radość z powodu śmierci kogokolwiek jest dla mnie synuś obrzydliwa i poza granicami. I wiem, że dla Ciebie także, bo Ty mój jesteś. Chociaż Osama jest prąciem ostatnim (wybacz wulgarność, ale co prawda, to prawda). Pomimo to człowiekiem był i z tego chociażby powodu radość z jego śmierci jest kolejnym sukcesem Piekła.

Bo to znaczy tyle, że tysiące lat po tym, jak Bóg na górze Synaj przekazał Mojżeszowi kamienne tablice z dziesięciorgiem przykazań i w piątym wyrył „Nie będziesz zabijał", niewiele od tamtych czasów się zmieniło. Pomimo tych tysięcy lat działania propagandowej maszynerii Nieba ludzie źli byli i źli pozostali. Czyli to musi być jakoś w człowieka genetycznie wpisane i na mózgi ich się wyraźnie rozprzestrzenia, czego wyjaśnienie mnie bardzo interesuje.

Ostatnio o tym z psychologiem Abrahamem Maslowem długo rozmawiałam. Pomimo nazwiska Amerykaninem jest i z Rosją ma tyle tylko wspólnego, że jego rodzice jako żydowscy emigranci do Nowego Jorku w początku dwudziestego wieku przybyli i matka Maslowa go na żydowskim Brooklynie w roku 1908 urodziła. Ale gdybyś go synuś zobaczył, to wiedziałbyś, że to Ruski w całej okazałości jest, co mnie do niego zbliżyło, bo Słowianką się czuję i Ruskich bardziej niż jankesów lubię. Gdy się uśmiechał, to wypisz, wymaluj Stalin. Tyle że babcia Maslowa chyba Czukotką była, bo skośne oczy Abraham ma. Ale mniejsza z tym.

To Maslow jako pierwszy chciał „boskość", czyli dobroć w ludziach zmierzyć. Bo jako jeden z niewielu psychologów dobrocią ludzką, a nie złem się interesował. Co w tamtych czasach nienormalne było, gdy go z Freudem, Jungiem czy Frommem porównywać, którzy zło ludzkie jako główną tezę psychologii postawili i naukową fascynacją psychopatologię otoczyli.

A on na odwrót, do patologii plecami się odwracał i dobroć w ludziach wielbił. Nie tylko odnaleźć ją w człowieku chciał, ale i zmierzyć postanowił. Bo dla naukowców – sam to synuś wiesz najlepiej – jak zmierzyć czegoś się nie da, to znaczy, że tego nie ma. A Maslow przypuszczał, że dobroć jest w człowieku dominująca. Naukowcem z doktoratem był, więc zmierzyć dobroć postanowił. Sam człowiekiem dobrym był, więc to, że w Piekle się poniewiera i tutaj do końca wieczności czeka, zdziwiło mnie ogromnie. Ale sam mi powiedział, że Bogu się naraził, nie uczynkiem, a słowem raczej, bo dumny był z tego, gdy ateistą się nazywał i światu często to ogłaszał. To on wiarę w Boga „do dziecinnego poszukiwania tatusia w chmurach" porównał, czym sobie pochlebstw w Niebie zdobyć raczej nie mógł, i na Sądzie Ostatecznym mu to natychmiast wypomniano.

Ale nie tylko o to chodziło. Najbardziej Niebu naraził się Maslow wynikami testów, uznanymi w świecie i przez innych psychologów w całej rozciągłości potwierdzonymi. A wyszło Maslowowi z tych testów, że ludzi z natury „dobrych", według jego kryteriów, jest mniej niż jeden procent tylko. Ale to Niebo wiedzieć oczywiście musiało. Więc to, co Niebo zezłościło, inną przyczynę miało. Maslow wyraźnie potwierdził badaniami swoimi, że religijność rozumiana jako częstotliwość chodzenia do kościoła, modlitwy wieczorne i inne tym podobne dziwaczne czynności z religijnością związane „dobrym" człowieka wcale nie czynią. Katoliccy księża, na ten przykład, częściej gorzej w testach „na dobroć ludzką" wypadali niż nieochrzczeni ateiści lub gnostycy wątpiący.

I gdy tak Maslowa słuchałam i papieros jeden za drugim wypalałam, to ulubiona przez Ciebie synuś statystyka mi się przypomniała. Ja tego Twojego umiłowania statystyki nie podzielam za bardzo, ale przyznać muszę, że argumentem mocnym niekiedy bywa. I przypomniało mi się, jak kiedyś Czechów z Polakami porównywałeś. Jako narody statystyczne, a nie tak indywidualnie. W Czechach tylko jeden człowiek na stu w Boga wierzy, czyli procent jeden, a w Polsce to więcej niż dziewięćdziesięciu na stu, czyli procentów dziewięćdziesiąt. A pomimo to alkoholików i rozwiedzionych w Polsce na tych stu wcale nie mniej jest niż w Czechach. Czego ja Czechom z całego serca przy okazji bardzo gratuluję. Chociaż gdyby potencjał promieniowania Dekalogu na narody czeski i polski rozpatrzyć, to niepojętym się to wydawać może. I o sromotnej porażce Nieba zaświadcza. A to z kolei radość w Piekle wywołuje i świetlaną jego przyszłość gwarantuje.

I to mnie synuś martwi, bo ja Piekła nie znoszę. Od trzydziestu czterech lat już tak mam.

Ale są wydarzenia na ziemi, które radość Maslowowi i jemu podobnym przynieść mogą i nadzieję wzbudzają, chociaż w Piekle raczej je przemilczeć wolą. I ja się na nich skupiam i to mi czas upiększa. Na przykład wczoraj, maja 6 A.D. 2011, w palarni szeptali po kątach o Alfredzie, co to przeciwko chciwości ludzkiej swoim czynem aktywnie wystąpił i ideologii Piekła czynnie się przeciwstawił. I powiem Ci synuś, że to mnie wzruszyło i poruszyło. Bo Alfred Mignon, lat 61, ewangelicki pastor z niemieckiej Bawarii, co to w badaniach Maslowa może być kryteriów dobroci by nie spełnił, ponad miarę dobrym człowiekiem się okazał. W konkursie na mądrość w telewizorze wystąpił. W Polskich telewizorach „Milionerzy" się to nazywa, a w niemieckich „Kto będzie milionerem?". To jeden telewizyjny diabeł synuś jest, bo o to samo chodzi i wszyscy wszystkich kopiują, a w Holandii, gdzie to wymyślili, kasy głośno dźwięczą. No więc pastor Mignon dzięki swojej wiedzy euro sto dwadzieścia pięć tysięcy, ku smutkowi księgowego z telewizji, wygrał. I gdy już wygrał, to euro sto dziesięć tysięcy biednej rodzinie z siódemką dzieci przekazał i tylko piętnaście sobie na starość zostawił. I w palarni o tym wieczorem mówili szeptem, bo to o dobroci ludzkiej bardzo zaświadcza. A ja wtedy w palarni do pierwszej kamery z brzegu podeszłam i na cały głos się wypowiedziałam (bo w palarniach Piekła kamery są. Wszędzie nas filmują i podsłuchują, a przy tym Orwell ze swoim *Rokiem 1984* to mały pikuś jest, więc przełożenie informacyjne „na górę" bardzo dobrze funkcjonuje), że pastor Mignon z Bawarii mnie nadzieją napawa, a podziwem tym bardziej. Konsekwencji żadnych nie miałam, bo tu w Piekle wiedzą, że ja prześwietlania jaj swego czasu komunistom odmówiłam, więc ogólnie trudno mnie czymś przestraszyć. A jakby co, to popełnię samozapomnienie i palec środkowy przed tym wysunę i się uśmiechnę. A jak trzeba, to dwa palce w literę V ułożę.

Bo samozapomnienie jest w Niebie, Piekle i Czyśćcu jak samobójstwo na ziemi.

Można tyłem odwrócić się do wszystkich i wszystkiego, i z godnością jak pozytron przy zderzeniu z elektronem w akceleratorze się anihilować. Resetując pamięć o sobie na zawsze. W Nicość, która jest ponad wszystkim i wolność woli gwarantuje, się obrócić. Bo na ziemi jeszcze o tym nie wiedzą, ale to nieprawda jest, co Durante degli Alighieri, czyli krótko Dante Alighieri, w swojej *Boskiej komedii* obwieszczał. Oprócz Nieba, Piekła i Czyśćca istnieje jeszcze czwarty element, co Nicość się nazywa. I to on dowodem zwycięstwa człowieka nad wszystkim jest. Tylko prawo do przejścia w Nicość z człowieka, to, o czym marzył Nietzsche, nadczłowieka czynić może. Ale to nie tak synuś jest, jak Ty myślisz z powodu braku wiadomości o Piekle, coby grzeszny Nietzsche i jemu podobni, przez nieporozumienie, nie poczuli zbyt dużego pochlebstwa wypływającego z myśli Twoich. Nicość nie jest stanem dowodzącym nadczłowieczeństwa nad stworzycielem. I dopiero tu zaczyna się synuś wolna wola. Nicość jest jedynie dowodem tego, że stworzyciel był nieskończenie dobry. Nie chciał stworzyć człowieka na podobieństwo swojego niewolnika. To nieprawda, co tam na ziemi w trakcie kazań różni bajdurzą, że ludzie to „tylko nędzni poddani absolutnej woli Boga". Chciał, taki miał plan, dać człowiekowi szansę niezgadzania się z Nim, wyrażania sprzeciwu i w końcu wypowiedzenia Mu wiary. Chciał istoty wolne stworzyć. Także od Niego. Tylko takie wydawały mu się godne istnienia. To trochę jak ojciec, który chciałby, aby jego dzieci były dokładnie na jego wzór, ale gdy nie będą, to także będzie je kochał. Dlatego ja synuś Boga podziwiam, bo się ponad swoje ego przeniósł i ludziom opcję Nicość posiadać pozwolił. Dzięki temu godność sensu prawdziwego nabrała. I to jest super cool. Dlatego my tutaj w Piekle myślimy, że ponad Bogiem istnieje jeszcze jakiś iBóg, czyli Superbóg, który Nicość wyklucza, bo uważa, że demokracja niewolników kultowi przeczy. Ale to jest teoria, póki co, wyszeptywana najcichszym głosem w palarniach i jak na dzisiaj bardzo niszowa jest. Młodzi w Piekle iBoga przeforsować chcieliby, ale starym wydaje się, iż to technologiczną prowokacją może tylko być. I to dla starych jest dziwne. Bo normalny Bóg dopuszcza rewolucję przeciw sobie samemu, a iBóg to już nie. Wygląda na to, że młodzi chcą mieć iWzorce. Ostateczne. Bez możliwości odwrotu. Bo jedynie to zdyscyplinować ich może i moralny relatywizm na zawsze wyeliminować.

Ale to synuś godziwe nie jest, gdy globalnie i długofalowo na to popatrzyć. Po pierwsze, to całkowicie wyklucza firmę Czyściec, która z nami blisko współpracuje, i która w tych okolicznościach w bankructwo by poszła. A to dobra wiadomość nie jest, bo Piekło, Niebo i Czyściec od tysiącleci w zjednoczonym wszechświecie funkcjonują i dlatego w Piekle (rzekomo uzgadniane z Niebem) pomysły się pojawiły, aby jakiś pakiet pomocowy dla Czyśćca przygotować i go przed bankructwem w ten sposób uchronić. To w interesie Piekła i Nieba jest, ponieważ poważny problem uchodźców z Czyśćca pojawić się wtedy może, a tego

nikt tolerować nie zamierza. W ogóle Czyściec zakałą zjedno-
czonego wszechświata jest i granice rozsądku wszelkiego w swoich
pomysłach przekracza. Ostatnio słuchy do nas doszły, iż Czyściec
bezwizowy przepływ dusz w zjednoczonym wszechświecie proponuje jako krok wstępny ku całkowitemu zniesieniu kontroli
na granicach. Wyobrażasz to sobie synuś?! Schengen chcą ci
bezmózgowcy z Czyśćca tu u nas we wszechświecie skopiować,
co przeciw wszelkim regułom występkiem jest. To byłby koniec
świata synuś, absolutny koniec. Taka Wielka Zapaść zamiast
Wielkiego Wybuchu.

Po drugie pomysł na iBoga dla Piekła wiadomością pomyślną
z powodów innych także nie jest. Wbrew pozorom. Bo filozofia
iBóg bez prawa przejścia w Nicość jakikolwiek odwrót wyklucza.
A to jest bardzo radykalne. Młodzi z takimi przekonaniami na
ziemi bezgrzeszni zupełnie postanowią zostać. A to nam tutaj
jako piąta kolumna Nieba się jawi. Pomijając ultralewaków, neo-
trockistów, czerwonoświątkowców, adwentystów dnia trzynastego
oraz Nicolae Ceauşescu nikt tego u nas w Piekle nie chce. I na
szczęście mało kto w to także wierzy.

I gdy ja tak już 1 maja 2011 myśli moje Osamie poświęcałam,
przybyła do Piekła niepomyślna wiadomość, że obywatel Karol
Wojtyła z Wadowic w Polsce i papież Jan Paweł II w Watykanie − beatyfikowany został. W Piekle poruszenie ogromne to
wzbudziło, a w niektórych, całkiem niemałych kręgach, nawet

wyraźnie i dobitnie wyrażane „wkurwienie". Wybacz synuś zacytowaną wulgarność, ale inaczej się tego określić raczej nie da. Niektórzy tutaj do kipiącej jadem złości swojej również kpinę prześmiewczą oraz szyderstwo dodawali, na „idiotyczny" ich zdaniem paradoks uwagę Piekła całego zwracając. Wojtyła beatyfikowany został głównie z powodu cudownego uleczenia beznadziejnie chorej na parkinsona zakonnicy, a przy tym sam na parkinsona umarł. Według nich proste pytanie samo się na usta natychmiast ciśnie: Jeśli Wojtyła taki cudotwórczy w stosunku do innych był, to czemu sam się z parkinsona nie uleczył, aby ludzkości dalej służyć nie przestawać oraz cierpienia, smutku, a niekiedy i rozpaczy – szczególnie w Polsce – wielu oszczędzić?

I synuś sobie teraz wyobraź, że te buraki jedne zgryźliwe, tak pytające, za inteligentnych piekielnie się w tym momencie uważają. Pojąć w swych łbach małych i kudłatych nie mogą, że miłość bliźniego, dobroć, miłosierdzie oraz boska energia cudu z nich wynikająca jedynie innych działaniem swoim porazić mogą i tylko na innych się zogniskować. Przypisanie cudu jedynie i wyłącznie wynikiem wstawiennictwa u Boga być może. A te teologiczne głąby tutaj pojąć tego nie potrafią i z pewnością nie chcą. JP2 – a mam w tym przypadku synuś pewność pełną i niewzruszoną – u Boga nigdy by się za siebie nie wstawił. Nigdy! Bo on się zawsze w życiu swoim ziemskim jedynie za innych wstawiał i to właśnie go najbardziej predysponowanym do świętości czyni.

184

A nie jakieś tam cuda niewidy. Do „rzekomego cudu" tego się w Piekle jak rzep psiego ogona prześmiewcy ohydni uczepili. Zakonnica, którą JP2 „rzekomo" od parkinsona uzdrowił, siostra Normand Marie Simon-Pierre, z drugiego zawodu położna, od momentu śmierci JP2 w parkinsonizm głęboki i intensywny popadła. Z odejściem JP2 chorego na parkinsona z bliskim odejściem swoim ze świata ziemskiego liczyć się zaczęła. Swoim obowiązkom położnej w szpitalu Puyricard we Francji sprostać nie mogąc, o zwolnienie ze służebności swojej siostrę przełożoną poprosiła, czyli krótko mówiąc, z roboty ze względu na zły stan zdrowia zwolnić się chciała. Siostra przełożona w ciemię bita nie była, więc swojej oddanej i spolegliwej pracownicy utracić nie chciała. W mądrości i głębokiej wierze zarazem poprosiła schorowaną Normand, aby ta na kartce imię JP2 w rozciągłości całej napisała. Co też ta rękami swoimi drżącymi uczyniła. Zapis z powodu drżenia jej rąk był mało czytelny, szczerze mówiąc, co później zaświadczył pewien wiarygodny biegły sądowy grafolog, prawie nieczytelny. Dnia 2 czerwca A.D. 2005 się to po południu odbyło. Tegoż samego dnia jednakże wieczorem zakonnica Normand, między 21.30 a 21.45, nagłe pragnienie napisania imienia JP2 w całej rozciągłości po raz drugi odczuła. Tym razem napisała je wyraźnie oraz bez trudu. Dnia następnego leki w południe odstawiła, a pięć dni później rutynowa kontrola u neurologa całkowite ustąpienie choroby potwierdziła.

W Piekle tę „historyjkę" dwojako traktują. Ze strony pierwszej jako „perfidną i zaplanowaną zmowę ziemskich, katolickich neurologów z opanowanym przez masonów Watykanem", co bzdurą jest, ponieważ siostra Normand Marie Simon-Pierre do dzisiaj żyje, dobrze się miewa, na tyle dobrze, aby jako aktorka w filmie dokumentalnym pod tytułem *Santo subito* polskich (co samo przez się podejrzenia uzasadnione wzbudza) producentów występować. Ze strony drugiej jako bajkę pod tytułem *Normandka placeboanka* ze wskazaniem na efekt placebo, który w medycynie powszechnie znany jest, a w wypadku zakonnicy jedynie „koniunkturalnie do rangi cudu, przez skorumpowanych urzędników z Watykanu, został podniesiony". Zdaniem Piekła „uzdrowienie" zakonnicy nie było żadnym *vox Dei*, a jedynie *vox placebo*, więc jako takie w kategorię cudu za diabła się nie wpisuje. Jak się jeden z chorych na nienawiść doktorów wulgarnie, obrazoburczo i publicznie w trakcie debaty wyraził: „Jak się bardzo chce i bardzo w to wierzy, to można mieć erekcję po połknięciu szczypty mąki zamiast viagry, chociaż dwadzieścia lat było się impotentem". Wyobrażasz sobie więc teraz synuś, jakie wkurwienie – wybacz proszę powtórzoną wulgarność – tutaj panować musi, gdy ktoś takie brednie obleśne w kontekście naszego Karola drogiego perfidnie i bez zahamowań rozpowszechnia?

Poza tym, cuda pomijając, mam mniemanie takie synuś, iż

nasz Wojtyła Karol na swoje Spotkanie Najważniejsze chciał się wreszcie udać i w spokoju z Bogiem o kilku ważkich rzeczach porozmawiać, a potem razem z Nim jakieś rozwiązania dla gnijącego świata znaleźć. Mam także synuś przeczucie, iż Bóg na ten dyskurs z JP2 czekał bardzo. I się na niego w duchu cieszył ogromnie. Bo takiego jak on sługi swojego dotychczas w historii Stolicy Piotrowej nie miał. Nikt tylu cnót heroicznych w historii Watykanu nie posiadał, zdaniem moim synuś, i Bóg to wiedzieć musiał.

Myślę także, synuś, że wcale pewnym nie jest, że Jan Paweł II na swoją beatyfikację by się w ogóle zgodził.

On już za życia problemy ze stawianiem mu pomników miał. Z wyraźnym zażenowaniem je błogosławił, być może nawet przykrość pewną przy tym odczuwając. Od błogosławienia pomników się jednakże nie odżegnywał, ponieważ gest miłości w nich dostrzegał i inicjatorów ich stawiania ranić nie chciał. JP2, zdaniem moim skromnym synuś, kultu przedwczesnego osoby swojej nie lubił i najczęściej w żart go obracał. Pomniki swoje w żart obrócone można jakoś lepiej znieść.

Ja na moment przybycia wieści owej beatyfikacyjnej z Watykanu w kącie się rzewnie popłakałam, a potem dumna po Piekle z głową wysoko uniesioną maszerowałam, jakby mnie z grzechu jakiegoś z pierwszej siódemki obdarli i niewygodną dla władz i społeczności Piekła uczynili. Bo to nasz Karol jest synuś. Nasz on jest. Nasz! Polak! Nasze najbardziej znane równanie $M = JP^2$ niezwykłe, gdzie M to Miłość oznacza. I dlatego synuś wkurwienie Piekła jego osobą mnie bezgranicznie w dniu 1 maja A.D. 2011 uradowało i przybycie Osamy zupełnie nieważnym uczyniło.

To oczywiście koalicji w Piekle rządzącej w smak być nie mogło, więc spin doktorów na konsultację sprosili, coby negatywny impakt fenomenu JP2 w oddziaływaniu na morale Piekła jakimś zgrabnym paszkwilem jak najszybciej osłabili. Więc doktorzy owi na kamienistym brzegu szerokiego i rwącego strumienia wiedzy ludzkiej gremialnie przysiedli i swoje spinningi przy wędziskach rozkręcili, aby jakieś drapieżne ryby złowić i naród w Piekle nimi przestraszyć. Dwa dni najlepsze okazy wiedzy ludzkiej poławiali, aby w dniu 3 maja – który w Piekle przeważnie w niepokoju i demonstracjach przebiega, ponieważ społeczności przypomina, iż Piekło prawdziwej konstytucji ciągle nie posiada – swoje raporty przedstawić. Wieczorem we wtorek maja 3 A.D. 2011 w skupieniu pierwszy raport przeczytałam. I nabrałam synuś szacunku do wiedzy ludzkiej, którą Ty także pracą swoją pomnażasz. W międzyczasie w całej rozciągłości szacunek do spin doktorów i tym bardziej do ich mocodawców utraciłam.

Raport był w wersji beta, co oznacza, że przeszedł testy alfa, więc sam jako informatyk rozumiesz, że w wersji beta tylko o jakieś zapomniane przecinki, kropki i inne duperele chodzić może. Ale to nieważne dla mnie było. Ważne jest, co oni sobie tutaj w Piekle ubzdurali i na portalu www.znam-cała-prawde-i-tylko-prawde.hell wyświetlili. To prezentacja PowerPoint jest, coby naród niekumaty, którego jest tu większość, gdy tekstu nie zrozumie, chociaż wiedzę z obrazków jako taką wyssał. Ale pominę synuś dekorację i na sensie się skupię.

Prezentacja poważnym wykładem ma się objawić i poważny tytuł nosi: „Jak Mózg widzi boga?". Powiększenie litery „M" w słowie „mózg" i pomniejszenie litery „b" w słowie „Bóg" celowym oczywiście zabiegiem jest i o małości politycznej intuicji spin doktorów zaświadcza. Im się bowiem wydaje, że jak mózg z wielkiej litery napiszą, to większy od Boga będzie. Ale małostkowa nie będę i do sedna sprawy przejdę, bo w rzeczy samej odpowiedź na pytanie, jak mózg Boga widzi, mnie od dawien dawna interesuje. Synusiu mój mądry, który na chemii, neurobiologii i genetyce zęby swoje zjadłeś, proszę, wsłuchaj się teraz w słowa matki swojej starej, która matury nie ma, ale w Twoje dziedziny wchodzi i Boga w mózgu opowiedzieć Ci chce tak, jak to swoim rozumem obejmuje. Ale pozwól synuś, że od początku się ku temu ustosunkuję. A początek ów pewnego wyjaśnienia wymaga.

Pamiętasz synuś, jak kiedyś kobiecie pewnej z racji ogromnej z nią bliskości nocą letnią nie tylko swoje ciało, ale również swoje DNA pokazałeś?

Aby „dogłębniej Cię poznała", jak sam jej wtedy rzekłeś. I niewiasta owa śmiechem w tym momencie wybuchła, bo to absurdalne, niedorzeczne i niemożliwe jej się wydało. A wtedy Ty z ciepłego łóżka w sypialni do chłodnej kuchni ją nagą za rękę poprowadziłeś, łyżeczkę do herbaty w szufladzie znalazłeś i poprosiłeś, aby Ci dwie krople krwi na tę łyżkę upuściła, swoimi zębami w tym celu skórę na palcu przegryzając. Ona oczywiście bólu sprawić Ci nie chciała, więc tej prośbie się opierała, ale Ty słodko szeptem do jej ucha cierpliwie nalegałeś, palec swój serdeczny do jej ust wpychając i o mocne zagryzienie prosząc. W końcu kobieta – jak to kobieta – uległa i Cię ukąsała. Dwie krople krwi z palca na łyżeczkę spadły. Wtedy Ty do łazienki ją przeprowadziłeś, gdzie ona różnorodnych miłych sprośności oczekiwała, ale żadnych nie doznała, bo Ty bardziej w tym momencie chemikiem niż kochankiem się okazałeś. Szamponu niewielką ilość na kroplę krwi swojej na łyżeczce nalałeś i do kuchni z kobietą wróciłeś. Tam na łyżeczkę z krwią i szamponem zmieszaną soli kuchennej szczyptę nasypałeś, aż duża chmura osadu się wytrąciła. Osad ten przez filtr z ekspresu do kawy do małego kieliszka przepuściłeś i wódki do niego dolałeś. Potem kieliszek ów do zamrażalnika na godzinę wstawiłeś. W międzyczasie ze zmarzniętą kobietą swoją pod prysznic w łazience przeszedłeś i gorącem wody oraz ciała swojego ogrzewałeś. Gdy godzina minęła, kobietę swoją, tym, co się pod prysznicem przydarzyło rozczuloną i pachnącym szlafrokiem opatuloną, ponownie do kuchni poprowadziłeś i kieliszek z zamrażalnika wyciągnąłeś. W kieliszku białe, podobne do cieniutkich jedwabnych nici skręconych w pajęczynę włókna się pojawiły. Wtedy Ty na cienkie szklane mieszadełko, którego do mieszania żubrówki z sokiem jabłkowym używasz, te włókna nawinąłeś, kilkoma oddechami osuszyłeś i w szklance wody rozpuściłeś. I w tej szklance Twoje DNA majestatycznie pływało, co niewiastę Ci tej nocy towarzyszącą bezgranicznie oczarowało. Powiem Ci synuś, a parę lat już mam, że oprócz Ciebie nikogo innego we Wszechświecie nie znam, kto by kobiety swoim własnym DNA rozkochać próbował. Ty wprawdzie nieustannie po świecie rozgłaszasz, że chemia miłości jest tożsama, ale żeby do tego swoje – z krwi własnej wytrącone – DNA wciągać?! To, zdaniem moim, oprócz uroku chemicznego, synuś, jednocześnie pewną nieznaną mi dotąd Twoją perwersję w sobie zawiera. Bo normalnie to poeci raczej najpierw swoją duszę, a następnie, gdy nimi pożądanie zawładnie, swoje członki kobietom oddają. Ale Ty, jak się okazuje, w każdej sytuacji, nawet takiej, co to bardzo intymny kontekst posiada, chemię ponad poezję przedkładasz i kobiety bardziej niż penisem molekułami z komórek ciała i krwi Twojej do siebie zbliżyć pragniesz.

Ale ja historię tę jako dygresję tutaj synuś jedynie wtrąciłam, aby szybko do DNA nawiązać, co ogromny związek z Bogiem posiada, ponieważ, jak się okazuje, mózg ludzki stwórcy wszystkich rzeczy widzialnych i niewidzialnych rzekomo nigdy by nie dostrzegł, gdyby nie gen SLC18A2, poprzednio pod nazwą VMAT2 znany, ale od niedawna na „gen Boga" przechrzczony.

To dla mnie niepojętym od samego początku było, bo niby jakim sposobem jakaś tam molekuła, co DNA się nazywa, o przychylności lub nieprzychylności Bogu miałaby decydować. Chyba że to od początku samego w planie Boga, gdy DNA skręcał, zamierzeniem było.

Ja Ci teraz synuś opowiem, jak ja to na rozum ludzki przekładam, a Ty mnie natychmiast popraw, gdybym głupoty gadała i na Fejsie bzdury propagowała.

A więc od początku, czyli od chemii do „genu Boga" się teraz wypowiem.

DNA jest kwasem. Nie solnym, nie siarkowym, ale deoksyrybonukleinowym. Aż trudno mi synuś w to uwierzyć, że Twój kolor oczu, Twoje blond włosy, Twój głos mi ukochany i Twoje upodobania od jakiegoś tam kwasu pochodzą. Ale tak rzekomo jest. Gdy na ten kwas chemicznie popatrzeć, układa się on w dwie nici z cukru i fosfatów utworzone, do których cztery proste zasady się podłączyły. Dwie azotowe, adenina i guanina, i dwie purynowe, cytozyna i tymina. I na tym swoją propagację wiedzy chemicznej zakończę, bo ani mnie fosfaty, ani zasady azotowe lub purynowe zupełnie nie obchodzą. Jedyne, co znam, to cukry, a w zasadzie cukier. W tym zbudowanym z cukru, fosfatów oraz zasad kwasie DNA magicznym rzekomo jest, że te zasady wyrastające z nici nie łączą się ze sobą przypadkowo, tylko tak specjalnie w pary: adenina (A) łączy się z tyminą (T), podczas gdy cytozyna (C) tylko z guaniną (G). I nigdy inaczej. Tak jak gdyby A wyłącznie do T przynależało, a C wyłącznie do G. Ale to teraz dzieci w gimnazjum już wiedzą, bowiem DNA dawno już pojęciem naukowym być przestało, a raczej zjawiskiem kulturowym na wielką skalę, metaforą ludzkiej natury jest.

Ale do DNA w moim rozumieniu powróćmy. Gdyby podwójną spiralę DNA, z obrazka, co go sobie nad łóżkiem szpilkami na ścianie – obok krzyża z Jezusem – przymocowałam, rozciągnąć, to tak w przybliżeniu ze dwa metry długości by miała.

Czyli taka przyzwoitej wysokości drabina. Bo takie rozciągnięte DNA z drabiną mi się synuś kojarzy. Pomiędzy dwoma fosfatowo-cukrowymi tyczkami są szczeble drabiny z połączonych ze sobą zasad zrobione. AT jeden szczebel, GC drugi szczebel, znowu AT i tak dalej. Tych szczebli jest raczej dużo, bo około trzech i pół miliarda. W każdej prawie komórce, dokładnie w jej jądrze, więc dwa metry skręconej w spiralę chemii przebywa, co nic takiego szczególnego sobą nie przedstawia. To, co ważne, według mądrych ksiąg, które studiuję, to informacja, która z kolejności szczebli w owej drabinie wynika. Ostatnio dopiero ludzie tę kolejność dla tych trzech i pół miliarda szczebli ustalili, na co najpierw bardzo dużo pieniędzy wydali, potem długo fetowali, a niektórzy następnie swoją małość wykazali, w samozachwyt wpadli i pychą oszołomieni twierdzić zaczęli, że niby to karty Boga podejrzeli, kiedy w pokera z Belzebubem o życie grał. I teraz oni rzekomo wiedzą, że Bóg Wielkim Szlemem, co DNA się nazywa, tę partię wygrał. Ponieważ oni teraz wszystkie karty Boga znają, to sobie sami życie stworzyć mogą, albo chociaż życie stworzone przez Boga na lepsze poprawić, na przykład inżynierów genetyków w tym celu zatrudniając i chociażby krowy, co dwa razy więcej mleka dają i trawy dużo nie potrzebują, zaprojektować. A jak się im na razie z krowami nie uda, to chociaż ziarna trawy, co dwa metry wysokości ma i bez wody rośnie, stworzyć. Czasami mam synuś intensywne wrażenie i zarazem przerażenie, że genetyka, której taką fascynację darujesz, do niebezpiecznych granic metafizycznej alchemii się zbliża. Pycha genetyków nawet większa od na przykład pychy kosmologów z Hawkingiem, Penrose'em i Mlodinowem mi się objawia.

Ta pycha ogromna synuś już nie pierwszy raz w genetykę się wkradła. Oj nie pierwszy. Wiem coś o tym, ponieważ bezpłatnym wykładom z genetyki w ramach Późnonocnego Uniwersytetu Trzeciego Wieku uważnie i regularnie się przysłuchuję, i czasami nawet głos zabieram. Powołanie i finansowanie przez Piekło tej szkoły z radością nieskrywaną przyjęłam, ponieważ zachwycające średniowieczne towarzystwo naukowe mi to przypomina.

Taką Accademia dei Lincei, czyli Akademię Rysiów, przez urodziwego włoskiego młodzieńca, Cesi Federico, powołaną. Rysiów skocznych w tej akademii nie ma. Raczej dinozaury, ale to nikomu nie wadzi.

Poza tym ja wiedzieć bardzo lubię, szczególnie gdy za to płacić nie trzeba, co nie zawsze się przydarza, jak z czasów naszej Polski sanacyjnej za życia swojego jeszcze pamiętam. Szkoła powołana do istnienia została jednakże z powodu innego zupełnie, synuś. Raczej jako wybór negatywno-prewencyjny niż pozytywny. Przez czas długi bowiem z problemem bezsenności rezydentów Piekło poradzić sobie nie potrafiło. Szczególnie problem ów starszych wiekiem dotyczył. Zamiast ciszy nocnej pokornie dochowywać, po Piekle się kręcili, głosami smutnymi i rzewnymi zawodzili. Innym z powodu tego spać nie dawali, a to z kolei brakiem wydajności i ogólnym znużeniem dnia następnego się objawiało.

Przesilenie problemu nastąpiło, gdy cierpiących z powodu insomnii na gorliwych oraz pobożnych modlitwach w intencji snu i spania przyłapano, i to na uczynku gorącym. Niektórych nawet z różańcem oraz książeczką do nabożeństwa w dłoniach na dodatek. Ponieważ doświadczeniem długim nauczone Piekło w działania karno-represyjne z reguły nie wierzy, postanowiono bezsenność starszego pokolenia tak zwanego wieku trzeciego sprytnie skanalizować i do celów swoich ideologicznych wykorzystać. I w ten sposób oto pomysł powołania Późnonocnego Uniwersytetu Trzeciego Wieku – z kilkoma tylko głosami sprzeciwu – przegłosowano. Tych kilka głosów to traktować poważnie synuś nie sposób, ponieważ one od krzykliwych i wstrętnych ortodoksów z ugrupowania NPPPE (Niezależna Partia Popierania Pełnej Eutanazji) pochodziły. A to, jak każdy wie, przecież zagorzałe oszołomy jedne są. Poza tym matoły. Wszystko najgorsze bez zrozumienia najmniejszego popierają. Skaranie z nimi boskie jest. Za niekontrolowaną eutanazją optują, nieograniczone prawo do aborcji niezależnie od wieku płodu postulują, tabletki poronne RU486 chcą za darmo w szkołach młodym dziewczętom rozdawać. A tak synuś przecież nie przystoi. Granice jakieś zachować trzeba i oszołomstwa w takie sprawy nie mieszać. Ja tam na ten przykład istnienie tej tabletki nawet pojąć mogę, ale to ostateczność raczej jakaś skrajna być powinna, a nie reguła. Gdy projekt powszechnego udostępnienia tej tabletki jako punkt pod obrady wniesiono, to pewien deputowany – z Polski naszej synuś niestety – najpierw wniebogłosy od rzeczy wykrzykiwał, potem do sumień marszałków i innych mniej ważnych deputowanych w mowie płaczliwej się odwoływał, następnie palcem kiwając, konsekwencjami z art. 152 § 2 kodeksu karnego (polskiego, synuś, kodeksu) jednoznacznie groził, partię PPPE o „pomocnictwo/nakłanianie do aborcji" oskarżając, a na końcu, gdy mu piana gęsta wokół ust się zgromadziła, to na posadzkę asfaltową pod mównicą się rzucił, krawat zdjął, koszulę białą rozerwał i początek głodówki protestacyjnej swojej ogłosił.

Ale ja Ci synuś w temacie związku pewnego uniwersytetu z wywołaną starością bezsennością wtrąciłam, abyś pewne tło historyczne jako tako zrozumiał.

Nasz uniwersytet nocny ku zdziwieniu ogromnemu założycieli od początku popularnością ogromną cieszyć się zaczął i głośno o nim w Piekle się stało. Ludzie starsi, jak się okazało, nie tylko na bezsenność cierpią, ale i dokuczliwy głód wiedzy im doskwiera. Większość wykładowców bezpłatnie i społecznie swoją mądrością się ze starszyzną dzieli, co kwestię finansowania tej szkoły w pewnym sensie rozwiązało. A to poważnym problemem na początku się jawiło, bowiem my tu synuś naprawdę prawdziwych i niekwestionowanych VIP-ów mamy. Gdyby swoich honorariów, w należnej im z racji zasług, wysokości zażądali, jak tacy na przykład eksprezydenci, to cały projekt z torbami by poszedł. Ale nie zażądali, honorem pewnie i szacunkiem dla wieku podeszłego, powiedzmy, „studentów" się kierując.

A studia synuś to my tutaj na nocnych kompletach bardzo interdyscyplinarne mamy. Rozprawy z teologii interesująco i z charyzmą Marcin Luter prezentuje (co na początku ogromne wzburzenie żydowskich rezydentów wywołało, ponieważ skrajny antysemityzm Lutra jest w Piekle znany doskonale). Niepomierną atrakcją wykładów Lutra jest obecność na sali wykładowej jego żony Kathariny von Bora (wyjątkowo szpetnej Niemki), która swego czasu zakonnicą była. Marcin czasami słowa swoje jedynie ku Katharinie kieruje, co mnie w sensie oczywistym wzrusza, bo o Leonie natychmiast myśleć muszę.

„Współczesną teorię grzechu" Kieślowski Krzysztof wykłada. I to mnie synuś taką polską dumą napawa, że sobie wyobrazić nawet nie możesz. Gdybym tylko mogła, tobym przed jego wykładami na tablicy napisała, że to Polak jest, bo Polacy jedynie Dekalog z uczuciem sfilmować potrafią. Ale nie piszę, bo oskarżenia o szowinizm się boję. Szczególnie ze strony Ruskich, bo oni twierdzą, że sowieckie kino lepsze filmy o Dekalogu kręciło pomimo cenzury okropnej. Co prawda synuś, to prawda. I to przyznać niestety muszę, bo zazdrość wobec sowieckiej kinematografii do dzisiaj odczuwam.

Przebywanie Kieślowskiego w Piekle jest dla mnie bardzo tajemnicze, ponieważ generalnie na Sądzie Ostatecznym raczej do Nieba go posłać powinni. Wielożeństwa Kieślowski nie uprawiał, z jedną niewiastą jedynie do końca życia swojego zbyt krótkiego łoże dzieląc, pychy nie przejawiał, a o łamaniu przez niego przykazań szóstego i dziewiątego też nic publicznie nie wiadomo.

W trakcie wykładów bardzo często o swój ostatni ziemski projekt jest zagadywany. I to także od nasyłanych przez Piekło wypasionych przedstawicieli urzędu kinematografii, co to w garniturach i krawatach siedzą, rząd pierwszy zajmując oraz na niedosłyszące i niedowidzące niewiasty w bardzo podeszłym wieku w ogóle nie bacząc. Kieślowski bowiem tuż przed śmiercią swoją w roku 1996 światu ogłosił, że po *Dekalogu* i *Trzech kolorach* nad tryptykiem *Niebo*, *Piekło* i *Czyściec* się intensywnie zastanawia. Gdy Kieślowski się nad czymś za życia zastanawiał, to przeważnie z tego rzeczy poważne i do encyklopedii kultury trafiające powstawały, dlatego urząd kinematografii Piekła szpiegów w osobach zatłuszczonych urzędników z dyktafonami i oprawionymi w skóry filofaksami nasłał. I oni Kieślowskiemu często w pół zdania przerywają i wyjawienie szczegółów tego projektu nakazują. Wtedy Kieślowski nowego papierosa od starego papierosa odpala i „do diabła" im udać się doradza, co ogromną wesołość za każdym razem na sali wykładowej wywołuje.

Stosunki międzynarodowe, w ujęciu walki klas, w ramach wykładu pod tytułem „Czy świat ciągle może liczyć na kolejną rewolucję?" Karol Marks prezentuje. Multimedialny wykład, w pełni wypasiony, coby marksizmu z leninizmem (wiesz może synuś dlaczego engelsizmu nie ma?) kolejny raz z zacofaniem

199

nie skojarzyli. Na ekranie tytuł na czerwono, jak trzeba, wytłuszczony i podkreślony. Na dole logo Komunistycznej Partii Chin, miniatury fotografii Engelsa, Lenina oraz żony, teściowej, dzieci i trzech wnuków właściciela koreańskiej firmy, która bezpłatnie Marksowi rzutnik na cel wykładu wypożyczyła. A na dole logo Piekła naszego i migający tekst: „Religia to opium dla ludu". Lizus z tego Marksa okropny.

Ale przyznać synuś muszę, że mówcą jest świetnym. Widać, że szkolenia w zakresie retoryki nie zaniedbywał. Ale to wszystko, bowiem jeśli o zawartość chodzi, to bredzi jak kijem baseballowym potłuczony. Gdy ktoś *Kapitał* w czasach totalnej globalizacji połączonego w sieć świata, jak bigos, sprzed stu pięćdziesięciu lat uporczywie odgrzewa, to taki bigosik może jedynie w Korei Północnej smakować. Nawet na Kubie już się przejadł i nawet tam zgnilizną zalatuje. Ale na wykłady Marksa chodzę, bowiem audytorium egzotyczne zaiste u niego bywa. Gdy żydowski, pracą rąk swoich niezhańbiony arystokrata Marks Karol Heinrich już na sali się znajduje, to również mają wejście swoje demonstracyjne sowiecki inżynier metalurgii, bolszewik po trzewia, Breżniew Leonid Iljicz oraz Honecker Erich, niemiecki polityk, z zawodu dekarz, przekształcony i urobiony jak plastelina w Moskwie na komunizm. Gdy na salę dostojnym krokiem wkraczają, to za ręce jak zakochani się trzymają, a potem swój niezapomniany *french kiss* z lubością i ku zadowoleniu niektórych powtarzają.

Niekiedy wielokrotnie, gdy sala o występ na bis kolejny intensywnie się domaga.

W momentach takich antypolski po mutanty w genach, rewolucjonista październikowy, Mołotow Wiaczesław oraz von Ribbentrop Ulrich Friedrich Wilhelm Joachim, z zawodu sprzedawca win, przeszkolony na ministra nazistowskich spraw zagranicznych, nie mniej antypolski, podnoszą się z krzeseł i głośno klaszczą. I gdyby nie Trocki Lew Dawidowicz, który buczeć w proteście głośno zaczyna, to ja powiadam Ci synuś, nie wiem, co bym w takich momentach, wybacz teraz wulgarność, z powodu wkurwienia mego ogromnego uczyniła. Bo to apokaliptyczna alegoria absolutnego antypolonizmu dla mnie jest. Wybacz synuś teraz naukowość. Breżniew „Solidarność" naszą czołgami sowieckimi chciał zmiażdżyć, o czym historycy w pismach swoich zaświadczają, Honecker nigdy – zdaniem moim skromnym – nazistą w duszy swojej przestać nie był, a tylko przynależność swoją partyjną na SED przemianował. A sprawa, w jakiej Mołotow i Ribbentrop się potajemnie dogadali, w wyniku czego na akcie podpisy swoje zamaszyste złożyli, jest tak antypolska, że bardziej być chyba nic innego nie może. Umówili się przecież dżentelmeni w Moskwie co do wbicia noża w plecy Polsce naszej w momencie odpowiednim, który 17 września A.D. 1939 się nadarzył. I Ty to synuś w telewizji rosyjskiej na kanale NTV, powiedzmy „niezależnym", w godzinach wieczornych, w języku

polskim, coby pomyłek nie było, wyraźnie głosem swoim prze-
konanym i nerwowym Ruskim w październiku roku 2009 wy-
garnąłeś. I ja to synuś na uszy własne – bo oni tego ku zdziwieniu
mojemu dużemu wcale nie wycięli – słyszałam i potem Leonowi
o tym w szczegółach opowiedziałam, co do pocałunku i objęcia
mnie przez Leona się istotnie przyczyniło. To były (pocałunek
i uścisk) akty bardziej patriotyczne niż pożądliwe, ale ja wówczas
także jedynie czysty patriotyzm odczuwałam. Dopiero później,
w nocy, skojarzenia erotyczne pod wpływem wierszy Leśmiana
mnie naszły, ale to już za późno było, bo Leon się ode mnie oddalił.

Ja tam za Trockim Lwem, co mi antypolską apokalipsę podczas
wykładów Marksa przeżyć pomaga, nie przepadam, bo co by nie
mówić, to komuch był. Z półki wyższej trochę, ale w rzeczy
samej komuch. Natomiast pod wrażeniem życia intymnego Trockiego w pewnym sensie jestem, czego ukrywać nie będę. Szczególnie że Trocki niewiastę bardzo mi imponującą, niejaką Fridę
Kahlo, malarkę meksykańską, o liberalnych bardzo poglądach,
jeśli o wierność małżeńską chodzi, skutecznie w miejscowości
Coyoacán uwiódł. Albo ona jego, ponieważ historycy do dzisiaj
się o to sprzeczają. W Coyoacán rezydencja „Casa Azul" należąca
do Kahlo i jej męża się znajdowała. Trockiemu i żonie Trockiego
Frida jedynie gościny w roku 1937 w rezydencji owej udzieliła
i w niewyjaśnionych okolicznościach nie tylko swoje łóżko, ale

także ciało całe swoje, prawdopodobnie z powodu chwilowego zauroczenia, do dyspozycji mu oddała.

Frida K. mnie ogromnie pociąga, ponieważ estetykę europejskiego surrealizmu w swoich obrazach stosowała (a ja, jak synuś zauważyłeś, surrealizm uwielbiam) oraz również mądry, bez wchodzenia na barykady ze sztandarami z majtek, feminizm przejawiała. Ponadto oprócz feminizmu wyraźny biseksualizm. Dziwne to z synem takimi myślami się dzielić, ale tego właśnie pragnę. Ty w tym niczego dziwnego nie dostrzeżesz. I jak znam życie, jakimiś statystykami z prac naukowych Twojego kolegi seksuologa Izdebskiego Zbigniewa, profesora habilitowanego oraz na dodatek zwyczajnego, i przy tym człowieka niezwykle czcigodnego z miasta Zielona Góra podeprzesz.

Ja tam zdecydowanie heteroseksualna, synuś, na ziemi byłam, ale teraz przy myślach o Kahlo Fridzie, o jej biseksualizmie poinformowana, niepewność niepokojącą w całym ciele, z podbrzuszem włącznie, i mózgu swoim poczułam.

Chyba na stare lata mi tłumiona podświadomość na wierzch z zakamarków wyłazi i głupich myśli z powodu samotności i chronicznego braku dotyku dostaję. Ale tylko przy meksykańskiej malarce Fridzie Kahlo na szczęście. Czasami się zastanawiam, czy to nie przypadkiem przez jej wąsy, które z Leonem mi się kojarzą. W każdym razie do spotkania z Fridą w Piekle dążyć specjalnie nie będę i jedno wiem, że na pogadankach i rautach Klimta nie bywa, co optymizmem mnie nastraja.

W naukach ścisłych, jeśli o wykłady Nocnego Uniwersytetu Wieku Trzeciego chodzi, oferta wykładów bardziej VIP-owska niż w społecznych lub humanistycznych się okazuje. Tylko naród mało zainteresowania przejawia, bo fizyka, chemia czy matematyka małe ogólnie przełożenie na podziw ma, przez brak jej zrozumienia i zaniedbanie w systemie szkolnictwa. Przyznanie się, że książki pod tytułem *Kubuś Puchatek* na ten przykład się nie czytało, obciachem jest bezgranicznym, natomiast informacja o tym, że pięciu procent od dochodu bez pomocy konsultanta z banku obliczyć się nie potrafi, wzbudza jedynie pełne wyrozumiałości współczucie. Gamoństwo matematyczno-fizyczne jest interesującą zaletą, natomiast humanistyczne pogardę wzbudza. O ile pamiętam synuś *Kubuś Puchatek* czytany przeze mnie przy łóżeczku Twoim znudził Cię już po pierwszej stronie i w związku z czym, jak podejrzewam, z książką tą do końca jak dotychczas się nie zapoznałeś. Nad czym szczerze ubolewam, bo zamiast pracować nad tymi swoimi algorytmami, co mało komu do szczęścia są przydatne, mogłeś z biura przed północą powracać i chociaż wnuczkom moim, a córkom swoim *Kubusia Puchatka* przeczytać. Nawet po polsku, jeśli po niemiecku jeszcze wtedy za bardzo nie potrafiłeś. Wiem, że teraz żałujesz, ale to „teraz" już o wiele za późno jest. Bo one wyrosły i bajki chętnie do ucha szeptane słuchają, ale od mężczyzn innych. Więc w kontekście erudycji humanistycznej to Ty synuś gamoń raczej jesteś. Procenty liczysz od liczb ogromnych błyskawicznie, na całkach się znasz, na różniczkach, na trygonometrii, na kwantach, na macierzach, na reakcjach, na przestrzeniach wielowymiarowych, na wektorach i nawet na tensorach, ale oczytaniem przy stole biesiadnym się za diabła pochwalić nie możesz.

Jedyny wykład, który w tej dziedzinie przyzwoitą popularnością się cieszy, to wykład z fizyki jąder jest. Jąder atomowych oczywiście. Nasza Marysia Curie z domu Skłodowska go prowadzi. Studentom zagranicznym z francuską fizyczką z Sorbony, noblistką podwójną się w większości kojarzy, ale niech tam im już będzie. Mnie wystarczy, że Ruscy i Niemcy wiedzą, że Polką do końca była. Marysia świetnie wygląda, powiedziałabym, że promienieje (nie mylić z promieniuje!). W swojej opiętej sukience czarnej długością przed kolana, z włosami srebrzystosiwymi w kok czarną kokardą uroczo spiętymi i w szpilkach wysokich naprawdę sexy jest. Żadnej anemii popromiennej nie widać na jej ciele. W tytule jej wykładu pewna pociągająca prowokacja jest, bowiem zapytuje w nim wprost: „Czy małżeństwo Curie oraz Einsteina powinno się przed sądem w Hiroszimie postawić i skazać?". Po wykładzie, zazwyczaj z bukietem fiołków, Paul Langevin, znamienity fizyk francuski, do niej podchodzi i dłonie jej z namaszczeniem w ukłonie głębokim wargami dotyka. Gdy to publicznie na sali się wydarza, to cisza jak makiem zasiał zapada, ponieważ wszyscy oddech przyśpieszony Marii usłyszeć by chcieli i jej szepty także. Maria bowiem, już jako wdowa, czyli kobieta wolna, po Piotrze Curie w roku 1910 rzekomo intensywny romans z Langevinem przeżywała. Co grzechem ósmym, a na prowincji nawet dziewiątym, nie tylko w Paryżu, ale w świecie naukowym okrzyknięto, bowiem profesor Langevin Paul związkiem małżeńskim z inną kobietą w czasie owym związany był, i na dodatek wybitnym uczniem jej męża Piotra, co tylko bulwarowego smaczku temu romansowi dodawało. W wyniku tej miłości żona Langevina opuściła, a sam Langevin z powodu romansu „z żydowską Polką", jak wredne, sensacji żądne, Polsce nieprzychylne, nieszanowane szmatławce pisały, „zdrajcą i niszczycielem instytucji rodziny" okrzyknięty został. Gdyby to innych wdów paryskich na początku wieku dwudziestego dotyczyło, można by pomyśleć, że „zniszczenie instytucji rodziny" totalne jest i jakaś „wdowia Sodoma i Gomora" tam synuś panuje.

W roku 1911 Maria nasza Nobla drugiego pomimo skandalu odebrała, co jednakże mord i pysków wstrętnych hienom bulwarowym nie zamknęło. Dlatego to fiołków wręczanie w Piekle przez Langevina z okazji wykładu o rozpadach jąder atomowych nieustannie do dzisiaj ciszę na sali wykładowej wywołuje. Ale po tej ciszy i oklaskach później następujących jedynie zapach perfum oraz mądrości Skłodowskiej naszej Marii pozostają i atmosfera słusznej i nierozwikłanej tajemnicy. Niech tak synuś będzie. Amen.

Po tym wprowadzeniu długim pragnę Ci synuś o wykładach z genetyki w końcu opowiedzieć, bo to tak naprawdę zamysłem moim naczelnym było. Wykłady owe nad ranem się odbywają, ponieważ to przekazem konferencji wideo z Nieba się odbywa. Tam przed webcamem Grzegorz Mendel zasiada i za pośrednictwem www.skajper.hell swój wykład przeprowadza. Mendla osobiście zobaczyć i posłuchać nie możemy, ponieważ jako zatwardziały, monogamiczny zakonnik klasztorów, w obecnych Czechach nigdy wizy do Piekła nie otrzyma. Nawet służbowej. Pod tym względem Niebo z ambasadami USA w swojej srogości porównywalne jest. Ale w ramach zbliżenia i na fali odwilży na wideokonferencje z nami mu Niebo zezwala.

Zakonnik Mendel genetykę swoją na grządce w przyklasztornym ogrodzie uprawiał. W połowie wieku dziewiętnastego jeszcze. To było nawet przed narodzinami babci Twojej Marty, czyli bardzo dawno temu. Różne odmiany groszku ze sobą krzyżował i skrupulatnie liczył z tego powstałe kwiaty czerwone lub białe. I regułę dziedziczności odkrył, zielonego pojęcia o genach mieć nie mogąc przecież. W trakcie wykładów swoich o ignorancji świata na to odkrycie w szczegółach opowiada, co interesujące

trochę bywa, ale w kontekście DNA i genomów muzealnym za-
duchem z daleka pachnie. Niebo, muzealność i etnografię ponad
nowoczesność przedkłada, więc to zrozumieć raczej można. Niemniej na wykłady zakonnika Mendla krytycy i wielbiciele genetyki
licznie przybywają.

Ostatnio pojawił się na sali niejaki bezimienny Clawson i po
wykładzie Mendla przy pulpicie na żywo, a nie w komputerze
stanął i niezwykle ciekawą oraz przerażającą zarazem historię
prostymi słowami swoimi opowiedział. Bo to prosty, grzeszny,
ale szczery człowiek na ziemi był i teraz ciągle jest. Ma on trau-
matyczne wspomnienia od roku 1899, kiedy to w więziennym
szpitalu w stanie Indiana w USA pewnemu lekarzowi o nazwisku
Harry Sharp (co po angielsku znaczy „Ostry Harry”) opowiedział,
że od masturbacji powstrzymać się nie potrafi. Odkąd lat dwanaście skończył, co w zaufaniu i nieostrożnej szczerości swojej
wyznał, masturbuje się jak w nałogu jakimś. To synuś zupełnie
normalne nie jest, ale się zdarza i leczyć to metodami różnymi
można. Na przełomie wieku dziewiętnastego i dwudziestego jednakże jako przejaw absolutnej degeneracji traktowano. Przypadek
Clawsona w kategoriach owych potraktował również rzekomo
wykształcony doktor medycyny Sharp Harry i po skalpel bez
dłuższego namysłu sięgnął, nasieniowód Clawsona jednym zde-
cydowanym ruchem ręki swojej raz na zawsze przecinając. Następnie gdzie tylko się dało ogłosił, iż więźnia Clawsona „z na-

łogu" wyleczył. Zdaniem swoim uleczył „zdegenerowanego osobnika pokroju Clawsona", a ponadto, co dla Ostrego Harry'ego ważniejsze było, istotny ekonomiczny i społeczny skutek swojego pociągnięcia (skalpelem po nasieniowodzie Clawsona) odkrył: można zaoszczędzić pieniędzy mnóstwo, gdyż ci, których odizolować trzeba, czy to w więzieniu, czy w zakładzie dla obłąkanych, na wolności można pozostawić, ponieważ swoich zwyrodniałych genów (których wtedy genami jeszcze nie nazywano) pokoleniom następnym nie przekażą. Ot co. Krótki ruch skalpela i z podatków ogromne sumy zaoszczędzić się da. Ku dobru podatników i amerykańskiej ojczyzny (bo to w Ameryce się wówczas działo). Doktor Sharp Harry nie tylko w przecinaniu był dobry. Także skuteczny lobbing uprawiał. Dzięki niemu w roku 1907 doszło do uchwalenia w stanie Indiana pierwszego prawa o przymusowej sterylizacji, upoważniającego do przeprowadzenia w majestacie prawa takiego zabiegu na „kryminalistach, idiotach, gwałcicielach i imbecylach". Koniec cytatu synuś. O tym, kto na ten przykład imbecylem oraz w wypadku najlepszym idiotą okrzyknięty zostanie, decyzję podejmują sędziowie sądu stanowego, czyli inni ludzie. Prawo to ze stanu Indiana rozprzestrzeniło się jak zaraza na stany inne i z lubością prawdziwą egzekwowane było. Jak na ten przykład w słonecznej Kalifornii, gdzie decyzją sędziów wysterylizowano przymusowo około trzydziestu tysięcy mężczyzn, zanim rok 1941 nastąpił.

Zanim więc synuś pochód triumfalny genetyki się rozpoczął, pochodnie swoje w marszu żałobnym eugenika zapaliła.

Bo tak to naukowo się nazywa. Eugenika, czyli na nasz polski „dobre urodzenie". A pierwszą pochodnię podpalił Ostry Harry ze stanu Indiana, przecinając nasieniowód z natury rzeczy niegroźnemu onaniście Clawsonowi. Potem o eugenice na chwilę z przyczyn różnych ucichło. Ale nie na długo niestety. W roku 1916 niejaki Madison Grant, zamożny nowojorczyk i wierny przyjaciel Roosevelta Theodore'a, prezydenta USA, opublikował pewien niezwykły utwór eugeniczny, dowodząc w nim, iż ludy nordyckie są „lepsze od wszystkich nienordyckich łącznie z nienordyckimi ludami europejskimi". Czyli że babcia Marta Słowianka, ja Słowianka, Leon Słowianin, Ty w związku z poczęciem synuś Słowianin i brat Twój starszy Kaziczek również zdaniem tego pomyleńca Granta Madisona „bezwartościową maścią" jesteśmy. Bo my nordyccy nie byliśmy i trzeba nas na przestrzeni czasu jakoś sprytnie wymutować, czyli się, krótko mówiąc, na zawsze pozbyć. Jak owiec czarnych w stadzie.

Grant bredniami swoimi skutecznie wielu ludzi zainfekował i na ten przykład między innymi pewnego niespełnionego austriackiego malarza, który Adolf Hitler się nazywał. Czemu trudno się w dzisiejszej perspektywie dziwić. Adolf wypociny Granta jak Biblię traktował i w życie wcielić postanowił. Przedtem *Mein Kampf* w swojej paranoi wymyślił i na stronie 118 taką oto eugeniki pochwałę napisał: „Osobom fizycznie lub umysłowo chorym oraz bezwartościowym nie wolno doprowadzać do kontynuacji cierpienia w ciałach swoich dzieci". Gdy hitlerowska Trzecia Rzesza powstała, to tylko przez trzy pierwsze lata wysterylizowano 225 tysięcy ludzi. Prawa ręka Hitlera, niejaki Himmler Heinrich, przywódca wszystkich SS-manów, swoją misję życiową przez Adolfa zachęcony na eugenice oparł i w trakcie zjazdu NSDAP w Norymberdze w roku 1935 do uchwały o „prawie do ochrony germańskiej krwi i germańskiego honoru" doprowadził. Ta uchwała, synuś, to proste przełożenie eugeniki niegroźnego pomyleńca Amerykanina Granta Madisona na niemieszczącą się w normalnych mózgach ideę obozów koncentracyjnych z komorami gazowymi i krematoriami. Twój ojciec Leon, gdyby tak do sedna samego sięgnąć, w sensie pewnym również z powodu eugeniki cierpiał. A ja z tego powodu poloneza z SS-manami tańczyć w mieście Gdyni musiałam. Dlatego ja synuś, gdy słowo „genetyka" słyszę, to uszy mi się na oścież, jak gdyby z zawiasów wypaść chciały, otwierają, muzykę Szopena rejestruję i napięcie intensywne i nieprzyjemne w ciele swoim czuję. Chociaż normalnym niewiastom polonez z balem maturalnym kojarzyć się głównie powinien. Ale mnie synuś nie. Bo ja matury nie mam, więc na balu takowym być z racji wyższej nie mogłam.

Eugenika przez czas długi, zanim prawdziwe oblicze swoje w praktyce ukazała, czarującą mrzonką, powołującą się na ideologię nauki, była. Ulegli jej nie tylko nienawiścią zaślepieni naziści. W Anglii takiej na przykład Shaw George Bernard, pisarz znany i z różnych powodów szanowany, eugeniką się zachwycał i nawet w utworach swoich intensywnie ją rodakom swoim oraz światu całemu propagował. Nie wiem, czy się później tego wstydził, ale jak przypuszczam, charakter jego znając, to byłabym na tak. Nie tylko Anglia jednak na „postępowość" eugeniki się nabrała. I w naszej Polsce kochanej zasiała on ziarna swoje i zamęt w głowach wywołała. I to w głowach nie byle jakich synuś. Pod tymi głowami na wysokości piersi biły także serca wrażliwe. Na przykład serce Korczaka Janusza. Także on poddał się sympatii do eugeniki. I nawet sterylizację popierał. Ku zdziwieniu mojemu synuś. Oprócz Korczaka za eugeniką i sterylizacją „genetycznych bankrutów" opowiadał się Żeleński Tadeusz Kamil Marcjan (jako Boy-Żeleński rozpoznawalny bardziej), polski znany pediatra oraz ginekolog, poeta i tłumacz z francuskiego na polski przy okazji. Ja tam synuś Boya czytać lubię i nic na to nie poradzę. Ale ja znowu w dygresję przydługą nieprzyzwoicie się zamotałam synuś, za co Cię o przebaczenie proszę. Bo tak właściwie to ja wciąż o „genie Boga" opowiedzieć bym Ci chciała, ponieważ głównie to mi obecnie na sercu leży.

Informacja, którą DNA w kolejności szczebli drabiny niesie, najważniejszą tajemnicą Boga była. Bo wszystko od kolejności tych szczebli zależy. Szczeble we wszystkich drabinach takie same w przybliżeniu są, z wyjątkami polimorfizmów oczywiście. Informacja! Nic innego. Informacja, synuś. Ona sama. Kochanka Twoja, której głód pożądliwy i nienasycony czujesz i bez której życie torturą Ci się wydaje. Informacja, od której jak ćpun ostatnio uzależniony się stałeś. Gdy rano wstajesz, to zamiast najpierw mocz oddać, potem przez okno na słońce oraz niebo popatrzeć i duszę tym widokiem uradować, Ty do komputera zmierzasz i informacji jak kreski świeżej kokainy szukasz.

W DNA informacja zakodowana jest sprytnie. W genach. Człowiek to nic innego niż proteiny, o czym Ty synuś nieustannie świat przekonujesz. Proteinami są białka, proteinami są enzymy, bez których żadna reakcja chemiczna by nie zaszła. Proteinami są hormony, które uczyniły z Ciebie chłopca, a nie dziewczynkę (chociaż przyznam Ci się w szczerości na Fejsie, iż po Kaziczku córeczki pragnęłam), proteinami są te wszystkie małe przekaźniki w mózgu neuroprzekaźnikami zwane – takie jak serotonina i dopamina, które o tym, co się dzieje, gdy człowiek na przykład w rozpacz wpada, mózg informują.

Człowiek jest proteiną i być może nawet sam Bóg jest proteiną.

Ale tego nikt, póki co, nie ośmiela się nawet w Piekle na głos twierdzić. O tym, jakimi proteinami jesteś Ty lub Kaziczek, decyduje DNA, które się na Was z DNA Leona i DNA mojego zreplikowało w niepojętym cudzie dziedziczenia, przy czym każdy człowiek jest zbiorem innych protein. Z innych protein składał się ten obrzydliwy naziol Höss, z innych nasz Wojtyła, a z jeszcze innych Matka Teresa, która w Kalkucie dobroć ogromną czyniła. Pomimo to i u Hössa, i u Matki Teresy, i u Karola naszego każda proteina z tych samych dwudziestu aminokwasów, których dokładne objaśnienie tutaj z braku miejsca pominę, zbudowana być musiała. Bo tylko dwadzieścia różnych aminokwasów Stwórca sobie w pomyśle swoim zaplanował, z lenistwa swojego najpewniej. Dwadzieścia różnych cegieł, z których powstają przeróżne budowle proteinami zwane. To wcale tak mało nie jest, jeśli synuś pomyślisz, że alfabet łaciński z trzydziestu dwóch liter się tylko składa, chociaż ksiąg przeróżnych nieskończoność, alfabetu tego używając, napisano. O tym, które cegły do budowy proteiny zastosowane zostaną, kolejność szczebli w drabinie DNA decyduje. I tu zaczyna się boska magia manipulowania informacją. Trzy kolejne zasady ze szczebli DNA konkretny aminokwas kodują.

Na przykład ATG koduje metioninę, ale jej palindrom (słowo „sedes" od prawej do lewej czytane to także „sedes"), czyli GTA, zupełnie inny aminokwas, valinę mianowicie. Metionina i valina – jak sam synuś się dobrze orientujesz – tak różne właściwości posiadają, jak różni są, na ten przykład, skromny, cichy, mój podziw budzący Dalaj Lama i pyszałkowaty, krzykliwy, arogancki, mój niesmak wywołujący Berlusconi Silvio, którego pewne przybycie do Piekła już teraz radość obiecuje i podniecenie niektórych starszych wiekiem dam podnosi, podczas gdy młodych, niepełnoletnich jeszcze całkiem lękiem napawa.

Grupy szczebli na drabinie DNA niekiedy sekwencję tworzą. Sekwencja taka to nic innego jak kolejno po sobie następujące szczeble AT-GC-TA-CG i tak dalej. Sekwencje te szczególne są, ponieważ jedną proteinę swoimi świętymi trójcami trzech kolejnych zasad tworzą. Krótko mówiąc: trójca aminokwas koduje, grupa trójc w sekwencji proteinę koduje. Taką sekwencję jedną proteinę kodującą ludzie dla porządku genem nazwali. Idzie sobie kominiarz po drabinie rozciągniętego DNA i od czasu do czasu na szczeble genu butami następuje. Potem idzie i idzie, i w pewnym momencie szczeble genu opuszcza i po nieistotnych szczeblach się wspina, aby dalej znowu na pierwszy szczebel kolejnego genu kodującego, na ten przykład melaninę, która za karnację skóry odpowiada, butem nastąpić. Takich niespodzianek kominiarz na drabinie DNA około trzydziestu pięciu tysięcy razy napotka. Ludzie bowiem w swoim DNA „tylko" – tak w przybliżeniu – trzydzieści pięć tysięcy genów mają. To dla wielu *Homo sapiens* poniżającą ich niespodzianką się okazało, ponieważ na przykład zwykłe zielsko o łacińskiej nazwie *Arabidopsis thaliana*, co na nasz polski jako rzodkiewnik pospolity się tłumaczy, ma genów dwadzieścia pięć tysięcy, chociaż nawet szczekać lub miauczeć nie umie i tylko rosnąć potrafi. Ludzie chcą mieć wszystkiego od innych więcej. Nie tylko pieniędzy, władzy, szczęścia, zdrowia, sławy, kochanek, przywilejów, ale także genów. Więcej od szympansów, więcej od słoni, więcej od delfinów i więcej od sąsiada z czwartego piętra, który wprawdzie wypasionym volvem jeździ, ale już z samego jego wyrazu twarzy widać, że jego genom ma mniej genów niż mój genom. Ale to prawdą nie jest. Sąsiad z czwartego piętra od wypasionego volva ma dokładnie tyle samo genów co ja, tyle że jego geny „nieznacznie" różnią się od moich. Niektóre szczeble drabinki w jego genach są inne od szczebli w moich. To się raczej rzadko przydarza. Raz na tysiąc szczebelków u ludzi niespokrewnionych. Gdy sąsiad z czwartego moim kuzynem nie jest, to w jego genomie jest około trzech i pół miliona różnic (trzy i pół miliarda szczebli w drabinie, dzielone przez tysiąc, daje trzy i pół miliona). Różnię się od niego genetycznie trzy i pół miliona razy. To dla wielu ludzi zawistnych bardzo pocieszające z pozoru jest. Chociaż to radość raczej przedwczesna, ponieważ genom takiej na przykład małpki Bonobo, do której czasami sąsiada z czwartego piętra porównywaliśmy, gdy coraz częściej, z coraz to młodszymi niewiastami swoim volvem pod blok podjeżdżał, różni się od naszego tylko tym, że co setny szczebel w jego drabinie inny jest niż w naszej, co jedynie trzydzieści pięć milionów różnic w rezultacie daje.

Gdyby kominiarz się zapomniał, to pod butami swoimi różnicy nie zauważając, mógłby pomyśleć, że po genomie małpy depcze, a to przecież genom polityka z Warszawy jest.

Ludzie bowiem różni od innych być pragną i, co gorsza, nieustannie wierzą, że są od innych lepsi. Nieuzasadnionemu niczym wierzeniu ulegają, iż Bóg, ich stwarzając, szczególną uwagę im podarował i nawet w ich DNA tę atencję specjalną na wieczność zakodował. Generalnie wierzenie owe racji swojej raczej udowodnić nie potrafi, a regułą raczej się być zdaje, że Bóg z matrycą, jak pieczątką DNA pracował i wszystkich ludzi podobnymi uczynić chciał. Ale czasami się Mu, z uwagi na przepracowanie, roztargnienie lub zwykłe zrozumiałe boskie zmęczenie, polimorfizm niezwykły przydarzał. Te różnice, co średnio raz na tysiąc szczebelków się pojawiają, właśnie owym polimorfizmem w nauce się nazywa.

Ty synuś jesteś polimorficznym odpowiednikiem Kaziczka, a Adolf Hitler jest polimorficznym odpowiednikiem Janusza Korczaka.

To z siebie drażniące opary absurdu wyziewa, ale genetyka czasami takie opary chcąc nie chcąc wytwarza. Jednym z nich, ostatnio dyskutowanym w Piekle z podnieceniem ogromnym, jest polimorfizm na genie SLC18A2, poprzednio pod nazwą

VMAT2 znanym, o czym Ci synuś kilka dobrych, długich dygresji wcześniej wspominałam. Polimorfizm ten swoją nazwę własną A33050C posiada, ponieważ naukowcy wszystkiemu swoje niezrozumiałe dla innych nazwy przyporządkowują. Ludzie normalni, tacy jak ja, ich wtedy zrozumieć za diabła nie są w stanie i wydarzyć się może, że w nieuzasadniony podziw dla geniuszu naukowców wpadną. Ale ja naukowców dwóch na świat, poprzez cięcie cesarskie, wydałam, obrzmiałymi piersiami własnymi wykarmiłam, na ludzi wychowałam, więc na takie tanie sztuczki nabrać się nie dam, bo swój rozum mam, a jak rozumu mi nie starczy, to www.wygoogliwacz.hell cierpliwie przeszukam i wiedzę potrzebną zdobędę.

Polimorfizm A33050C w genie VMAT2 na chromosomie 10 jest zlokalizowany, co w Piekle natychmiast z Dekalogiem się skojarzyło. Polega na tym, że niektórzy osobnicy mają C3350A, niektórzy C3350C, inni A3350C, a jeszcze inni A3350A. Czyli u niektórych w trójcy świętej, na aminokwasy przetwarzanej, jest para CC, u innych para CA, u innych AC, a u jeszcze innych para AA. W Piekle natychmiast inaczej te równania przepisano: cytozynę na Chrystusa przemianowano, a adeninę na Antychrystusa. O nowych nazwach guaniny i tyminy póki co synuś nic mi nie wiadomo. A potem, gdy już był Dekalog, był Chrystus i Antychrystus, nad genem VMAT2 się spin doktorzy pochylili, aby zobaczyć, co on takiego dla człowieka dobrego, a może – ku chwale Piekła – raczej złego wyczynia. Okazało się, że gen VMAT2 koduje proteinę, która jest jak opakowanie serotoniny i dopaminy. Taki kartonik jak na poczcie do wysłania paczki. W kartonik wskakują serotonina i dopamina (oraz inne monoaminy, nad którymi się synuś rozwodzić tutaj nie zamierzam) i paczka przesyłana jest do synaps, czyli do przerw między neuronami w mózgu. Tylko dobrze zapakowane paczki docierają z serotoniną i dopaminą do synaps, źle zapakowane nie. Dobrze zapakowane pochodzą, jak się okazało, od genu VMAT2 z polimorfizmem CC, CA lub AC, a źle zapakowane od AA. Czyli szczeble CC, AC, CA na drabince DNA w genie VMAT2 wytwarzają lepszy karton dla serotoniny i dopaminy, powodując, że docierają one do synaps w mózgu, a szczeble AA tego nie czynią.

Ale co to synuś ma z Bogiem wszystko wspólnego, zapytasz znudzony opowieścią o tym, co Ty doskonale znasz. Ty swoje epizody dokuczliwej depresji przez lat jedenaście miałeś, więc o tym, że leniwa serotonina nieprzeskakująca przez szczelinę między neuronami, co synapsą naukowcy nazwali, dużo wiedzy posiadasz, prawda? Co więc serotonina i dopamina wspólnego z Bogiem mają? Wyobraź więc sobie synuś dwie sytuacje. Młodą nastolatkę o imieniu Jane z Los Angeles, która połknęła ekstazy i tańczy w rytm *house* w dyskotece. I wyobraź sobie jej kolegę Chrisa, który poprzez błonę śluzową nosa swego, tuż przed tańcem, dobrej jakości kokainę do organizmu swego wciągnął. I niech teraz synuś oboje w tej dyskotece w L.A. tańczą.

Kokaina i ekstazy i halucynogenne grzyby mają synuś ogromnie dużo z Bogiem wspólnego.

Jane jest jak w transie. Czuje się połączona z każdą osobą na parkiecie, radość czuje, szczęście czuje, wdzięczność czuje. Swoje mistyczne tańce wdzięczności odprawia. Miłość do wszystkich i do wszystkiego widzialnego i niewidzialnego bezgraniczna w niej jest. Ale przede wszystkim Bogu nieskończenie bliska się sobie wydaje. Jane połknęła N-[2-(1,3-benzodioksol–5-yl)–1-metyloetylo]-N-metyloaminę, która w skrócie, handlowo i wygodnie ekstazy jest nazywaną. Każdy jest Jane bliski. Jak gdyby długo znanym przyjacielem był. Jane nie ma żadnych wrogów. Ma tylko potencjalnych kochanków, a na świecie nie ma wojen, tylko nieprzerwany pokój. Jane po parkiecie w swoim tańcu szczęścia się przemieszcza i obcych ludzi po policzku delikatnością swoich palców obdarza. Kiedy Ci się synuś z jakimiś ludźmi i dekadencją w klubie nocnym przepełnionym przydarzy – chociaż Ty tam raczej tylko z obowiązków bywasz – że jakaś niewiasta lub młodzieniec nieznani Ci zupełnie ani z wyglądu, ani z charakteru podejdą do Ciebie i delikatnie policzek Twój pieścić zaczną, to dużą pewność powziąć możesz, że sprawca tych pieszczot w podróży na ekstazy przebywa.

Tak jak Jane, której synapsy w mózgu serotonina odpakowywana z paczek zapakowanych przez gen VMAT2 zalewa.

Chris obok Jane tańczy. Ale tylko przez chwilę. Potem się od niej oddala. Bo Jane ze stopami na parkiecie tańczy, a on jest ponad to. On przecież od parkietu się już dawno oderwał i nad nim się unosi. Najlepszy tancerz we wszechświecie. Jedyny i niezastąpiony. Chris nie czuje się bliski Bogu. Chris Bogiem jest. Chris wessał w siebie (1R,2R,3S,5S)–3-(benzoiloksy)–8-metylo–8-azabicyclo[3.2.1]oktano–2-karboksylan metylu, w skrócie, handlowo i wygodnie kokainą nazywany. Synapsy w mózgu Chrisa zalewa dopamina odpakowywana z paczek zapakowanych do kartonu przez gen VMAT2.

Przy stoliku niedaleko parkietu – gdzie akurat Jane Bogu bliska jest, a Chris Bogiem się czuje – siedzi sobie Michael i trawi spokojnie muzyką nieporuszony porcję dania z grzybów, które u kelnera zamówił. Grzybami nie były zwykłe prawdziwki, maślaki, kurki lub rydze, które Leon zbierać w lesie uwielbiał i żmudną robotą z ich obieraniem mnie osobiście i babcię Martę regularnie obciążał. Grzyby, które w jelitach swoich i żołądku swoim akurat trawi Michael, były magiczne, bowiem psylocybinę zawierały, która na poważnie diwodorofosforan 3-(2-dimetyloaminoetylo)–4-indolilu się nazywa. Michael, siedząc i trawiąc, ma halucynacje. W pewnym momencie musi pójść do toalety w piwnicy dyskoteki. Popiół z papierosów strząśnięty do pisuaru wydaje się mu czarnymi perłami, które w takim pięknie jedynie na Bora Bora występują. Czas Michaelowi mijać przestaje, dusza ciało jego opuszcza, ścisłą jedność Michael z wszechświatem odczuwa i niesłychana boska dobroć w niego wstępuje, podczas gdy synapsy – ale inaczej niż przez ekstazy – serotonina mu potokami zalewa. I tym razem do synaps w paczce przez gen VMAT2 nadana.

Wniosek jeden synusiu po tej w niezwykłej, sam przyznasz, dyskotece wizycie się nasuwa: dopamina i serotonina zapakowana przez VMAT2 zbliżenie do Boga ludziom ułatwiają. Ale VMAT2 tylko z polimorfizmem odpowiednim nadawcą paczek z dopaminą i serotoniną być może.

I wcale nie potrzeba się naćpać, aby Boga obecność poczuć.
Chociaż to bezsprzecznie i skutecznie pomaga, jak słynny i na ziemi, i w Piekle eksperyment niejakiego Pahnke Waltera, doktora po Harvardzie, teologa i lekarza z zawodu, w całej rozciągłości dowodzi. Pahnke Walter w dniu urodzin moich, 20 kwietnia 1962 roku, co wtedy piątkiem było, i to nie byle jakim piątkiem, bo to Wielki Piątek przed Wielkanocą był, dwudziestu studentów szkoły teologicznej do kaplicy Marsh w campusie szkoły wyższej

w Bostonie na uroczystą mszę wielkopiątkową zaprosił. Studentów owych namówił, aby w pewnym doświadczeniu udział z własnej nieprzymuszonej woli wzięli. Dziesięciu studentom przed mszą trzydzieści miligramów psylocybiny wyżej omawianej połknąć kazał, a drugiej dziesiątce witaminę B_3, znaną także jako witamina PP, a Tobie synuś z racji Twojego chemicznego nastawienia bardziej jako kwas nikotynowy znaną. Zamysł Pahnke sprytny był przeogromnie, ponieważ witamina PP zwykłym placebo nie jest. W dużym stężeniu połknięta reakcje fizjologiczne takie jak rumieniec, nagłe fale gorąca, jak u kobiet w menopauzie, i uczucie mrowienia ciała wywołać potrafi, chociaż – i tu leży biedny pies pogrzebany – psychoaktywności nie przejawia żadnej. Studenci przez Pahnke do połknięcia chemii namówieni, świadomi tego, co konkretnie łykają, oczywiście nie byli, czyli to tak naprawdę znana z farmaceutyki podwójna ślepa próba była. Wiedzieli jednakże, że celem eksperymentu ciekawskiego doktoranta Pahnke jest naukowe sprawdzenie, czy entheogeny, to jest psychoaktywne substancje, w kontekście religijnym, spirytystycznym czy szamańskim od tysięcy lat używane, swoje działanie naprawdę przejawiają. Obie grupy studentów wierzyły, że w czasie mszy pod wpływem swojej wiary w Boga i wydobytej z grzybów magicznych psylocybiny się znajdować będą. Połknąwszy tabletki, studenci w przeżyciu religijnym mszy na cześć ukrzyżowania Syna Bożego, Jezusa Chrystusa, udział aktywny wzięli. Po mszy relacje ze swoich przeżyć zdali. I te relacje właśnie doświadczenie Pahnke Waltera historycznym uczyniły i jako Eksperyment Wielkiego Piątku lub Eksperyment w Kaplicy Marsh w encyklopediach opisane zostało. Z dziesięciu studentów, co psylocybinę połknęło, dziewięciu mistyczne lub religijne, dotąd im nieznane, przeżycia podczas mszy miało. Podczas gdy z grupy „na witaminie PP" tylko jeden niezwykłych uczuć doświadczył. Wyniku tego Ci synuś chyba więcej komentować nie muszę, bo Ty liczyć potrafisz. Dodam Ci tylko, iż dobrze, że Pahnke na pomysł tego eksperymentu wpadł w roku sześćdziesiątym drugim, bo pięć lat później za swój eksperyment mógł do lochów amerykańskich więzień trafić, z powodu tego, iż w roku 1967 psylocybinę zdelegalizowano, podobnie jak legalne do tego roku LSD. Ku zresztą radości Piekła ogromnej, bo to narkotykową przestępczość niesłychanie rozmnożyło.

A gdy już przy narkotykach, wierze i efekcie placebo jesteśmy, to powiem Ci synuś, że czasami zastanawiam się, czy uzdrawiająca ludzkie dusze (i często także ciała) wiara w Boga, wiarą w jakieś megaplacebo przypadkiem nie jest. Może bogowie – ze wszystkich religii – to nic innego niż narkotyki, w chemicznym składzie których żadna „substancja czynna" w ogóle się nie znajduje? A my uwierzyliśmy, że tam jest, i z powodu naszej silnej wiary, że „musi działać", od niej się uzależniliśmy? W tym kontekście synuś niezwykła opowieść znanego czeskiego psychiatry Oldřicha

Vinařa z Pragi mi się przypomina. Jeśli pamięć mnie nie myli, w nobliwym krakowskim „Tygodniku Powszechnym" ją wyczytałam. W okrojonej wersji *online,* ponieważ moje podania o zgodę na prenumeratę wersji papierowej od 18 lat są przez tych matołów w wydziale propagandy Piekła konsekwentnie odrzucane. Wiem, że nawet ich nie czytają. Odrzucają z komputerowego automatu. Przez ostatnie cztery lata w podaniu moim „Tygodnik Powszechny" na „Playboy" zamieniłam. Te także odrzucają, chociaż podeptany i obsikany „Playboy" przy każdej budce z piwem się tutaj wala. Ale to nieważne synuś. Nie o tym chciałam – o Bogu jako placebo chciałam. No więc do praktyki psychiatry Oldřicha Vinařa w czeskiej Pradze kiedyś pewna kobieta przyszła. Cała w cielesnych boleściach. W ogromnych boleściach synuś. Oldřich jej ból jako maskę depresji rozpoznał. Na ból morfina bardzo dobrze działa. Zaczął ją więc rzekomo morfiną leczyć. Ale to, co jej naprawdę w żyłę wstrzykiwał, żadną morfiną nie było. Zwykłą bowiem, dla organizmu pacjentki nieszkodliwą i obojętną solą fizjologiczną było. I świetnie działało. Pacjentka głęboko uwierzyła. Chociaż Czesi i Czeszki to prawie sami ateiści. Bóle od soli fizjologicznej jej mijały. Podobnie jak kryjąca się za nimi depresja. Przybiegała do praktyki Oldřicha jak do kościoła na poranną mszę. Każdego dnia o dziesiątej rano. Po swoją komunię z fizjologicznej soli. Pewnego dnia, latem, doktor Oldřich Vinař z Pragi na zasłużony urlop wyjechał. Kiedy wrócił, kobieta pełny

225

zespół odstawienia od morfiny miała. Bo nikt jej w tym czasie zastrzyków z soli nie aplikował. Tak mi się to synuś dziwnie z Bogiem jako placebo skojarzyło. Ale to tak Nusza na marginesie znowu.

Obrazki z rozpustnej dyskoteki w barbarzyńsko-dekadenckiej Ameryce jako przykład przeze mnie wymyślony Ci synuś przedstawiłam, jedynie w celu drastycznego ukazania, co dopamina, serotonina i pominięte przeze mnie, z braku miejsca, inne monoaminy w kontekście percepcji Boga spowodować potrafią. Ale życie synuś to nie dyskoteka przecież. Poza tym mało kto do kościoła naćpany ekstazy, kokainą czy psylocybiną na niedzielną mszę śpieszy. Co najwyżej oszołomiony resztkami nierozłożonego jeszcze w całości przez wątrobę wódkowego lub piwnego etanolu pomyka.

Religijność, która tylko jednym z wyznaczników transcendentalności jest (a to o wiele więcej niż Bóg & Co., o czym mi wspomniany Maslow Abraham osobiście w szczegółach opowiadał), sama w sobie Piekła specjalnie nie niepokoi. Mamy tutaj u nas tylu religijnych grzeszników, że normalnych rozmiarów głowa synuś za mała. Transcendentalność synuś to coś więcej niż rekolekcje, nieszpory, sakramenty, spowiedź wielkanocna lub wieczorna modlitwa, do której Kaziczka i Ciebie nieustannie, wbrew lenistwu Waszemu, przywoływałam. Transcendentalność synuś to poczucie jedności ze wszystkim widzialnym i niewidzialnym, to zapomnienie siebie jako indywiduum i siebie jako jedynie cząstkę wspólnego, cudownego wszechświata traktowanie. Transcendentalność jako wszechświatocentryzm, a nie antropocentryzm mi się synuś objawia. Ludzie transcendentalnością dotknięci wszechświat jako wyjątkowe dobro traktują i wszystko, co w nim istnieje, dobrem chcą otoczyć. I skały, i morza, i drzewa, i kwiaty, i mrówki, i jeże, i wiewiórki, i hieny, i żyrafy, i ludzi innych przede wszystkim. Ludzie transcedentalnością dotknięci dobrzy po prostu chcą być. A to dla Piekła jak zły przerażający sen jest.

Nie ma nic gorszego dla Piekła jak transcendentalny ateista, który grzechów nie popełnia.

I powiem Ci synuś otwarcie, że ja się z tym przerażeniem Piekła utożsamiam i jednoczę. Dlatego transcendentalność gorącym tematem w Piekle jest i wszelkie inicjatywy, które wpływy transcendentalności na ziemi osłabić by mogły, swoje poparcie u nas w Piekle mają, za czym duże środki na badania i projekty stoją. Ale jak dotychczas niewiele z tego wynika. Póki co metody i techniki pomiaru transcendentalności u ludzi się analizuje. I alternatyw do technik ziemskich Piekło zaproponować na dzień dzisiejszy nie potrafi, co często na zebraniach różnych argumentem gawiedzi jest za tym, aby „wykształciuchów" na cztery wiatry rozgonić i tym sposobem duże oszczędności w budżecie poczynić, a zaoszczędzone środki na podwyżkę pensji ignorowanych i zaniedbywanych od tysiącleci nauczycieli, co to „na pierwszym froncie w walce o grzech" pracują. Ale to czysty populizm przedwyborczy jest.

Do mierzenia transcendentalności teraz synuś powrócę, bowiem to z „genem Boga" wiele wspólnego ma. Tak naprawdę to tylko jeden test na transcendentalność ziemia powszechnie stosuje. Pochodzi on z mądrości amerykańskiego lekarza i genetyka zarazem Cloningera C. Roberta, który w latach osiemdziesiątych wieku ubiegłego test ten opracował i pod nazwą „testu TCI" wśród kolegów psychologów, antropologów, neurobiologów, socjologów, teologów i innych „-ogów" z impetem rozprzestrzenił. Gdy ankietę testu uczciwie i pracowicie wypełnić, i zgodnie z prawdą na pytania tam zawarte odpowiedzieć, to transcendentalność swoją liczbą wyrazić można. Wielu zawistnych Cloningerowi naukowców oczywiście sukces jego pomniejszyć pragnęło, ale żadnego skutku nie osiągnęli, więc na dzień dzisiejszy test TCI najbardziej uznaną metodą pomiaru ludzkiej transcendentalności ciągle pozostaje. Jeśli ktoś w teście Cloningera – przykład teraz Ci synuś przedstawiam czysto hipotetyczny – wynik 99 osiągnął, to znaczy, że jego transcendentalność porównywalna jest z tą, którą buddyjski mnich z nurtu zen długimi latami praktyki medytacyjnej zazen osiągnął, zbliżając się do stanu Buddy.

Jeśli ktoś z kolei test Cloningera z wynikiem 2 zakończył, to jego „zapomnienie siebie jako indywiduum i traktowanie siebie jako jedynie cząstkę wspólnego wszechświata" ma poziom znajdowany najczęściej u polityka, który jedynie dwa pytania z testu Cloningera tak naprawdę zrozumiał, przy obu odruchowo skłamał, dwa owe punkty w związku z tym otrzymując.

I w tym momencie synuś wreszcie po wywodach moich mozolnych i długich do samego sensu „genu Boga" dotarłam. Wyniki testów Cloningera dla reprezentatywnej grupy przypadkowo wybranych ludzi mozolnie zebrano. Następnie metodami genetycznymi polimorfizm A3350C na genie VMAT2 dla wszystkich tych ludzi ustalono. Okazało się, iż ludzie z polimorfizmem CC, CA, AC w testach Cloningera wyraźnie wyższe wyniki osiągali, gdy zrównać je z nosicielami polimorfizmu AA. Układ zasad AA, czyli Antychryst/Antychryst, koreluje u nich z wyraźnie niższym poziomem transcendentalności. Ludzie z zasadą C (Chrystusową) na genie, który koduje białko transportujące serotoninę i dopaminę, są bardziej transcendentalni. Ta jedna cytozyna we właściwym miejscu wpływ na całe pojmowanie wszechświata wywiera: od kochania natury po miłość do Boga, od poczucia jedności z wszechświatem po gotowość do poświęceń, aby ten wszechświat poprawić.

I gdy tak sobie o „genie Boga" i tym dziwnym polimorfizmie na VMAT2 chromosomu dziesiątego myślałam, to mnie taka tęsknota ogromna za Tobą synuś ogarnęła, że mi serotoniny na synapsach zupełnie zabrakło, bo mi unicestwiła się chyba zupełnie. A to wredne ze strony „genu Boga" jest. Gdyby w Piekle lasy były i magiczne grzyby w nich rosły, tobym do tych lasów poszła i pożerała te grzyby z psylocybiną w środku, jak pierwsze truskawki wiosną, coby się naćpać na maksa i tę tęsknotę załagodzić. Albo kupiłabym u dealera za ostatnie centy chociaż jakąś małą kreskę kokainy albo małą pigułeczkę ekstazy i rozmarzyłabym się wspomnieniami o Tobie. Taki mój mały synuś ukochany i jedyny byłeś, rączki do mnie wyciągałeś i warg moich paluszkami dotykałeś, albo za sutki moich piersi niecierpliwie chwytałeś, gdy głód Cię nachodził. I ja wtedy wsuwałam Ci te moje sutki między wargi Twoje i miałam taką podróż, że żadne LSD z tym równać się nie może, bo odległość chemii LSD od tego uczucia w dekadach lat świetlnych mierzyć by należało. Miałam podczas karmienia Ciebie takie oksytocynowe jazdy, że nawet Nirvana by tego nie wyśpiewała. Bo gdybym ja chemią dla zarobku handlowała, to przede wszystkim oksytocynę bym ludziom sprzedawała. Bo to molekuła przepiękna jest i Bogu się naprawdę udała. Woda, tlen, ester zapachowy Wigilii oraz oksytocyna mu się naprawdę udały. I pośród nich oksytocyna chyba najbardziej. Bez niej nie miałabym rozkoszy skurczu macicy, gdy Leon we mnie Ciebie synuś przepięknie poczynał, bez niej nie miałabym mleka w piersiach swoich, by nakarmić Cię, gdy czas przychodził. I bez oksytocyny nie miałabym tego Edenu, gdy to mleko z piersi moich ssałeś, a ja czułam się, jak gdybym unosiła się nad teorią wszechświata przed Wielkim Wybuchem. I byłam połączona z Tobą każdym receptorem. Każdym, Nusza. Każdym z osobna. Chociaż tylko tak naprawdę byłam połączona z Twoimi usteczkami moim pogryzionym sutkiem. I gdyby jakiś Bóg chciał mi Ciebie w tym momencie odebrać, to zapewniam Cię, iż nie doszłoby do stworzenia wszechświata, bo zamordowałabym stwórcę przed rozpoczęciem projektu. Bo matka karmiąca piersią swoje dziecko jest ważniejsza od wszystkich projektów. Kropka. Rozumiesz mnie synuś?

Kocham Cię tak bardzo…
I wówczas synuś czuję – jak każda zakochana kobieta, chociaż ja w kontekście innym się w Tobie zakochałam – rodzaj ukłucia pod sercem i z tyłu pod łopatką, gdy Twoje wargi i zęby dotykające sutków bliskiej Ci niewiasty widzę. Ty całujesz i ssiesz jej piersi inaczej niż moje, z głodu innego rodzaju to czynisz, na innej chemii przebywasz, ale na to nie bacząc, tej fali zazdrości opanować nie potrafię. Bo jej zazdroszczę tej oksytocyny, która w jej krwi się pojawić przy tym może i całe jej ciało czułością z rozkoszą wymieszaną wypełnić może. Bo zapisu pamięci dotyku Twoich warg na piersiach moich wymazać nie chcę i nie potrafię.

Bo matki karmiące takie są, że zapomnieć tego zjednoczenia do końca świata nie potrafią. Ta fiksacja moja dziwna jedynie piersi niewiasty owej dotyczy. Gdy jej usta, podniebienie, włosy, czoło, policzki, powieki, szyję, plecy, uszy, pośladki, stopy i palce stóp, uda, łono, *perineum* lub dłonie całujesz, to zazdrości żadnej nie czuję, a jedynie wspomnienia Leona mi się w głowie tak dziko kotłują, że aż dech mi zapiera.

Pomyślałam, że to pewna perwersja być może ze mnie na stare lata wychodzi, więc Zygi Freuda przy okazji najbliższej na tę okoliczność przepytam, aby mi jakiś nowy, fajny kompleks edypopodobny wypsychoanalizował. Freud takie prośby lubi, bo po pierwsze kosmicznie próżny jest, a po drugie w moim pytaniu tendencji kazirodczych „dążących do osiągnięcia stanu zjednoczenia podmiotu z pierwotnym obiektem seksualnym (z matką w wypadku mężczyzny lub ojcem w wypadku kobiety)" doszukać się może. Gdyby mi to swoim profesorskim autorytetem potwierdził, to do wielokrotnej rozwódki, pijaczki, ladacznicy, uwodzicielki, rudej nimfomanki, matki dwóch bękartów i kelnerki SS-manów mogłabym „kaziródkę" dopisać, co by mi w Piekle jeszcze większego splendoru dodało i moje CV znaczącą ozdobiło. Freuda do tego namówię z pewnością, ale poczekam, aż fazę kokainową znowu przechodzić będzie, ponieważ mu wtedy fajne kompleksy do głowy przychodzą, na czym ja tylko skorzystać mogę.

Ty synuś tej psychodelicznej podróży na oksytocynie odczuć nie mogłeś, chociaż wiem, że bardzo byś chciał. Ale oksytocyny z racji ewolucji mało posiadasz i w testosteronie się niestety przejawiasz. A to zła molekuła jest. Tyle nieszczęść, ile testosteron na ludzkość zesłał, to w żadnej bibliotece, gdyby to opisać, się nie zmieści. Testosteron jest w Piekle uwielbiany. Każdy PR-owy projekt przemyca logo testosteronu. Struktura testosteronu to najbardziej ulubiony motyw wszelkich symboli, we wszelkich kontekstach. Testosteron jest w każdym herbie, każdym godle i na każdej fladze, każdej najmniejszej gminy w Piekle. Testosteron w Piekle *rulez*. A to nie jest fajne, jak synuś wiesz. Bo w niektórych krajach z powodu testosteronu więcej kobiet umiera niż z powodu raka piersi. Niektóre kobiety z powodu testosteronu obecnego w mężczyznach umierają w mękach straszliwych.

Bóg chyba się zapomniał, syntetyzując testosteron.
Dla wielu jest to koronnym dowodem, że Bóg nienawidzi kobiet. Mężczyźni bowiem zawładnięci swoim testosteronem wpadają w rodzaj grzesznej apopleksji i Bóg, ich zdaniem, jest przy tym obecny, i dlatego wydaje się im, że czynią to w imię Boga. Ostatnio nasłuchałam się o tym w trakcie pogadanki zorganizowanej przez islamskie grzesznice, które od dawna próbują zorganizować grupę poparcia dla inicjatywy pod tytułem „Bóg nie-

nawidzi kobiety i co z tego wynika dla dobra Piekła". Grupa, póki co, ma niewielkie przełożenie na media, ale sądzę synuś, że się to wkrótce zmieni, ponieważ lobby żydowskie w piekle postanowiło to poprzeć. A jak coś popierają Żydzi, innej dynamiki to nabiera. A popierają projekt jak najbardziej spektakularny. W momentach niektórych bardziej okrutny niż nazizm, stalinizm i serbski nacjonalizm razem wzięte. Bo sobie synuś wyobraź taką Boga oto do kobiet nienawiść. W Pakistanie, w którym spokojnie sobie żył nasz ulubiony Osama, w powiecie Beludżystan, w miesiącu lipcu A.D. 2008 zakopano w ziemi żywcem pięć kobiet. Trzy nastolatki i dwie starsze kobiety, które stanęły po stronie nastolatek. Mężczyźni z plemienia Umrami wywieźli nastolatki i dwie dojrzałe niewiasty w odludne miejsce (w roku 2008!), pobili je, strzelali do nich i potem, wciąż żywe, wrzucali do dołu i przysypywali ziemią oraz kamieniami. Nastolatki zgrzeszyły śmiertelnie, ponieważ próbowały poślubić mężczyzn wybranych przez siebie wbrew woli przywódców plemienia. Po prostu zakochały się biedaczki i chciały popełnić mezalians. Śmiertelny mezalians. Dwie starsze kobiety nieświadome tego, co czynią, stanęły w ich obronie. I dlatego i je ostrzelano, i następnie zakopano. Żywcem. Całą piątkę zakopano żywcem w „imię honoru", jak stwierdził senator Isarullah Zehri z Beludżystanu. Zabijanie i zakopywanie żywcem kobiet w imię honoru to plemienna tradycja, która nie powinna być „przedstawiana w złym świetle".

Ponieważ z prawa bożego bezpośrednio się wywodzi. Zdaniem oczywiście owego senatora na testosteronie.

No to ja Ci synuś powiem, że jak na tej pogadance to usłyszałam, to mnie taka kurwica ogarnęła, że niech mnie ręka boska broni. I Bóg mi wtedy tak podpadł, że sobie Nusza nie wyobrażasz. I gdy tak powoli dochodziłam do siebie, to koleżanki zakopanych żywcem Pakistanek, tym razem z Afganistanu, się wypowiedziały i dojść mi do siebie nie pozwoliły. W pewnym więzieniu bowiem, w miejscowości Lashkar Gah, grupa kobiet odsiaduje – chociaż rzadko pozwala im się siadać – dwudziestoletnie wyroki za przewinienie, które gwałt się nazywa. Kobiety owe w wyniku działania testosteronu u mężczyzn zgwałcone zostały, co jest przestępstwem, zdaniem moim, bardzo okrutnym, za które nie tylko chemicznie kastrować się powinno, lecz przede wszystkim fizycznie. Tępą, zardzewiałą brzytwą jądra i penisy bez znieczulenia wyrzezać. I teraz za to przestępstwo na ich łonach popełnione lat dwadzieścia odsiadują. No synuś sam powiedz, gdzie tutaj Bóg jest pogrzebany? Nigdzie, synuś! Bóg ma ważniejsze sprawy niż Lashkar Gah. Kobiety tam w więzieniach kolejny raz są gwałcone, ponieważ dla systemu, w którym funkcjonuje Lashkar Gah, kobieta sama decydująca się na połączenie z mężczyzną nie różni się niczym od kobiety zgwałconej. Na taką logikę nie ma synuś – jak sam wiesz – żadnego wzoru. Ja taka byłam tym zszokowana, że mi mowę na długi czas odebrało.

I powiem Ci synuś, że gdy mi mowa wróciła, to z bezsilności wyłam. Wyłam jak wilk do księżyca i mnie wtedy te islamskie kobiety zapytały, czy mnie też ktoś kiedyś zgwałcił. I ja im wtedy powiedziałam, że mnie zgwałcić nie można, bo ja bym przed gwałtem umarła na złość temu zaślinionemu knurowi charczącemu nade mną. I one mi powiedziały, że jestem arogancką, zarażoną feminizmem katoliczką, której się tylko wydaje, że można z poniżenia umrzeć. Ale to nie tak. Bo na poniżenie nie można umrzeć, nawet jeśliby się tego bardzo chciało, ponieważ one próbowały, ale bezskutecznie. I wtedy Bóg mnie rozczarował jeszcze bardziej synuś. Bo opcję własnej śmierci w okolicznościach nie do pojęcia Bóg powinien człowiekowi zapewnić. A on uparcie nie. Bo grzech pierworodny i te sprawy.

Ale Adam przecież nie zgwałcił Ewy. No sam powiedz, synuś?

I wtedy mi powiedziały, że to wcale nie jest takie pewne, bo gwałt jest sprawą względną bardzo. Bo na przykład Ahmedi Begum, pięćdziesięcioletnia wdowa z Lahore w Pakistanie, aby biedę przeżyć, musiała wynająć część swojego domu. Ale nie chciała wynająć go policjantowi, który nie budził jej zaufania. Wolała go dwóm młodym kobietom wynająć. I gdy zamiar swój w życie wprowadziła, to do domu jej wpadło kilku policjantów na testosteronie i zgwałciło te dwie kobiety. Najpierw w jej domu, a potem w komisariacie. Na jej oczach, które zamykała, ale jej na to patrzeć kazano. A gdy nie chciała, to zgwałcono ją samą. A potem policjanci wywlekli ją na zewnątrz, przycisnęli jej twarz do ziemi i biczowali szerokimi skórzanymi pasami. A potem jeden z policjantów wepchnął do jej odbytu pałkę pokrytą pastą chili. Wepchnął tak głęboko, że jej odbyt eksplodował. Później do więzienia Kot Lohkpat ją przewieziono i o cudzołóstwo oskarżono. I to wszystko dlatego, że nie chciała wynająć pokoju policjantowi. I ja Nusza w tym momencie wyobrażenie miałam, że mi się wyobraźnia kończy, bo przy tym skończyć się powinna. Ale w błędzie byłam, bo potem opowieści o dziewczynce z Nigerii wysłuchać jeszcze musiałam. Briya Ibrahim Magazu na karę chłosty poprzez sto osiemdziesiąt uderzeń kijem skazana została. Za to, że w ciążę zaszła w wieku lat trzynastu lub czternastu, sama pewna nie była. Ale nigeryjski sędzia uznał, że jeśli menstruację już miała, to wobec prawa osobą dorosłą jest i jako dorosła odpowiedzialność ponieść powinna. Odpowiedzialność za to, że trzech żonatych mężczyzn z wioski do seksu ją zmusiło, ponieważ ojciec jej pieniądze był im winny i za długi owe wypłacić się nie mógł. W naturze więc dziewictwem i honorem córki nieletniej zobowiązania swoje wyrównać postanowił. I Briya Ibrahim Magazu została wychłostana w dniu 19 stycznia 2001 roku. Ale tylko stu uderzeniami. Osiemdziesiąt uderzeń w wyniku apelacji organizacji walczącej o prawa kobiet do gubernatora stanu Zamfara, na terenie którego do „gwałtu" doszło, jej podarowano. Jak myślisz Nusza, przy którym uderzeniu ta dziewczynka zemdlała?

Zastanawiałeś się synuś kiedyś, dlaczego Bóg nienawidzi kobiet?
Myślisz, że przez Ewę? Przez jej postępek, który, jak piszą o tym w Księdze Rodzaju, ściągnął na ludzi trud i znój życia? I przez jej ciekawość i wścibstwo człowiek musiał opuścić raj? Kto jak kto synuś, ale Ty w tę bajkę uwierzyć nie potrafisz. Jaki polimorfizm musiałaby mieć Ewa, aby pokusą krótkotrwałego aktu połączenia skusić Adama na wieczne raju opuszczenie. To tak jak kusić wyjazdem z Bora-Bora na Białoruś. Nie ma na to synuś tylu genów. No nie synuś! To jest tak nieprawdopodobne, jak chodzenie po wodzie lub wymieszanie z wodą etanolu, aby stała się czerwonym winem. No nie synuś. To przekracza granice wszelkiego obciachu. To w Piekle czyta się dzieciakom jak bajki przed snem. Są fajne, ale nawet dzieciaki nie wierzą, że wilk połknął babcię Czerwonego Kapturka i jej nie strawił, bo przecież wyskoczyła z brzucha. Tego nie ma nawet u McDonalda. No nie synuś. Ewa jabłkiem afrodyzuje Adama, zdejmuje liść ze wzgórka łonowego i ludzkość za to cierpi do dzisiaj? Nie ma takiej opcji. Nie ma po prostu takiego łona synuś, moim zdaniem, aby za nie cierpieć tak długo. Ale winę się na

Ewę niestety zrzuciło. To ona się uśmiechała, to ona nie nosiła czadoru, to ona prowokowała. A Adaś? Nie wykazał ani męskiej dojrzałości, ani opanowania. Napalonym burakiem był swoją drogą. Nawet wąż nie chciał z nim rozmawiać. Wolał rozmawiać z Ewą, bo inteligentniejszą istotą mu się wydawała. Nawet wąż wiedział to, co Ty synuś wiesz od dawna. Bo Ewa z raju jest nie tylko pierwszą kobietą. Ewa z raju jest pierwszą feministką. To ona podejmuje niezależną decyzję za całą ludzkość. Nie radzi się Ojca. Jest autonomiczna. Sięga po jabłko i wykonuje gigapstryk na całą wieczność. Sadownictwo jabłek oraz feminizm w tym momencie na stałe do historii świata wchodzą.

Czy Ewa była seksualnie napalona, czy tylko sprytnie wyczuła pragnienia Adama?

O to tak naprawdę trzeba by było węża zapytać. Wąż był samcem, więc z definicji skłamałby, że zwrócił się do kobiety, bo duchowo słabsza była. Czy to jest dowód, że Bóg był antyfeministą? Bóg może nie, ale Adam na pewno, gdy mówił „kobieta, którą mi dałeś". Czyli według Adasia to kobieta winna była. Bóg się z zarzutu tego chce jakoś usprawiedliwić. I wymyśla sobie nieprawdopodobnie piękne usprawiedliwienie w scenie, gdy syn jego Jezus pyta o niewinność wszystkich mężczyzn trzymających w dłoniach kamienie, gotowe do rzucenia w kobietę. Nikt jednak nie rzuca. To jest tak słodki kicz synuś, że nawet bezy stają się przy nim gorzkawe.

Ale to Biblia tylko. A ona w epoce zdominowanej przez kulturę patriarchalną powstała. Biblia jest seksistowska, bo czas jej tworzenia był seksistowski. I antykobiecymi tekstami emanuje. Na dodatek liczne apokryfy się pojawiały, które niekorzystny wizerunek kobiety jedynie utrwalały (w czasach późniejszych chętnie do nich Ojcowie Kościoła nawiązywali). Najbardziej znanym chyba apokryfem jest *Testament dwunastu patriarchów*, z którego czytelnik dowiaduje się, że to Anioł Boży patriarchę Rubena nauczał o tym, iż kobiety łatwiej niż mężczyźni stają się nierządne, a ich serca są zdradzieckimi zamachami na mężczyznę przepełnione. W efekcie polecenie strzeżenia zmysłów przed każdą kobietą się pojawiło.

To zły czas dla kobiet był. I jak tak patrzę na ziemię dzisiaj, to wielu mężczyzn chciałoby bardzo do czasu tego powrócić. I nasze Piekło także, bowiem patriarchat jako taki grzech niezwykle wzmacnia. I dlatego głos św. Pawła, gdy grzmi w Ewangelii „Żony niechaj będą poddane swym mężom, jak Panu, bo mąż jest głową żony...", mnie bardzo synuś swoją mocą uspokaja, bo Piekłu służy. Chociaż wewnętrznie, gdy to słyszę, przerażenie mnie ogarnia, bo kolega ewangelista Paweł z przydomkiem św. bredzi jak potłuczony. No bo jak nazwać to, co w liście, który między innymi traktował o zebraniach liturgicznych, napisał?

(Wydaje mi się, że to jeden z dwóch Listów do Koryntian – tak na 95% synuś).

Każda kobieta, modląc się lub prorokując z odkrytą głową, hańbi swoją głowę, gdyż wygląda tak, jak gdyby była ogolona. Jeżeli więc nie zakrywa głowy, niech ostrzyże włosy, a gdy to ją hańbi, niech okrywa głowę. Kobieta została stworzona z mężczyzny i dla mężczyzny, więc ze względu na porządek rytuału, winna w jego trakcie mieć na głowie nakrycie stanowiące znak poddania*.

Gdybym ja bowiem szefem korporacji Jezus & Co. była, tobym Pawła świętego z roboty wyrzuciła, na zapisany w kodeksie pracy czasookres wypowiedzenia nie bacząc. Bo wbrew szefostwu, z Jezusem na czele, występował. I wywalając z roboty Pawła, wyrzuciłabym przy okazji i świętego Hieronima, i świętego Augustyna. Bo to teolodzy nienawiści do kobiet byli i kobiet poddaństwa doktrynę z lubością szerzyli. Wyrzucenie tych facetów na bruk nie byłoby dla Kościoła problemem żadnym, bowiem cała ta instytucja Koreę Północną mi synuś mocno przypomina. Kościół demokracji się boi jak diabeł wody święconej. I słuszność diabeł posiada, bo tyle złośliwych bakterii, ile jest w wodzie święconej,

---

* *Nowy Testament, I List do Koryntian* (I Kor. 11:1-34).

to nie ma nawet w Gangesie po spuszczeniu do niego wszystkich fekaliów z Bombaju. Kościół praw człowieka się boi, równości się boi i związków zawodowych boi się tym bardziej. Dlatego ani za Pawłem, ani za Augustynem, ani za Hieronimem żaden związek łącznie z zawodowym by się synuś z pewnością nie wstawił. Bo w Kościele synuś – dajmy na ten przykład – „Solidarność" powstać by nie mogła nigdy. To w ogóle w rachubę by nie weszło. Wałęsa z długopisem ogromnym, co jakiś płot w Częstochowie przeskakuje?! No wybacz synuś, ale to surrealizmem takim zalatuje, że nos dwoma palcami trzeba by zatykać. Żaden episkopat by tego nie łyknął. Na drugi dzień czołgi z Watykanu do Częstochowy by wjechały pod sztandarami pięknymi przy akompaniamencie niebiańskich orkiestr i z lufami poświęconymi wodą z Lourdes.

W tym wypadku milczenie związku jakiegokolwiek słusznym mi się by wydało. Bo ci trzej macho do potęgi swoimi tezami, jako ewangelie głoszonymi, kobiety tłamsili. A Kościół głowę jak Struś Pędziwiatr w piasek schował i udawał, że nie słyszy i nie widzi. Kobiety? Owszem. Jak najbardziej. Jest tam miejsce dla nich. Dla ich geniuszu i pracowitych rąk. A kto wypełni ławy świątyń każdej niedzieli? A kto nauczy dzieci modlitwy wieczornej? A kto wypierze i wyprasuje szaty liturgiczne kapłana? A kto ozdobi ołtarz kwiatami przed Wielkanocą? A kto wyszoruje posadzki kościoła i pościera kurze? A kto – jak wrednie i okrutnie wyartykułował to mały wykorzystany wielokrotnie chłopiec z Irlandii, który rzucając się pod pociąg, zabił się, zanim dorósł, i jest u nas w Piekle – „zrobi laskę" kapłanowi? Kobieta oczywiście. Chociaż tego akurat to nie byłabym taka synuś pewna. Może jestem niesprawiedliwa w tym wypadku, ale preferencje seksualne kapłanów są raczej – nie tylko mnie – ogólnie znane. Kobiety więc tak. Ale tylko w tym kontekście.

Ale to nie są, synuś, poglądy Jezusa Chrystusa Nazareńskiego.

To są poglądy jego pracowników. Niejakich Pawłów, Hieronimów i Augustynów, ubranych dzisiaj w habity i słuchających spowiedzi maltretowanych kobiet, które pocieszenia potrzebują. A co zamiast tego usłyszą w ciszy konfesjonału? „Daj mu jeszcze jedną szansę", „Rodzina to świętość, zachowaj ją", „Jak cię bije, to znaczy, że kocha". I módl się, siostro, bo twoje poniżenie powinno zwalczać się modlitwą i w niej pocieszenie znajdziesz. Ale tego Jezus przecież nie chciał! Bo JCN był rzecznikiem równości i jako taki mógłby być honorowym członkiem Partii Kobiet, która się w Polsce niespecjalnie udała. Bo gdy wsłuchać się w chrześcijaństwo szerzone przez JCN, to wysłucha się z niego miłość i równość. A to przecież na sztandarach feminizmu dumnie łopocze. To Jezus przecież rzecznikiem równości bywał. To On do nadstawiania policzka nawoływał, to On zamiast zemsty miłość proponował. To On był rewolucjonistą prawdziwym i obrońcą uciśnionych, czyli także kobiet. Jezus, moim zdaniem synuś, był feministą absolutnym. To Jezus był magicznie porywającym Ernesto Che Guevarą czasów swoich. I dlatego Che mnie synuś kręci i JCN mnie kręci. Ale Jezus bardziej, bo był bardziej przystojny i cygar nie palił. Poza tym nie lubię facetów w beretach.

Na marginesie synuś Ci dodam, iż to zestawienie Jezusa z Che raczej niefortunnie mi się nasunęło, ponieważ Che nie zawsze najlepiej o Jezusie się wyrażał. Pamiętam, jak dnia pewnego na www.wikicytaty.hell wyczytałam słowa Che, kiedy odurzony i zaślepiony swoim rewolucjonizmem rzekł sam osobiście, co w świat natychmiast poszło: „Gdyby sam Jezus stanął na mojej drodze, to ja – jak Nietzsche – nie wahałbym się rozdeptać go jak robaka". Słowa te w Piekle swój wydźwięk oczywisty mają, ponieważ zamysł zabicia Jezusa wyraziły, więc zdziwienia to nie wywołuje, ale do nienawiści zachęca. I na dodatek Bogu ducha winnego filozofa Nietzschego Fryderyka w to po nazwisku wplątuje. To, że Fryderyk jawnie chrześcijaństwo krytykował, wcale nie oznacza, że do zabicia Jezusa nawoływał. Tutaj synuś należy mocno i stanowczo w obronie Nietzschego stanąć. Wyrwało mu się wprawdzie kiedyś to słynne zdanie Gott ist tot, co na polski jako „Bóg nie żyje" przetłumaczyć należy, ale wyraźnie Guevara Ernesto Che niepoprawnie je zinterpretował i mocno sobie prawdę

244

w kierunku tezy swojej nienawistnej nagiął, na gamoństwo nie-
oczytanych maluczkich licząc. Bo w zamyśle Nietzschego o co
innego zupełnie chodziło, co też wyraźnie w książce swojej o tytule *Wiedza radosna* wyłożył słowami swoimi osobistymi:

> *Bóg umarł! Bóg nie żyje! Myśmy go zabili! Jakże się pocie-*
> *szymy, mordercy nad mordercami? Najświętsze i najmożniejsze,*
> *co świat dotąd posiadał, krwią spłynęło pod naszymi nożami –*
> *kto zetrze z nas tę krew? Jakaż woda obmyć by nas mogła?*
> *Jakież uroczystości pokutne, jakież igrzyska święte będziem mu-*
> *sieli wynaleźć? Nie jestże wielkość tego czynu za wielka dla*
> *nas? Czyż nie musimy sami stać się bogami, by tylko zdawać*
> *się jego godnymi?*.*

Jak sam synuś wyczytać potrafisz, Fryderykowi N. głównie
o śmierć Boga w ludzkości chodziło, a nie o Bożą śmierć jako
taką, więc niech się raczej Che opanuje. Mnie się synuś wydaje,
że Ernesto Che z męskiej zazdrości to powiedział, bo ostatnio
widuje się go w Piekle, jak się z niewiastą o nazwisku Lou
Andreas-Salomé nieskromnie prowadza, nie bacząc na to, że
Nietzschemu to dotkliwy ból sprawiać może. Nietzsche bowiem
Lou von Salomé (gdy ją w roku 1882 w Rzymie poznał, to ciągle

---

* Fryderyk Nietzsche, *Wiedza radosna*, przeł. Leopold Staff, Koszalin 2007, s. 70.

panienką była) kochał szczerze i sercem całym swoim, ślub z nią planując. Na co ona niestety nie przystała, pozostawiając Fryderyka w rozpaczy ogromnej, z powodu której, nie dając sobie rady z cierpieniem, opium się znieczulał.

Gdy tylko Che Guevara z Lou na bankiecie jakimś w Piekle razem się pojawią, to całą chmarę mężczyzn o sercach i mózgach niezwykłych jak muchy do miodu ciągnie. Kogo tam synuś na własne oczy zobaczyć byś okazję miał! Zawsze jak dobry duch pojawia się wówczas pastor Gilliot, który Lou teologii, filozofii, literatury francuskiej i niemieckiej uczył. Dwadzieścia pięć lat starszy od Lou był, ale zakochał się w niej jak młokos jakiś i żonę swoją długoletnią dla uczennicy von Salomé porzucić zaplanował, o rozwód małżonkę swoją prosząc. Lou przed jego zakusami aż do Zurychu uciekać musiała. Gilliot dlatego raczej z boku się trzyma, udzielając miejsca innym dżentelmenom, o których w szkołach wyższych nauczają. Aktor i pisarz niemiecki Wedekind Frank łapczywie na Lou spogląda, August Strindberg ze Sztokholmu ekspresjonistycznie się do Lou uśmiecha (jak byś ten uśmiech synuś zobaczył, to z zarzutu mizoginizmu sam byś go natychmiast oczyścił), a Freud Zygmunt to oczu swoich rozmarzonych od Lou oderwać nie może i ją nieustannie w mniemaniu moim chyba anal-izuje (wybacz synuś wulgarność), chociaż oficjalnie związek Zygmunta F. z Lou S. rzekomo jedynie platoniczny był. Ale widok naprawdę pyszny Rainer Maria

Rilke sobą przedstawia. Tyle cierpienia, ile ja w oczach Rilkego, gdy na Lou z bólem spogląda, dostrzegłam, to żaden z jego najsmutniejszych poematów opisać by w stanie nie był. Ten smutek w jego oczach taki do cna rosyjski jest, a sam synuś wiesz po wschodnich podróżach swoich, że nie ma nic smutniejszego na świecie niż rosyjski smutek, szczególnie gdy go samogonem podlać. Rilke się mi wtedy niemieckim Jesieninem objawia, tyle że mało w twarzy jego słowiańskich rysów dostrzegam. Rosję, Rilkego i Salomé wiele połączyło, intymnych części ciała z tego nie wykluczając. To dla rosyjskich korzeni rodziny von Salomé trudnego języka rosyjskiego się Rainer Maria w znoju wyuczył, aby Turgieniewa i Tołstoja w oryginale czytać. To w Kijowie podczas z nią wspólnie przedsięwziętej podróży najpewniej pierwszy raz jej ciała dotykał (nie bacząc, że mężatką była), i to po wizycie w Kijowie. Rilke z powodu miłości do Lou dosłownie zwariował, co niekontrolowanymi i długotrwałymi atakami spazmatycznego płaczu się objawiło, na które to nawet opium nie pomagało.

Tobie synuś Rilke Rainer Maria przez poezję swoją bliski jest, o czym dokładnie wiem, ponieważ z woli swojej własnej wierszy jego na pamięć się wyuczyłeś. Radość Twoją także pamiętam, kiedy to bliska sercu Twojemu niewiasta małą książeczkę troskliwie w antykwariacie wyszukaną, z listami Rilkego do Salomé, Ci podarowała, własną dłonią dedykację Ci w nią wpisując.

Widzisz synuś sam, jak mnie ku dygresjom wszelakim i dłuższym coraz bardziej nosi, gdy tylko z Tobą porozmawiać na Fejsie pragnę. Tyle Ci powiedzieć chcę, bo mi za życia na te rozmowy czasu brakło, więc teraz po śmierci pragnę to – technologię nowoczesną wykorzystując – jak najszybciej nadrobić. Uwielbiałam z Tobą synuś rozmawiać za życia i po śmierci mojej nic się w tym kontekście nie zmieniło. Nawet większą tęsknotę za tym odczuwam. Na takim głodzie rozmowy z Tobą czasami się znajduję, że aż mi w mózgu burczy, jakby to właśnie tam z brzucha motyle się moje wszystkie przeniosły. I gdy tak sobie myślę czasami – rozczulona tęsknotami moimi – że gdy się tu pojawisz, to nawet na całowanie Ciebie czasu nie będę chciała tracić, aby mieć go na rozmawianie więcej. A to piekielnie absurdalne jest, bo czego jak czego, ale czasu tu będziemy mieli przecież pod dostatkiem. Stąd do wieczności go będzie. Sam tego bogactwa czasu tutaj w Piekle synuś zaznasz i wiem, że Cię to w fazie początkowej uraduje, ponieważ czasu posiadanie jest ostatnio marzeniem Twoim największym. I dlatego czasami się tak zastanawiam, dlaczego sobie tego marzenia nie spełnisz. Chociaż raz na jakiś czas. Dlaczego w zadyszkę tych wszystkich projektów wpadasz i rano, zanim ptaki ćwierkać zaczną, się budzisz i zlany potem zimnym z przerażenia jesteś, nie wiedząc, czemu swoje myśli podarować? To synuś ku zagubieniu i wypaleniu Twojemu prowadzi. Opanuj się Nusza. Nie można żyć kilku żyć naraz, podczas gdy Ziemia na jedno okrążenie Słońca nieustannie i odwiecznie tylko dwudziestu czterech godzin potrzebuje. Gdybym tylko mogła, to do Boga podanie bym słowami ozdobnymi napisała, aby prędkość Ziemi dla Ciebie spowolnił, dobę w ten sposób wydłużając. Ale On zajęty innymi chyba wszechświatami obecnie od tysięcy lat jest i podań z Ziemi nawet nie czyta, więc co dopiero tych od polskiej grzesznicy z Piekła. Dlatego takie podanie sensu większego nie ma, chociaż intencja moja z troski o Ciebie matczynej wynika. Ty nie tylko czasu dla siebie nie masz. I to jeszcze pojąć bym w sensie pewnym mogła. Ale Ty synuś pensum czasu dla bliskich i kochających Cię ludzi nie przewidujesz zupełnie. I to mi się synuś jako egoizm Twój ogromny przejawia. Gdy na ten przykład niewiastę bliską mózgowi i ciału swemu spotykasz, to w dylemacie nieustannym męczarnie przeżywasz. Bo z jednej strony chciałbyś jej życie swoje w szczegółach wszelkich opowiadać i o jej życiu historii ciekawych wysłuchać, a ze strony drugiej silne, męskie, hormonami sterowane pragnienie zmysłowe odczuwasz i wolałbyś, aby ona wargami swoimi usta Twoje pokryła i mówić Ci nie pozwoliła, chyba że jedynie czułości piękne jakieś. W tym momencie Leona mi bardzo przypominasz. Bo Leonowi także się zdarzało za dużo mówić, a za mało całować. Ale to Ci synuś tak na marginesie ku ostrzeżeniu i z troski o niewiastę Twoją przekazałam i teraz do wątku głównego, jeśli pozwolisz, powrócę.

Ja tam synuś sobie myślę, że JP2 z JCN często w Niebie z kielichami dobrego mszalnego wina z winnic w okolicach Jerozolimy zasiadają i w obecności Boga o kobietach dyskutują. To mi jakoś tak pasuje do nich obu. JCN trochę zazdrosny o kult JP2 w Polsce jest, ale zrozumienie wykazuje, bo co jak co, ale polskiego obywatelstwa i paszportu nie posiadał, więc co zrobić może. I Jezus pyta wtedy Wojtyłę, dlaczego tak mało dla kobiet uczynił. A Wojtyła się z nim zgodzić nie potrafi, ponieważ przecież w czerwcu roku 1995 słynny *List do kobiet*, co na włoski jako *A Ciascuna di Voi* się tłumaczy, własnoręcznie napisał. Ja tam ten list synuś czytałam i się przy nim do łez rzewnych wzruszyłam. Dlatego po stronie Wojtyły Karola w dyskusji z Jezusem Chrystusem stoję. Bo żaden inny dyrektor z Watykanu nigdy przed JP2 tak pięknie o kobietach nie pisał. Co prawda, to prawda.

Jeden wprawdzie próbował, a to jeszcze przed wojną, w roku 1930 było. To jakiś Pius był, ale za diabła sobie jego numeru przypomnieć nie mogę, bo takich Piusów kilku było, więc sobie to synuś sam w czasie wolnym wygoogluj. Pius ów w roku owym encyklikę wyprodukował, co jako encyklika o małżeństwie chrześcijańskim z ładnie po łacinie brzmiącą nazwą *Casti connubii* odnotowana została. I on tam intensywnie emancypację kobiet potępiał. Sama byłam ciekawa, co się temu Piusowi z emancypacją kojarzyć w roku 1930 mogło. Dlatego do źródeł naszych archiwalnych i skrupulatnych się osobiście pofatygowałam. I dech mi synuś na chwilę zaparło, gdy odpowiednie fragmenty przeczytałam i z tajemnego języka teologicznego sedno w końcu na wierzch wyłuskałam. Dech mi zaparło z powodu ataku śmiechu, który mnie w tym momencie naszedł. Pius o numerze mi nieznanym nad „wyzwoleniem płciowym" niewiast się z uwagą pochylił. Emancypacja najbardziej się mu z nadużywaniem przez kobiety prawa do odmowy pożycia kojarzyła. Krótko i węzłowato synuś mówiąc, kobietę według Piusa owego głowa boleć w żadnych okolicznościach nie ma prawa, bo to o groźnym zepsuciu wrogą ideą „wyzwolenia" w rozciągłości całej zaświadcza. No, synuś, sam się teraz ze mną głośno pośmiej. Ja tak lubię, jak Ty się śmiejesz. Masz wtedy takie śliczne błyski w oczach. A najlepiej sam się synuś z encykliką *Casti connubii* zapoznaj, szczególną uwagę zwracając na *Rozdział II: Poniżenie małżeństwa, nr 3. Przeciw wierności małżeńskiej.* W rozdziale owym taki oto soczysty kęs znajdziesz, który Ci tu synuś w małym tylko fragmencie zacytuję:

Emancypacja fizjologiczna polega na tym, że niewiasty, gdy tylko sobie tego życzą, wolne być mają od obowiązków małżonki, a więc małżeńskich i macierzyńskich (…). Gospodarcza emancypacja zaś dąży do tego, by żona bez wiedzy i wbrew woli męża swobodnie mogła zająć się interesami, prowadzić je i nimi *zarządzać, z uszczerbkiem oczywiście dla dzieci, męża i całej rodziny**.

I teraz sobie sam osobiście porównaj Piusa z JP2, który w swej encyklice *Evangelium vitae* z marca roku 1995, jeszcze przed owym pięknym *Listem do kobiet*, powiada:

> *W dziele kształtowania nowej kultury, sprzyjającej życiu, kobiety mają do odegrania rolę wyjątkową, a może i decydującą, w sferze myśli i działania: mają stawać się promotorkami „nowego feminizmu", który nie ulega pokusie naśladowania modeli „maskulinizmu", ale umie rozpoznać i wyrazić autentyczny geniusz kobiecy we wszystkich przejawach życia społecznego, działając na rzecz przezwyciężania wszelkich form dyskryminacji, przemocy i wyzysku***.

To też synuś w stosunku do kobiet przepięknym ukłonem Kościoła jest, ale mi tam osobiście *List do kobiet* bardziej na sercu leży. Ten list jest w Piekle na liście tekstów zakazanych i samo to już zaświadcza, że niebezpieczny był. Więc niech się JCN od

---

* Pius XI, Encyklika o małżeństwie chrześcijańskim *Casti connubii*, cyt. za: Jarosław Makowski, *Kobiety uczą Kościół*, Warszawa 2007, s. 9.

** Jan Paweł II, Encyklika *Evangelium vitae*, cyt. za: Jarosław Makowski, op. cit., s. 16.

naszego JP2 w sprawach feminizmu odczepi i degradacją Hieronimów i Augustynów, że Pawłów nie wspomnę, się raczej intensywnie w końcu zajmie.

I jak tak sobie Nuszka tych dwóch dżentelmenów przy kielichu w myślach moich wyobraziłam, to mi się samej wina zachciało, ponieważ mnie do alkoholu mocno ciągnie. Chyba alkoholiczką małych porcji jednak jestem, i to by się z moim CV zgadzało. Więc na wino do baru nocnego wpadłam – bo to noc była – i się do niewiasty pewnej przy stoliku siedzącej przysiadłam. Ona tak jak ja w Polsce umarła, stąd pewna bliskość oczywista między nami się wkrótce nawiązała. Jej biografia mi się interesującą wydała, bo niewiasta owa za życia swego mniszką była. W trakcie życia mniszki jednakże słabości uległa i w mężczyźnie z krwi, kości i spermy się zakochała, co na Sądzie Ostatecznym w całej okazałości na jaw wyszło. Bo ona nie zakochała się w wirtualnym Jezusie, ale w realnym Andrzeju Marcinie, co przystojnym ogromnie informatykiem z pewnej firmy w Wyrzysku niedaleko Bydgoszczy się okazał. Andrzej ów mocno w teorię Boga wierzył i w związku z tym na pielgrzymkę autobusem z Wyrzyska do Lichenia w okolicach Konina się za własne pieniądze udał. W Koninie autobus się na krótką przerwę zatrzymał, aby pielgrzymi mocz w spokoju oddać mogli. Po tej przerwie do autobusu, skierowana przez zakon w ramach służbowej delegacji, siostra Anna Maria wsiadła. I ponieważ jedyne wolne miejsce obok inżyniera Andrzeja Marcina w autobusie było, to się obok niego, chcąc nie chcąc, przysiadła. I to dla życia Anny Marii wydarzeniem tragicznym się okazało. Już w autobusie poczuła, że przysiadła się do mężczyzny, który nie tylko duszę posiada, ale także ciało, zapach i tajemnicę jakąś. I tam w tym autobusie ta tajemnica magiczna się jej wydawać rozpoczęła. Gdy w Licheniu z autobusu wysiedli, co wcale daleko od Konina nie jest, miała uczucie, że Andrzej Marcin drugą połową jej duszy jest i że to chyba sam Jezus jej go nastręczył. Oczywiście bała się tych myśli swoich, ponieważ nieczyste całkiem były. A tej nieczystości nijak przed Bogiem ukryć się przecież nie da. Dlatego myśli te odganiała z całej siły swojej, szatana nimi obwiniając. Tak czyniła przez godzin trzy, gdy sanktuarium w Licheniu z inżynierem Andrzejem Marcinem zwiedzali. Ale on jej w tym wcale nie pomagał. Nie bacząc na świętość jej habitu, w oczy jej spoglądał, na ciało habitem okryte patrzył i tak niby przypadkiem dłoń swoją do jej dłoni przybliżał, nieraz nawet ją przy tym dotykając. I wtedy takie prądy czuła, że aż strach się bać. I tak to w Licheniu, mniej więcej w połowie drogi w nawie głównej, od wejścia do ołtarza licząc, jej miłość do Andrzeja Marcina się poczęła. I to był początek miłości toksycznej, bo dla Anny Marii była to miłość pierwsza i czysta jak krystaliczna woda ze strumienia, do którego nikt nie dotarł, ale dla Andrzeja Marcina była to miłość przelotna i nieważna. Zakonnica w habicie z piersiami dużymi, tajemnicą niezwykłą otoczonymi, oczami błękitnymi jak niemowlę i czystość dziewiczo absolutną obiecująca była jak afrodyzjak. Takiego nigdy dotychczas nie zażywał i dlatego wszelkie kłamstwa wymyślał pod kopułą sanktuarium, aby tylko przychylność tych piersi i oczu zyskać. I zyskał. Tak mniej więcej miesiąc później w samochodzie marki Lanos, zaparkowanym w lesie przy drodze pomiędzy Wyrzyskiem i Bydgoszczą. Późnym wieczorem w tym lesie ciemnym błona Anny Marii pękła i tajemnica dla Andrzeja Marcina powab wszelki straciła. Nie będę Ci synuś tej historii w szczegółach do końca opowiadać, bo możesz to sobie sam doskonale wyobrazić. Anna Maria w każdym razie z rozpaczy w chorobę popadła i nie broniąc się przed słabością znienawidzonego przez nią ciała własnego, umarła. Bo pewnie jako zbezczeszczona tak sama chciała. Szczególnie po tym, gdy okazało się, że inżynier Andrzej Marcin żonę i dwójkę małych dzieci posiada. Taki kicz synuś może tylko życie napisać. Ten kicz przerasta nawet Licheń jako taki synuś. Ale pojechać tam powinieneś, aby na własne oczy sam się o tym katolickim Legolandzie przekonać. Dlatego nawet Anna Maria przy winie czerwonym tylko o tym napomknęła, bo wstyd ją przy szczegółach naszedł. Wstydziła się bowiem, że dla takiego zera umarła, i do tego z miłości wielkiej. Gdyby chociaż na katar umarła, to byłaby to śmierć bardziej godna. A ona na Andrzeja Marcina umarła. Jak na zaropiały syfilis jakiś. Dlatego ten temat w rozmowie przy winie tabu pozostał. Rozmawialiśmy synuś o jej życiu w zakonie. Przed jej sprzeniewierzeniem. Bo to we mnie ciekawość ogromną wzbudziło.

Zapytałam ją, czy w zakonie można kobietą pozostać.

I ona synuś pytanie moje nie do końca zrozumiała. Dopiero po pewnych wyjaśnieniach rzekła, że kobietą się od urodzenia jest. I to tożsamość naznacza, czyli sposób odczuwania i przeżywania. Gdyby bowiem tę kobiecą tożsamość straciła, to nigdy tragedii w Licheniu by nie przeżyła. W jej przypadku tożsamość owa się zgubną okazała, ale u jej sióstr z zakonu wcale tak się nie wydarza. Bo zakonnice tak jak wszystkie kobiety mają piersi, PMS, okres, włosy łonowe, łechtaczkę, wargi sromowe, uczucia macierzyńskie, piersi i raka piersi, upławy, nadżerki i fale gorąca podczas menopauzy. Ona w zakonie wcale nie czuła, że „za kratą" przebywa. Na basen popływać w bikini wprawdzie chodzić nie mogła, ale to dla niej wartości szczególnej nie stanowiło. Chociażby dlatego, że nie podobał się jej samej widok siebie w bikini, bo biodra ma za szerokie, a schudnąć za diabła nie mogła. Gdy na dietach była, to tylko piersi jej przy tym malały, a biodra zupełnie nie. Dlatego odpuściła.

Posłuszeństwo to nie bycie „za kratą". To wybór własny. Z woli wolnej. Podobnie jak wierność małżeńska, którą wybiera się z woli własnej i przecież nieprzymuszonej. Klasztor to nie jednostka wojskowa w koszarach zamknięta, jak niektórym wydawać się może. Tu kaprali, którzy przepędzają „kotów" z krzyżem na plecach po mokradłach, nie ma. Zamknięcie pokornych i posłusznych kobiet w jednym miejscu wcale zwiększonej pokusy budowania struktur opresyjnych nie powoduje. Z tego, co do niej spoza muru dociera, więcej opresji wydaje się w byle jakiej korporacji królować.

Poza tym bromu zamiast cukru tutaj siostrom także nikt w herbacie nie rozpuszcza. Podobnie jak konkursów tańca przy rurze dla nowicjuszek także nikt nie organizuje. To wcale nie tak. Za murem klasztorów pikanterii oraz sensacji ze świecą by szukać. Generalnie raczej nudą w klasztorach wieje.

Klasztor to zgromadzenie hierarchiczne, bo i sama religia z natury rzeczy jest przecież hierarchiczna w swoim uczuciu ostatecznej zależności od Boga. Ale przecież każda wielopokoleniowa rodzina z natury rzeczy jest hierarchiczna, co określone relacje podległości wytwarza. Przeorysza to nie Magda lub Meg. Jest raczej jak „babcia Magdalena", do której właśnie tak zwracają się nowicjuszki. Nowicjuszka obok to Katarzyna, czyli w skrócie Kasia. Do niej zwraca się po imieniu. To intymność wytwarza. Albo chociaż w tym kierunku podąża. Klasztorne życie zakonne, w naszej Polsce zwłaszcza, jakaś aura z gęstego dymu tajemnicy spowija, co niezdrowej i perwersyjnej czasami mitomanii sprzyja.

Klasztor może być miejscem bardzo intymnym.

To miejsce, gdzie także intymne wydarzenia się odbywają. Tutaj dzieje się i jawa, i sen. Tutaj śni się o Jezusie i tutaj się ze snami erotycznymi o mężczyznach walczy. Bo seksualność w klasztorze to także ważny aspekt istnienia. Eros ze snów nie chce dać się wyprosić. No i co z tego? Nie podniecają w klasztorze księża. Oni raczej mało kręcą, bo są jak koledzy z biura. To wprawdzie także mężczyźni, ale patrzy się na nich przez pryzmat wiary. A to pryzmat szczególny. Rozprasza światło inaczej, ale prawom optyki ciągle podlega. Czuje się do nich szacunek, ale sam fakt, że facet przyjął jakieś święcenia i w sukience po świecie chodzi, nie stanowi o tym, że kimś wyjątkowym jest. Kolega z pracy. Ot co. Chociaż im, kolegom z pracy, ciężko niekiedy z tym bywa. Spoufalają się czasami za bardzo. „Siostrzyczko" czasami, z tą charakterystyczną intonacją w głosie, szepczą. Ale to zignorować można i dystans wytworzyć. Ksiądz to przecież także tylko mężczyzna. Można na dystans go trzymać. Nie ma z mężczyznami u niej samej i u sióstr problemu. Z Jezusem Chrystusem także nie. Modlenie się do mężczyzny Jezusa Chrystusa inną zupełnie aurę posiada. Bo jest w nim przepiękna, czystością absolutną wypełniona świętość. Jezus, Bóg Wcielony, w swoim człowieczeństwie ludzką twarz posiada. Gdy na nią spogląda, to jest to spojrzenie człowieka. Mężczyzny. Ten fakt czyni dla niej relację z Jezusem łatwiejszą niż relację z Bogiem na ten przykład.

Majestat Boga grozę budzi. Bóg jest Tajemnicą straszliwą i fascynującą zarazem i to bliskości z Nim niestety nie wzmacnia. Bo Bóg całkowitego podporządkowania się władzy niewidzialnej wymaga. Bóg panowanie oznacza, władzę i powinność. Prezes zarządu i dyrektor naczelny wszechświata całego. To Pan, Król i wszechpotężny władca.

Nie można się za bardzo do kogoś przytulić, kto jest porażającym swoją wielkością monumentem. Przed monumentem można jedynie klęczeć, krzyżem leżeć, modlitwy odmawiać i zastanawiać się, dlaczego nieustannie swe odchody zostawiają na nim ptaki. Ona więc z Bogiem żadnej intymnej relacji raczej nie przeżywa. Ale z Jezusem jak najbardziej. Jezus jest dla niej metaforą mężczyzny. Oswojoną i przekształconą w realność przez swoje człowieczeństwo. I ona do niego, do JCN, należy. Bo jest czymś przecież naturalnym, dla kobiety, dać siebie mężczyźnie i do niego w całości należeć, prawda synuś? Obraz Chrystusa jako oblubieńca jest często jej bliski. Taki romantycznie romantyczny, bo i sam Goethe ustami Fausta oświadczył przecież, że „w dziedzinie religii uczucie jest wszystkim". Czy to perwersja więc myśleć o ślubie z Jezusem? Jeśli nie, to czy to perwersja myśleć o nocy poślubnej z Jezusem? A jeśli nawet to „nie", czy to perwersja myśleć o na jedną noc niepokalanym połączeniu się przy poczęciu córki z Jezusem? I potem w bólach łona i brzucha ją dumnie ojcu Jezusowi, dziadkowi Bogu i babci

Maryi urodzić? Ona sny takie i na ziemi miała, i do dzisiaj u nas w Piekle miewa.

Chciałaby mieć dziecko z Jezusem. Ponieważ jest w nim po uszy zakochana.

Świata poza nim nie widzi. I mu w pełni i duszą, i ciałem oraz myślami swoimi wszystkimi się oddaje, ale dotyku jego w zamian – mimo snów freudowskich – i pragnień swoich nie oczekuje. Oddaje się mężczyźnie Jezusowi w sposób niepokalany, nie czując przy tym ciała swojego. W momencie takim powleczenia z piersi, ust, włosów, ud, łona lub dłoni nie ma. Jest wyekstrahowanym z ciała bytem bez płci, „całkowicie oddanym swojemu duchowemu połączeniu z Panem". I tu koniec, synuś, cytatu się znajduje.

Byłaby zdziwiona i przerażona, gdyby Jezus nagle zechciał zejść z krzyża i ją rozebrać.

A ja zastanawiałam się, tak jej z uwagą słuchając, na jakich grzybach magicznych była, gdy tę ekstrakcję przeżywała. Nie potrafiłam się z nią utożsamić za diabła. Chociaż się synuś bardzo starałam. Nie mam jednak chyba odpowiedniego polimorfizmu na genie VMAT2. I Ty oraz Kaziczek też chyba go – z racji dziedziczenia – nie nabyliście. Bo Leon, nawet jeśli go miał przy urodzeniu, to mu się on musiał w Stutthofie z pewnością zmutować. Leon był z całą pewnością AA *positive*, gdy Was obydwu ze mną poczynał. I mnie tym wirusem z pewnością zainfekował.

I gdy tak sobie z siostrą Anną Marią, w lanosie przez informatyka z Wyrzyska zbezczeszczoną, wino czerwone piłam oraz jej chrystusowe jazdy pojąć postanowiłam, to przysiadł się do nas bez pytania o pozwolenie jakiś zabiedzony profesor, co go nawet na wino stać nie było i wodą z kranu w barze nocnym popijał. Powiem Ci synuś, że biedy tyle jest obecnie w Piekle, że ja naprawdę ku lewicowym poglądom się coraz bardziej skłaniam i za istotnym podniesieniem zapomóg obstaję. Bo to zażenowanie u mnie wywołuje, gdy w Piekle naszym profesora mądrego z tytułami na wino w barze nocnym nawet nie stać i jak jakieś zwierzę wodą musi popijać, do kobiet się przysiadając. Gdy ten profesor na zasiłku mówić rozpoczął, to mu czarę wina sama na swój koszt zamówiłam, aby tylko mówić broń Boże nie przestał. Bo ciekawie na temat kobiet, synuś, filozofów i różnych religii się wypowiadał, a słowami swoimi Annę Marię wyraźnie szokował, co mi, szczerze mówiąc, na rękę było, bo ta jej organiczna, z epizodu lanosa wyekstrahowana świętość, w kompleksy trochę mnie wpędziła. Nasz profesorek całą stertę argumentów niezwykłych i historycznych z mózgu swojego w trakcie picia wina wytoczył. Niektóre są naprawdę smaczne. Arystoteles na przykład powiadał, że kobieta jest nieudanym mężczyzną, Hezjod dodawał, że kwintesencją zła się okazała. Eurypides, mizogin jeden wredny, przeklęty, i niech mu ziemia nielekką będzie, pozwolił sobie zanotować, że „Śmierć mężczyzny to strata dla domu, a kobiety to rzecz mała". Potem profesorek szybko na judaizm przeszedł i ciarki silne i w odczuciu nieprzyjemne mnie w tym momencie przeszły. Pobożny Żyd w modlitwie bowiem osiemnaście błogosławieństw wypowiada, w każdym Bogu dziękując, że kobietą go nie stworzył. Z tego, co pamiętam, to już chyba tę modlitwę jakoś tak niedawno znieśli, ale wiele wieków jednakże wypowiadana była. I w tym momencie synuś drugą czarę wina profesorowi na swój drugi koszt zamówiłam. I słusznie postąpiłam, bo dopiero wtedy mówić zaczął! Ojca Kościoła niejakiego Tertuliana z pamięci i ksiąg przywołał, gdy ten testosteronowiec jeden przebrzydły na przełomie wieku drugiego i trzeciego, czyli długo po męce Chrystusa Nazareńskiego, pisał: „Z jaką łatwością przywiodłaś (że niby kobieta – dopisek I.W.) do zguby mężczyznę, stworzonego na obraz i podobieństwo Boga. Za twoje grzechy (małe „t" – dopisek I.W.) nawet Syn Boży umrzeć musiał. Ty jesteś komnatą diabła". A jego koleś, niejaki Klemens Aleksandryjski, bez zmrużenia oka dodawał: „Każdą kobietę powinna napawać obrzydzeniem sama myśl, że jest kobietą". I gdy te słowa padły, to Anna Maria wreszcie usteczka swoje śliczne rozwarła i z profesorem lekko już napitym w polemikę się wdała, uprzedzenie do Kościoła mu zarzucając, bowiem przywoływane przez niego odrażające teksty o kobietach z „dzieł polemicznych" rzekomo pochodzą. I że na przykład taki Tertulian, w rozumowaniu Anny Marii, jedynie efektownych, instrumentalnych argumentów użył i tak przeciwników sobie ustawił, aby ci z kretesem w polemice przepadli. Bo Tertulian w opinii Anny Marii prawdy nie poszukiwał i o nakazie ewangelicznym miłości bliźniego na zabój zapomniał. I że pan profesor swoiste polowanie na antykobiece tendencje, z kontekstu wyrwane, sobie tutaj przy winie urządził. A poza tym, i przy tym Anna Maria mocno obstawała, profesor do czasów bardzo odległych się odwołał, a w czasach bardzo odległych bardzo odległe standardy królowały i porównywanie ich ze standardami wieku dwudziestego pierwszego większego sensu raczej nie ma. Z tym oczywiście zgodzić się synuś musiałam, ale niesmak pomimo to pozostał. Profesor tylko niechętnie głową przytaknął, ale jak to profesor mądrość swoją ponad mądrość zakonnicy zwykłej, co nawet magistra nie ma, przedkładał i się Annie Marii przykładem rozmowy Jezusa z Samarytanką odciąć postanowił. W scenie, co fragment filmu stanowić by mogła, uczniowie Jezusa pytają oburzeni: „Jak on mógł z obcą kobietą rozmawiać?". Jan Święty ewangelista dokładnie to na scenopis rozpisał. W Ewangelii jego kobieta owa była „obca" Jezusowi. I niestety takie mniemanie, że Jezus kobiety jako „obce" traktuje, w świecie się rozprzestrzeniło, czym profesor chciał nosa Annie Marii utrzeć. Ale się mu nie udało, ponieważ Anna Maria nie tylko w Biblii, ale i w jej interpretacji biegła była. Samarytanka „obcą" była, ponieważ z ludu, którego Żydzi nienawidzili (wiele ludów bowiem Żydzi mają powody nienawidzić, z racji różnych do dzisiaj zresztą), była. Czyli motyw zachowania Jezusa był raczej polityczny, a nie antyfeministyczny. Zdaniem Anny Marii, i moim zresztą także. Mniszka Anna Maria rozwinęła tę myśl, Jezusem ciągle jak nastolatka oczarowana, w wypowiedź dłuższą, oczywiście informując profesora, że „kobiety podążały za Jezusem, bo męża Bożego w nim widziały, który dobro czyni, miłość rozgłasza, chorych uzdrawia, strapionych pociesza, nie bacząc, czy to mężczyzna, czy kobieta jest, po prostu z miłością i szacunkiem je niezwykłym traktuje, wszelkie nieczyste podteksty przy tym zapominając. I to w czasach, gdy hierarchiczne społeczeństwo istniało, a w hierarchii owej kobiety na najniższym szczeblu, porównywalnym ze szczeblem niewolnika, przebywały, co wyraźnie Dekalog w przykazaniu dziewiątym potwierdził, zrównując kobietę ze służebnicą, wołem, osłem i rzeczą, która jego jest". Tak się Anna Maria wypowiedziała i w tym momencie profesor się bardzo intelektualnie podniecił, przywołując wypowiedź św. Tomasza, który swego czasu orzekł, iż kobieta jest „jedynie pomocą w płodzeniu", czyli tak naprawdę funkcję inkubatora wypełnia. Tomasz ów święty pod wpływem twierdzeń z ksiąg antycznych filozofów się znajdował i z ich zapisów wyczytał, iż jedynie sperma jest czynnikiem sprawczym (od ojca forma pochodzi – czyli dusza), a niewiasta dostarcza swoją macicą jedynie środowiska (od matki wyłącznie materia pochodzi) i to sprawia, że kobietę trzeba traktować jako „naturalną deformację". Tak mówił na przykład Arystoteles w *Traktacie o rodzeniu się zwierząt*. Pewien cytat z tego bajdurzenia Arystotelesa mnie mocno zbulwersował – że to delikatnie nazwę – i złość we mnie dużą wzbudził. Pozwól, że Ci go synuś przytoczę:

Jeżeli bowiem ruch (akt) pochodny od mężczyzny w całości opanuje materię kobiety, zrodzi ona dziecko z pełnią cech pochodzących od ojca. Jeżeli nie, jego niezdolność przejdzie na potomstwo i urodzi się jego przeciwieństwo, czyli dziewczynka. Pierwsze odchylenie od normy pojawia się wtedy, gdy zamiast mężczyzny rodzi się kobieta. Tym samym kobietę trzeba uważać za rodzaj naturalnej deformacji[*].

Niektóre rzeczy nieliczne w tym antycznym bełkocie się nawet synuś biologicznie, jak sam wiesz, zgadzają, ale etycznie i antropologicznie za diabła nie. Ja swojej macicy, gdy Ty się z powodu wytryśniętej przez Leona spermy tam znalazłeś, jako „środowiska" nie traktowałam. Ona, to znaczy macica moja własna, tak samo

---

[*] Arystoteles, *Traktat o rodzeniu się zwierząt*, przeł. Paweł Siwek, Warszawa 1979, s. 48.

jak plemniki Leona równoprawnie sprawcza była. Ja synuś, z moją trójkrotnie skalpelami pokrojoną macicą włącznie, żadnym naczyniem dla spermy Leona nigdy nie byłam! To ja w ciele swoim narodziny nowego życia spowodowałam, a to misterium jest najdoskonalsze. Współudział mężczyzny, z Leonem włącznie, w tym misterium to kilka mililitrów ejakulatu, który mu się – bez woli jego, bo to odruch bezwarunkowy jak serca bicie – w jądrach i tak gromadzi. To w „imię matki rozpoczyna się życie", jak Erri de Luca pisze (jego książki koniecznie synuś przeczytaj!). „W imię Ojca i Syna" rozpoczyna się jedynie modlitwa.

I niech sobie Tomasz Święty, przemądrzały plagiator antycznych teorii, myśli, co chce. Mam to gdzieś. A pan filozof Arystoteles mi się synuś przez to zdewaluował potwornie. Greka udaje, chociaż nie musiał, bowiem Grekiem był. Dziewczynka jako „niezdolność ojca"! Dziewczynka jako „odchylenie od normy"! Jak powiedziałaby głośno i dobitnie w tym momencie babcia Twoja Marta: „Boże, słyszysz to i nie grzmisz". A potem przeklęłaby po niemiecku siarczyście, abyście Wy, to znaczy Kaziczek i Ty, nie do końca zrozumieli.

Ale nawet w tej funkcji inkubatora kobiecość poniżana jest, bowiem zarówno judaizm, jak i chrześcijaństwo wyraźne przekonanie żywiły i publicznie je propagowały, iż po urodzeniu dziewczynki matka nie ma prawa wchodzić do świątyni przez czterdzieści tygodni, a po urodzeniu chłopca tylko przez dwadzieścia. Bo zdaniem hierarchicznego społeczeństwa, wyrażonym ustami kapłanów, po wydaniu na świat dziewczynki kobieta jest bardziej nieczysta niż po urodzeniu chłopca. I to o całe sto procent, mierząc liczbami tygodni trwania owej rzekomej „nieczystości". Poza tym w chrześcijaństwie średniowiecznym, na ten przykład, Kościół surowo zabraniał też stosunków seksualnych w czasie ciąży, a potem jak urodził się chłopiec, to o trzydzieści dni ten zakaz przedłużał, ale jak urodziła się dziewczynka, to o czterdzieści. Mężczyzna, który dziewczynkę spłodził, był karany dłuższą seksualną abstynencją. Bo pewnie się od normy biedaczek odchylił i powinien to spokojnie przez dni dziesięć przemyśleć. Ale to synuś nie wszystko jeszcze jest, bo cofając się dalej trochę na skali istnienia, z makabrycznymi praktykami zetknąć się można. W czasach antycznych narodzinom każdego dziecka powszechna radość towarzyszyła. Jeżeli urodził się chłopiec, to drzwi domu przyozdabiane gałązkami oliwnymi były. Kiedy urodziła się dziewczynka, na drzwiach przedmioty, które odstraszały złe duchy, umieszczano. Jednak same urodziny wcale o życiu dziecka nie przesądzały. Decyzję o tym ojciec podejmował. W piątym lub siódmym dniu po narodzeniu zgodnie z tradycją ojciec do gynaikeionu wchodził, aby niemowlę do góry podnieść. Był to znak, że dziecko za członka rodziny uznane zostało. Jeżeli jednak nie uczynił tego, wówczas dziecko na śmierć skazywano – wyrzucane było po prostu na śmietnik lub wystawiane w glinianym naczyniu, które stawało się grobem jego. Chłopców przeważnie uznawano. Umierały dziewczynki. Chińska polityka demograficzna, synuś, eliminująca dziewczynki z sal porodowych, wydaje się przy tym ekstrawagancko delikatnym i subtelnym zboczeniem. Sam synuś przyznasz, prawda?

Idąc za odwiecznym zewem darwinowskiej ewolucji, przedłuża niewiasta gatunek w akcie nakazywanego przez kapłanów obowiązku prokreacyjnego. W trakcie bolesnego i krwawego procesu rodzenia wydaje na świat prawdopodobnie kolejnego wyznawcę oraz sługę bożego i następnie od pierwszej godziny połogu swojego staje się lekko „przybrudzona", że tego tutaj synuś eufemizmu użyję. Gdy urodzi ciałko z prąciem, to „przybrudzona" jest o połowę mniej, niż gdy urodzi ciałko z pochwą. No coś takiego?! Trzeba być megaantykobiecym, aby na taki pomysł wpaść, niezależnie od tego, jakie wytłumaczenie z ust teologów by padło, aby ten seksizm jawny i absurd oślepiający jakimś zgrabnie wymyślonym argumentem wyjaśnić. I dlatego ja tam, synuś, w tym momencie własnym uszom wierzyć przestałam, bo mi się ta informacja po prostu do żadnych synaps w mózgu podłączyć nie potrafiła. No nie miałam na to synuś żadnych wolnych receptorów. Ale profesorek na wszelkie świętości przysięgał, że to prawda czysta z ksiąg mądrych wynikająca jest, i on wcale pod wpływem wina czerwonego – przeze mnie zapłaconego – nie bajdurzy.

A ja wtedy, przyznam się, że trochę także pod wpływem wina, się zamyśliłam i wspomnieniami swoimi jeszcze bardziej odurzyłam. Przypomniałam sobie, jak ja osobiście Tobą Nuszku gatunek ludzki w sierpniu 1954 roku przedłużałam. To letnia upalna środa była. Na wolnym od tygodnia byłam, bo jako ciężarna nieużyteczna dla handlu detalicznego w branży spożywczej się stałam. Żadnych skrzynek z piwem na ten przykład unieść nie mogłam. Ani skrzynek z denaturatem lub worków z ziemniakami. Ani nawet beczki z kiszoną kapustą lub śledziami przetoczyć w stanie nie byłam.

Rano tej sierpniowej środy przeczucie silne miałam, że to dzisiaj się stanie. Że to dzisiaj właśnie Cię synuś na świat wydam. Leon w pracy był. Babcia Kaziczkiem się płaczącym zajmowała, a ja opasła brzemiennością swoją czułam, że lada chwila eksplodować mogę. Jak przed Wielkim Wybuchem się czułam. Więc w kuchni wodę na kuchence węglowej zagotowałam, w miednicy emaliowanej się obmyłam i eleganckie majtki oraz halkę czystą ubrałam. Piersi takie ogromne miałam, że żaden biustonosz, bólu nie sprawiając, mi nie pasował, więc piersi luzem zostawiłam. I babci Marcie w pełnym przekonaniu powiedziałam, że „to dzisiaj będzie". Ona mnie najpierw przytulała, potem ważne czułości szeptała, a na końcu krzyż na drogę na czole moim zrobiła, drzwi mi otworzyła i długo na progu kamienicy stała i na mnie patrzyła. Spacerem sobie do szpitala na ulicy Przedzamcze poszłam.

To nie jest aż tak daleko z przedmieścia Mokre w Toruniu. Mniej niż ze trzy i pół kilometra, gdyby na skróty iść. Autobusem jechać nie chciałam, bo na ulicach głębokie wyrwy były i bałam się, że Cię synuś na jakiejś dziurze na brudną podłogę autobusu upuszczę. Gorąco tego dnia było, więc mocno spocona do szpitala dotarłam. Tam dowód osobisty pokazałam i na salę porodową się udałam. Trzy niewiasty tam głośno w bólach krzyczały, ale mi się to nie udzieliło. Bo jakiś taki dziwny spokój synuś czułam. Spokojnie na łóżku się ułożyłam i o Leonie myślałam. I wiedziałam, że on tam w tej karetce też o mnie myśli od rana samego. I o Tobie także myśli. Potem lekarz stary z wąsami i w okularach brzuch mój obejrzał i o historię brzucha mojego długo wypytywał. Po prawej stronie, tam gdzie wyrostek, Halinkę, siostrę Twoją przyrodnią, mi wycięli. W środku nad łonem wycięli ze mnie Kaziczka. Została Ci synuś strona lewa, bo jak się okazało – co ja wiedziałam – urodzić tak normalnie przez wypchnięcie Cię na świat przez łono nie mogę ze względów kobiecych. Z tego powodu na salę operacyjną mnie wraz z łóżkiem na kółkach, co okropnie piszczały – ponieważ nienaoliwione były – przepchnęli. „Cesarska" byłam, co komplikacje w szpitalu wprowadza, ale za to żadnych krzyków innych kobiet słuchać nie musiałam. Narkozą pełną mnie szybko uśpili i potem bez wiedzy mojej Ciebie synuś mi z macicy wykroili, i rozcięcie zszyli. Dlatego nie zobaczyłam, jak pierwszy swój oddech wykonałeś. Bo w narkozie byłam i Cię we śnie chemicznym bez snów urodziłam. Nie urodziłam tak naprawdę. Wyjęli Cię ze mnie, synuś. Jak ruską małą babę z większej ruskiej baby. Liczyłam na to, że dziewczynką będziesz. Bardzo liczyłam. Bo Leon po Kaziczku dziewczynkę chciał mieć. I ja bardzo chciałam dziewczynkę mieć. I babcia Marta chciała dziewczynkę mieć. Ale z Tobą się nie udało, bowiem chłopcem się okazałeś.

Od urodzenia „niekażdy" byłeś. Jakiś taki monstrualnie „niekażdy". Najbrzydszy chyba w tym szpitalu całym. Jeśli nie najbrzydszy, to na pewno najcięższy. Gdy rodzi się dziecko, co 6100 gramów waży, to w sposób naturalny sensację w szpitalu wywołuje. Słuszną i dużą sensację. A ze mnie wycięto 6100 gramów Ciebie. Miałeś synuś naprawdę dobre wejście. Historyczne, rzekłabym. Dzisiaj – bez wątpienia wszelkiego – byłbyś meganiusem na każdym portalu w sieci w dziale ciekawostki przyrodnicze i pod tytułem *Monstrualne dziecko w grodzie Kopernika. Zobacz zdjęcia.* Tego niusa umieściliby, na częste klikanie licząc, co na sprzedaż reklam natychmiast się oczywiście przekłada.

Może się teraz powtórzę, ale chcę Ci to jeszcze raz napisać. Matki często w dzieci mniemaniu się powtarzają. Gdy mi Cię z brzucha wycięli, to ponad osiem kilo schudłam, na co głównie Ty oraz wody płodowe, chociaż raczej nieznacznie, się składały. Byłeś synuś moją najbardziej skuteczną dietą. Nigdy potem w życiu moim nie udało mi się tak schudnąć. Myślę, że ojcu Twojemu na początku, przez czas krótki nie podobałeś się wcale. Bo brzydki bardzo byłeś przez ogromność i nieproporcjonalność swoją. Ale gdy moje pocałunki na główce Twojej zaobserwował, to się pogodził, że całkiem łysego yeti jakiegoś z nasienia jego się wywodzącego urodziłam. I że to jego od dzisiaj ukochany yeti do końca świata będzie.

Babcia Marta natomiast duży szok przeżyła. Gdy do szpitala dnia następnego ubrana odświętnie, jak na pogrzeb sąsiadki, tramwajem przyjechała i jej Ciebie w pieluchę owiniętego przez szybę szklaną pokazano, to się Ciebie w chwili pierwszej stanowczo wyparła i awanturować się z salową zaczęła, o pomyłkę jakąś ją oskarżając. Uwierzyć po prostu nie mogła, że jej wnuk tak okropnie brzydki jest. Brzydszy i bardziej łysy od tego „tłustego, świńskiego partyjnego pijaka" z drugiego piętra w kamienicy sąsiedniej. Ale gdy ja słowem honoru swojego zaświadczyłam, że Ty naprawdę moim synem, a jej wnukiem od wczoraj jesteś, to się natychmiast z brzydotą Twoją z momentu na moment pogodziła i w kamienicy, od piętra do piętra chodząc, dnia następnego opowiadała, że „Irenka ślicznego, silnego i dużego syna jak rycerz urodziła". I to z ogromnym przekonaniem opowiadała.

Leon od pierwszej chwili „Leonkiem" nazywać Cię zaczął, co mi w smak wcale nie było. Po pierwsze nigdy tego ze mną nie uzgodnił, a po drugie ja Leona już jednego kochanego przecież miałam i drugiego nie chciałam. Nawet w osobie Twojej synuś. Poza tym ja jego zwodniczy plan przedłużania rodu Leonów Wiśniewskich natychmiast rozszyfrowałam. Ojciec Leona był Leon, dziadek Leona był Leon, dziadek dziadka Leona również. No ile synuś na miłość boską można? Poza tym z duchem czasu iść trzeba, a w pięćdziesiątym czwartym Leon jako imię – chociaż bliskie mi bardzo – raczej na czasie nie było i Polską sanacyjną lekko trąciło. A ja Ciebie jakimś nowoczesnym imieniem nazywać chciałam. I na pomysł Janusza wpadłam. Leon się trochę dąsał, bo już przy Kaziczku mu się zamysłu swojego w życie wprowadzić nie udało, dlatego na kompromis z nim poszłam i Leon jako imię Twoje drugie zaakceptowałam, ale po długich jego prośbach dopiero. I wielu pocałunkach. Bo Leon wiedział, że pocałunkami swoimi mnie do prawie wszystkiego namówić potrafi.

I takie oto rozczulające wspomnienie na temat momentu narodzin Twoich rozmowa teologiczna pomiędzy biedującym profesorkiem na zasiłku i grzeszną zakonnicą Anną Marią we mnie wzbudziła, i do profesora od razu znacznie większą sympatię poczułam. W czasie gdy ja wspominaniu się oddawałam, a to jakiś czas trwało, bo ja lubię sobie powoli i ze szczegółami swoje ziemskie życie odtwarzać, Anna Maria krzesło swoje bardziej do krzesła profesora zbliżyła i w oczy mu powłóczyście spoglądała. I ja od razu odkryłam, że w tym spojrzeniu nie tylko podziw dla mądrości profesorka się znajduje. Więc się w tej sytuacji z krzesłem swoim także do stołu bliżej przysunęłam, aby czegoś ważnego w ich budującej się relacji przypadkiem nie uronić. Bo gdy wiekiem dojrzały, wykształcony, całkiem przystojny teolog z w powołaniu nieortodoksyjną zakonnicą wino razem piją i kolanami pod stołem się nieomal dotykają, to nie przypatrywać się temu z bliska grzechem by poważnym było.

Rozmowa ich w międzyczasie na zjawisku przebaczenia się skupiała, co i mnie bardzo interesowało, ponieważ ja synuś przebaczać chciałam się nauczyć za życia, ale mi się nie całkiem udało. Na ten przykład kapłanom, którzy ochrzcić Cię nie chcieli, bo bękartem byłeś, przebaczyć nie potrafiłam. Profesorek w konkrety poszedł i definicję przebaczenia głosem uroczystym przytoczył. Taką synuś poważną i naukową. Przebaczenie to całkowite – wedle definicji – wyzbycie się słusznego gniewu, żalu, urazy do kogoś, odpuszczenie i darowanie komuś winy. Ja tę definicję synuś dobrze znałam, bo to nasz JP2, z domu Karol Wojtyła, przecież sformułował, co też nie omieszkałam profesorowi przypomnieć. Z powodu tej uwagi spojrzał na mnie bez oznaki przebaczenia w oczach, bo chyba z powodu braku matury w wykształceniu moim nazbyt poważnie jako dyskutanta mnie nie traktował. I na dodatek trochę w próbie oczarowania zakonnicy Anny Marii mu w tym momencie istotnie przeszkodziłam. Bo co niby ta stara baba wiedzieć może? Dlatego już więcej nie odzywać się postanowiłam. Bo ja tak naprawdę lubię się dowiadywać. Nawet tego, co już sama wiem. Ty też to synuś masz. W tym przypadku i w tym białku w twoim DNA genem dominującym jest mój, a ten od Leona jest raczej recesyjny. Tego już profesorkowi nie powiedziałam, bo przestałby chyba zupełnie się wypowiadać, czego nie chciałam. Anna Maria, aby atmosferę rozładować, modlitwę Ojcze nasz – popijając wino – nabożnym głosem zmówiła, aby przypomnieć nam, że przebaczenie w wersie „i odpuść nam nasze winy, jako i my odpuszczamy naszym winowajcom" się znajduje, co o wadze przebaczenia nieustannie przypominanego zaświadczać może. Na to profesorek maślanych oczu dostał i patrząc w równie maślane oczy Anny Marii, odpowiedział, że przebaczenie „w samym centrum duchowości chrześcijańskiej" umieszczone jest, czego na ten przykład w islamie nie ma. Islam to, co w Starym Testamencie zapisane zostało, ciągle jeszcze jako nakaz i prawo stosuje.

Historia, którą profesorek dla poparcia swojej tezy w detalach opowiedział, jest przerażająca, chociaż z prostej zasady faktycznie w Starym Testamencie udokumentowanej się wywodzi. „Oko za oko, ząb za ząb" czy „dusza za duszę", jak powiedziałby, w zupełnie innym synuś kontekście, Owidiusz, co swoją drogą niezwykle dziwnie brzmieć musiało w ustach autora *Ars Amatoria* i pierwszego tak wysublimowanego znawcy kobiecej duszy i pragnień kobiecego podbrzusza.

Żadnego wezwania do przebaczenia, żadnego wyzbycia się słusznego gniewu.

Zemsta w czystej postaci wysublimowana. Jedynie wówczas sprawiedliwości stać się zadość może. I to nie za czasów inkwizycji i podpalanych stosów, na których topiła się skóra heretyków. Teraz, dzisiaj, w maju A.D. 2011. Takiej sprawiedliwości domaga się od siedmiu lat Ameneh Bahrani, lat 32, kobieta z Teheranu w Iranie. Ameneh w roku 2004 poznała studenta uniwersytetu w Teheranie, niejakiego Majid Movahedi, lat 27. Dla niej on tylko kolegą był. Jak wielu innych. Ona dla niego kobietą jego życia się okazała, którą poślubić postanowił. Ale to on tylko postanowił. Ona planów założenia z nim rodziny nie miała. Majid poczuł się jej odmową poniżony i do głębi zraniony. Dlatego w nienawiści wielkiej, w swojej męskiej dumie nieodwracalnie zraniony, dnia pewnego litrem bardzo stężonego roztworu żrącego kwasu ją oblał. Kwas jej powieki, oczy, wargi, język, policzki, czoło, plecy, ramiona i dłonie wypalił bezpowrotnie. Ameneh z pięknej kobiety w jednej krótkiej chwili zniekształconym, odrażającym potworem się stała. I do tego ślepym. Ponieważ rodzice Ameneh majętni są, dziewiętnaście operacji córki swojej w najlepszych szpitalach opłacili. Po ostatniej z Quasimoda stała się Quasimodem z powiekami, co jako sukces chirurgii irańskiej oceniała. Sąd w Teheranie aresztowanie mężczyzny, który sprawcą tego odrażającego czynu był, nakazał i zapłacenie – w ramach zadośćuczynienia – odszkodowania w śmiesznej wysokości sumy dwudziestu tysięcy euro zawyrokował. Sześć długich lat Ameneh nie zgadzała się na to. Sześć długich lat Ameneh nie poczuła w sobie ani krzty przebaczenia i zemstą nieposkromioną nieustannie pałała. Demoniczną, silną, absolutną i dogłębną. Tylko ta zemsta, zdaniem jej, najsłuszniejsza, mogłaby ją wyciszyć, uspokoić i pozwolić płakać łzami z oczu, których od sześciu lat nie miała. Ameneh dokładny plan tej zemsty posiadała. Każdej nocy o tym śniła. Ameneh odebrać oczy Majida, sprawcy nieszczęścia swojego, pragnęła. Jak niczego na świecie pragnęła. I w końcu jej pragnienie szansę spełnienia otrzymało. Teherański sąd, kierując się zapisem ze Starego Testamentu „oko za oko, ząb za ząb" wybrać oko postanowił. Z propagandowych, „ku odstraszeniu", względów okropny wyrok precedensowy w Iranie wydał. Ameneh w akcie sprawiedliwej egzekucji oczy mężczyźnie, który jej wzrok odebrał, wypalić ma prawo. Oczy za oczy. Gdyby, synuś, Stary Testament w tym miejscu zacytować. I to w ramach prawomocnego wyroku wydanego, podpisanego i przypieczętowanego roku 2011 było. No synuś ja ciarek na ciele całym dostałam, gdy profesorek to głosem modulowanym i niskim opowiadał. Żeby to barbarzyńska Ameryka chociaż była. Ale nie! To Iran jest, ze swoją długą historią cywilizacji niezwykłą. Oczy za oczy, synuś. Wyobrażasz to sobie?! I to nie będzie żaden kat, który te oczy wydłubie, jak to w *Krzy-*

żakach Sienkiewicz Heniek bez szczegółów zbytnich opisał. Nie tak to ustalili synuś. Tego katowi żadnemu zawodowemu na etacie nie zlecili. To Ameneh Bahrani, lat 32, kobieta z Teheranu, katem być pragnie. W związku z tym osobiście pojedzie taksówką do nowoczesnego szpitala Dadgostari w mieście Teheran i do rąk swoich osobistych pipetę z bardzo stężonym kwasem siarkowym wypełnioną weźmie. W szpitalu opuszkami czterech nieuszkodzonych palców, bo przecież oślepiona została, oczy Majida Movahedi, który na stole operacyjnym leżał będzie (w humanitarnym akcie znieczulony narkozą), znajdzie. I gdy już je znajdzie, to powieki powoli uniesie i 20 kropelek kwasu w lewe oko z pipety upuści, a potem 20 kropelek w oko prawe. Oko lewe za oko lewe, oko prawe za prawe oko. Dokładnie, jak to napisane w wersetach Starego Testamentu, się odbędzie. Tyle że w liczbie mnogiej te oczy wystąpią. Ameneh Bahrani przyznała w wywiadzie do teherańskiej gazety, że od pewnego czasu nerwowość specyficzną czuje. I atawistyczny lęk z nią związany. Boi się bowiem, iż ręce jej drżeć mogą i w związku z tym nie wszystkie krople kwasu na piwnobrązowe źrenice ogromnych oczu Majida Movahedi trafić mogą. A tego uniknąć by bardzo chciała. W tym samym wywiadzie Ameneh też o przebaczeniu przekonująco opowiada. Oczywiście, że kiedyś w końcu mu przebaczy. Bo bez przebaczenia zwariować przecież można. Ale przed przebaczeniem, aby ono pełne i ostateczne się stało, zdaniem jej, zemścić się należy, aby duszę wyciszyć i w czystości i spokoju zemsty dokonanej świętą jałmużnę przebaczenia winowajcy ofiarować.

Ostatecznie wyroku nie wykonano. Ameneh złoczyńcy swemu ponoć przebaczyła, chociaż profesor sądzi, że bardziej się bała po prostu. Ja myślę, że oczy mogła mu pozostawić, ale w tym kwasie wykąpać jednak.

I na tym profesor opowieść swoją szeptem zmysłowym zakończył, po czym ja nieznany mi dotychczas niepokój w ciele całym poczułam i oczy przecierać nerwowo zaczęłam, ponieważ łzawić mi tak jakoś odruchowo zaczęły. Wino więc wówczas z kieliszka mojego do dna samego dopiłam, bez jednego słowa od stołu wstałam i krokiem powolnym w milczeniu odeszłam. Bo na ten moment zaniemówiłam po prostu synuś i samotności dla przemyślenia tego wszystkiego bardzo potrzebowałam.

Spacerowałam sobie po zakamarkach Piekła powoli, aby ten wyimaginowany i stężony kwas siarkowy, co mi w myśli się głęboko wżarł, jakoś rozcieńczyć.

Ale zasnąć po tym wszystkim nie potrafiłam, więc z upodobania i od dłuższego już czasu niestety przyzwyczajeniem niebezpiecznym kierowana, spowiedzi ludzkie podsłuchać, tym razem z powodu bezsenności, postanowiłam. W spowiedziach ludzkie historie z fikcji są obdarte, przynajmniej częściowo, co mnie bardzo do nich przyciąga. Bo ja przestałam, synuś, fikcję ostatnio tolerować. Jakoś tak znudzenie fikcją poczułam. Szkoda mi czasu, chociaż mam go tutaj pod dostatkiem, na historie wymyślone. Działają na mnie ostatnio tylko historie prawdziwe i tylko w stopniu nieznacznym konfabulowane. A spowiedzi ludzi w konfesjonałach się w ten model bardzo wpisują. I jak się tak już przespacerowałam i pewien dystans do wypalania kwasem siarkowym – w zgodzie zupełnej ze Starym Testamentem – ludzkich gałek ocznych nabrałam, to spowiedź pewnej Anastazji z Ukrainy Zachodniej, a dokładniej z bardzo nam Polakom bliskiego Lwowa, na zupełnie inne mało zbadane obszary ludzkiego grzechu mnie synuś naprowadziła. Co ulgą prawdziwą dla mózgu i duszy mojej się okazało. Chociaż w uldze owej pewna niezwykła perwersja swoją drogą się znajdowała. Bo sobie synuś wyobraź, że Anastazja owa, niewiasta w pełni niezamężna lat trzydzieści plus, z niedającym się zagłuszyć poczuciem bijącego biologicznego zegara, pewnego ortodoksyjnie religijnego Greka przez Internet zapoznała. Starszego od niej istotnie. On bardzo samotny się w Atenach czuł, a ona z Ukrainy z powodu biedy i braku przyszłościowych perspektyw czmychnąć od dawna pragnęła. I sobie taką samotność w sieci sprawili, że ona tęsknotę za światem lepszym z tęsknotą za Grekiem z Aten pomyliła. Bo z fotografii kolorowych, które Grek jej wysyłał, niezbicie wynikało, że wypasionym niemieckim autem się przemieszcza, pracę umysłową wykonuje, samolotami po świecie lata i apartament w pobliżu miasta Balos, bardzo blisko plaży, na wyspie Krecie – już prawie spłacony – na własność posiada. Tak generalnie, jeśli cielesność Greka na fotografiach zaobserwowaną rozpatrywała, to żadnej szczególnej chemii pożądania nie czuła – głównie z powodu brzucha dużego, zeza widocznego, krótkich nóg, wzrostu niepokaźnego i białych skarpet na stopach wepchniętych w sandały. Ale to jej niespecjalnie przeszkadzało, bo w życiu jej z powodu pożądania oprócz krótkich, podobnych do siebie przyjemności same długotrwałe i poważne kłopoty się przydarzały. Łącznie z dwiema skrobankami, co w spowiedzi swojej szczerze kapłanowi wyznała, nerwowość oraz wyrażone niegrzecznie i zupełnie nie w duchu miłosierdzia oburzenie w nim wywołując.

Przyszłość we współczesnej Grecji o wiele ważniejsza od pożądania jej się wydała, ponieważ Grek – co by nie mówić – dwie ręce, dwie nogi i pokazywaną na fotografiach ochotę na przyszłość z Anastazją miał. Pierwszy poważny oraz niewirtualny krok ku tej przyszłości wkrótce też uczyniła, w Kijowie do samolotu przez Greka opłaconego wsiadając i na wyspę Kretę lecąc. Tam Grek w koszuli śnieżnobiałej z wyszytymi inicjałami bukietem kwiatów pachnących ją powitał i stamtąd ją do apartamentu swojego – już prawie spłaconego – klimatyzowanym niemieckim autem ze skórzanymi siedzeniami powiózł. Anastazja oprócz wygody w samochodzie pewien poważny dyskomfort czuła, z powodu boleści jej podbrzusza, ponieważ drugi, najgorszy dla niej, dzień z „tych dni" miała. Traktowała to jako ogromną niedogodność i rodzaj wrednego sprzysiężenia się świata przeciwko niej, ponieważ sprawę sobie zdawała, iż w apartamencie w pobliżu Balos noc z Grekiem spędzi i w trakcie nocy tej raczej mitów greckich Grek jej czytać nie będzie, co w poczcie swojej elektronicznej wyraźnie po angielsku, po francusku, a dwa razy nawet po rosyjsku wzmiankował. Dlatego oprócz bólu podbrzusza związany z tym niepokój czuła, nie wiedząc, jak Grek jej tę wyraźną i trudną do ukrycia niedyspozycję łona przyjmie. Tym bardziej, że jej angielski raczej skromny był, a listy swoje elektroniczne do Greka zazwyczaj automatycznym tłumaczem z rosyjskiego na angielski przekładała. Dlatego takie słowa jak „menstruacja", „okres", „miesiączka" i tym podobne mądre naukowe terminy były jej zupełnie obce nawet po rosyjsku, ponieważ zarówno ona, jak i dziewczyny w salonie fryzjerskim we Lwowie, gdzie od kilku lat pracowała, mówiły o tym, zdecydowanie języka naukowego unikając.

Jej niepokój minął o wiele szybciej, niż się spodziewała. Najpierw Grek, gdy tylko teren miasta opuścili, przez dziesięć kilometrów podróży klimatyzowanym autem jej piersi dłonią swoją prawą ściskał, potem jej dłoń na swoim penisie obnażonym i napęczniałym położył, a na końcu w wąską dróżkę w gaju oliwnym wjechał i samochód zatrzymał. Następnie ją na tylnym siedzeniu ułożył, sukienkę uniósł, majtki rozerwał i ustami swoimi łono jej pieścić rozpoczął. W momencie owym ona z przerażenia i wstydu nieskończonego oczy zamknęła, uda z całych sił szczelnie ścisnęła i mowę jej odjęło. Ale Grek, na jej reakcję nie bacząc, uda jej na oścież łokciami rozsunął, tampon z niej wysunął i ustami – na krew uwagi nie zwracając – do jej łona mocno przywarł. Ona szlochać ze wstydu i bezsilności w tym momencie zaczęła i wszelkie siły ją bezpowrotnie opuściły. Ten szloch jej błędem się okazał, ponieważ Grek go jako wyrażenie największej rozkoszy zinterpretował. Gdy z gaju oliwnego, miejsca jej największego poniżenia, do Balos na powrót ruszyli, to po chwili krótkiej zauważyła, że na śnieżnobiałej koszuli Greka liczne czerwone plamy z krwi jej się znajdują. I do dzisiaj te szkarłatne plamy po nocach jej się śnią, a wtedy potem zlana się budzi i skurcze bolesne w podbrzuszu odczuwa.

W apartamencie w pobliżu miasta Balos przepiękne dni przeżywała i przeokropne noce. Ale tylko dopóty, dopóki swoje dni paskudne miała. Gdy tylko okres się jej skończył, Grek wszelkie zainteresowanie dla jej ciała utracił i do niewinnego trzymania jej za rękę podczas spacerów na plaży się tylko ograniczał. Nigdy między nimi do połączenia ani w Balos, ani we Lwowie, ani nawet w klimatyzowanym niemieckim samochodzie nie doszło, więc w sensie – tym religijnym – czystość pewną zachowała.

Kapłan w kościele we Lwowie po wypowiedzi Anastazji na amen zamilkł i tylko nerwowo swój ogromny nos drapiąc, się z przyśpieszonym oddechem wsłuchiwał.

Potem Anastazja swoją spowiedź kontynuowała. Grek więcej jej biletu lotniczego na Kretę nie opłacił i tylko do niej do Lwowa przylatywał. Ale tylko wówczas, gdy swoje dni miała, o co w korespondencji swojej się nieustannie dopytywał. Po miesiącach kilku obrzydzenie do siebie poczuła i do Greka także. Poza tym pogardę do swojej kobiecości odczuwać zaczęła, co wstrzymaniem jej menstruacji na miesięcy kilka się zakończyło. Teraz się od tego menstruacyjnego opętania Greka wreszcie uwolniła. Adres zmieniła, w Internecie nie bywa, nową kartę do telefonu kupiła. Ale ciągle, gdy bóle podbrzusza co miesiąc nadchodzą, to jej dusza także krwawić zaczyna. A to intensywniej niż podbrzusze ją boli. Koleżanka dobra, mocno religijna z dziada pradziada Polka, jej powiedziała, że na to szczegółowy rachunek sumienia, spowiedź szczera i dokładna oraz pokuta solidna pomóc mogą. Dlatego do świątyni dzisiaj przyszła. Była u psychologów, tabletki niebezpieczne dla zdrowia łykała, akupunkturę u Chińczyka pewnego zrobiła, to dlaczego i spowiedzi – chociaż w Boga tylko okazjonalnie i ze strachu wierzy – miałaby nie spróbować? Jak spowiedź na jej bolączki nie pomoże, to na jogę pójdzie i medytować zacznie. Kiedyś w końcu się od snów o tych krwistoczerwonych plamach na białej koszuli uwolni.

I gdy spowiedź Anastazji z polskiego Lwowa do końca samego wysłuchałam, to ranek następny w Piekle krzątaniną swoją zwykłą się rozpoczynał, więc spać mi się zupełnie odechciało.

Prognozę co do gorąca w Piekle na dzień dzisiejszy w sieci sprawdziłam i żadnych anomalii nie odkryłam.

Ale w międzyczasie mi się bulwarowy portal wiedz-wszystko--zaraz.hell z reklamą hybrydowego wentylatora wyświetlił. Gdy on wentyluje, to energii potrzebuje lub z otoczenia energię gorąca w temperaturokomórki pobiera i potem zwraca. Zamiast fotokomórek synuś. Bo one się u nas z powodu intensywnej ciemności wiecznej nie za bardzo sprawdzają, co ze swoją znajomością fizyki sam wydedukować możesz. Ja wentylatora bardzo potrzebuję, bo od wielu lat napadami gorąca menopauza mnie dręczy, a hybrydowego to nawet bardziej, bo prąd w Piekle coraz droższy jest z powodu nieudanej – z przyczyny machlojek – prywatyzacji sektora energetycznego. Więc w obrobiony Photoshopem obrazek wentylatora hybrydowego kliknęłam. A tam zamiast intensywnego molestowania o kupno wentylatora na czterdzieści osiem tysięcy rat (bez procentów, na cztery tysiące lat, z bezpłatną dostawą do domu) link do *breaking news* się pojawił. Na czerwono napisane było, że nasza – skorumpowana do cna, synuś, to Ci powiem – CWA, czyli lokalna Centralna Agencja Wywiadowcza, do tajnych materiałów, do Nieba dziwnym trafem – tuż przed wyborami – dotarła. A z nich rzekomo synuś wynika, że Święty Józef z Nazaretu, małżonek Maryi, matki Jezusa Chrystusa, w oficjalnym pozwie o rozwód wystąpił. Wyobrażasz to synuś sobie?! To jest taki nius, że wierzyć w niego bez oszołomienia samogonem lub absyntem uwierzyć trudno bardzo. Szczególnie podłym kłamczuchom ze szmatławca wiedz-wszystko-zaraz.hell, co to oprócz wentylatorów hybrydowych ze sprzedawania kłamstw wierutnych się utrzymują. Dlatego im początkowo za grosz nie uwierzyłam. Ale potem poważny portal pieklo.gov.hell w lakonicznej notatce to potwierdził. A potem hCNN.com, a zaraz następnie arabski aljazeera.hell. net. A im w kontekście owym najbardziej synuś wierzę. Bo oni, Arabowie, genetycznie i geograficznie, chociaż politycznie raczej nie, z Żydami są największą liczbą genów i terytoriów od tysiącleci spowinowaceni. Gdyby nie obrzezanie, to męskiego Araba od męskiego Żyda odróżnić tylko z trudem ogromnym by można, o czym Ci każdy nieżydowski i niearabski antropolog lub genetyk zaświadczy.

Święty Józef z Nazaretu, cieśla z zawodu, ojciec podrzuconego mu Jezusa, wniósł więc w końcu o rozwód! Niesłychane to jest i Piekłu w całej rozciągłości się bezgranicznie przysłużyć może. To pierwszy rozwód Józefa, ale żona wcale nie pierwsza. Józef poślubił Salomę (lub Eschę), z którą synów Jakuba i Judę Tadeusza spłodził (chociaż apokryf *Opowiadanie o Józefie cieśli* synuś wymienia jeszcze Szymona i Józefa/Justusa) oraz dwie córki, Lizję i Lidię. Owdowiawszy, Józef Maryję poślubił. Zgodnie z proroctwem arcykapłan ogłosił, że „wszyscy nieżonaci mężczyźni z domu i z rodu Dawida, odpowiedni do małżeństwa, mają złożyć swoje różdżki na ołtarzu. Czyja zaś różdżka po złożeniu zakwitnie, a na końcu jej ukaże się Duch Pański w postaci gołębicy, temu Dziewica powinna być powierzona i przez tego poślubiona". Po zaślubinach matki Jezusa, Maryi, z Józefem, „wpierw nim zamieszkali razem, znalazła się brzemienną za sprawą Ducha Świętego". Józef chciał potajemnie Maryję oddalić, bo że nie jest ojcem dziecka, wiedział, jednak we śnie od anioła nakaz otrzymał, aby ją do siebie przyjąć. Mającemu się narodzić chłopcu imię Jezus nadał, co od hebrajskiego Jeszua pochodzi i ze słowem „zbawienie" bezpośrednio jest związane. Według prawa żydowskiego, ojciec dziecka mógł mu imię nadać – czynność ta jednoznacznym uznaniem dziecka za swoje była. Bóg nadał imię Jezusowi, ale przed ludźmi to Józef uczynił i on uważany za ziemskiego ojca Jezusa (czyż nie jest On synem cieśli?) był. Józef Maryję, Żydówkę z Galilei, do domu swego w Nazarecie przyjął. Biblia wieku Józefa ani Maryi w dniu ich zaślubin nie podaje. Informacje te dopiero Maria z Agredy otrzymała podczas doznanych objawień, którymi podzieliła się w książce *Mistyczne miasto Boże*, podając, iż Józef, poślubiając Maryję, miał lat 33, a Maryja 14. Czyli Józef, gdyby temu wierzyć, nieletnią za żonę do łoża swojego przyjął. Inne źródła z zarzutu tego Józefa nie oczyszczają. *Apokryfy Nowego Testamentu*, czyli serwis prawosławny, podają „podeszły wiek" Józefa (ok. 80 lat), wieku poślubionej nałożnicy ani jednym słowem nie komentując.

Zanim jeszcze Jezus się urodził, zarządzenie cezara Augusta o obowiązkowym spisie ludności się ukazało (co wcale w roku 0 się nie odbywało, tylko w roku 7, na co wiarygodne źródła historyczne także u nas w Piekle istnieją). Nakazanie spisu decyzją *stricte* ekonomiczną było. Rzymianie na okupowanych ziemiach nowe podatki wprowadzili, więc aby jak najwięcej z Żydów wycisnąć, w pierwszej kolejności ich wszystkich w swoich księgach spisać postanowili.

Każdy mieszkaniec spisywany był w miejscu swego urodzenia, więc Józef z Maryją w podróż z Nazaretu do judzkiego Betlejem się udał, skąd pochodził. Swoją drogą trochę się, synuś, Józefowi dziwię. Powinien przecież z wnioskiem, ze „względu na stan małżonki", do rzymskich władz miasta Nazaret wystąpić i o uwolnienie od obowiązku spisu prosić. Nic takiego jednakże chyba nie uczynił, albo ewangeliści odnotować tego faktu zapomnieli.

Gdy po długiej i męczącej oraz dla brzemiennej niewiasty niebezpiecznej – bo Józef na piechotą, a Maryja na grzbiecie oślicy – wędrówce na miejsce w końcu dotarli, Maryja Jezusa w stajni urodziła i w żłobie położyła, ponieważ miejsca dla nich w gospodzie nie było. Św. św. Mateusz i Łukasz w ewangeliach swoich nic niestety bardziej szczegółowego o okolicznościach narodzin dzieciątka Jezusa w słynnej stajence nie wspominają. Nie wiadomo, czy przy rozwiązaniu św. Józef, akuszerka lub inne osoby się znajdowały. Józef raczej chyba nie, ponieważ obecność mężczyzn (ze względu na tabu nieczystej krwi kobiecej) przy rodzącej surowo wzbroniona wówczas była. Zdaniem moim, synuś, zaradna Maryja, boskiej opiece zawierzona, w samotności Jezusa na świat wydała. Co najwyżej zwierzęta gospodarcze, w stajni akurat przebywające, świadkami narodzin przyszłego wybawiciela być mogły. Czasami synuś myślę, jak to misterium porodu Jezusa przebiegało. Czy Bóg bólu Maryi oszczędził? Jak poradziła sobie z pępowiną? Czy nożem ostrym ją przecięła, czy może zębami przegryzła? Czy do końca pewność miała, że syna rodzi? Bo przecież córkę na świat wydać mogła. Czy maleńki Jezusek zapłakał po pierwszym swoim ziemskim oddechu? Czy był dużym niemowlęciem? Czy włoski na swojej główce posiadał? Bardzo synuś chciałabym to wiedzieć. Jako matka dwóch synów…

A może Maryja obecności kogokolwiek wcale nie pragnęła? Szczególnie Józefa, który swoim nasieniem do wydarzenia tego się nie przyczynił? Syn z łona Maryi przecież synem jego nie był. A to dla każdego mężczyzny bolesnym być musi. Bardzo bolesnym, jak mniemam. Ja myślę Nusza, że cieśla Józef bardzo mocno swoją Maryję wówczas kochać musiał. I dlatego sobie smutek jego wyobrazić mogę, gdy nowinę poznał, że w ciele jego kobiety ukochanej dziecko z nie jego ciała się rozwija. Ale pomimo to najpierw narzeczonej, a następnie żony swojej (ponieważ pod koniec lata w A.D. 7, po żniwach i winobraniu, ślubem się z nią związał) Maryi nie oddalił i, jak mniemam, czułością oraz opieką otoczył. To ze strony mężczyzny gestem w swojej szlachetności nadzwyczajnie niezwykłym mi się objawia. Nawet jeśli jakiś anioł mu w śnie podpowiedział, jak postępować winien. Anioł synuś aniołem, powiedział, co wiedział, i sobie zniknął, ale to biedny Józef z tą udręką żyć musiał.

Jak sądzisz synuś, co Ty byś odczuwał, gdyby sercu Twojemu najbliższa i najdroższa niewiasta w łonie swoim dziecię poczęte przez innego nosiła?

Co mógł czuć stolarz Józef, gdy jego spracowana, poraniona od drzazg dłoń brzucha Maryi dotykała? Co byś Ty Nusza czuł, brzucha swojej niewiasty dotykając? Miałbyś w ogóle odwagę jej brzemiennego brzucha dotknąć? Jak byś swoją poharataną męską dumę z miłością pogodził? A potem? Pokochałbyś nie swojego syna? Myślisz synuś, iż to właśnie dlatego prosty Józef świętym Józefem się stał? Z powodu tej jego odwagi uznania publicznie przed światem za syna swojego dziecka nie z jego nasienia i nie z jego krwi zrodzonego?

Wiadomo jednak – z Ewangelii – iż św. Józef świadkiem pokłonu pasterzy nowo narodzonemu dziecięciu był. Po ośmiu dniach dziecię zwyczajem żydowskim obrzezano, a potem do Jerozolimy zaniesiono, by przedstawić je Panu i ofiarę wykupującą złożyć. Złożyli ofiarę ubogich – parę synogarlic lub dwa gołębie, co wskazywać mogło, że zamożni raczej nie byli.

Kiedy Jezusek maleńkim dziecięciem był jeszcze, król Judei Herod Wielki od mędrców trzech usłyszał, że w Betlejem nowo narodzony król żydowski przebywa. Wydał rozkaz wtedy, żeby pozabijać wszystkich chłopców, którzy dwóch lat nie ukończyli.

Józef raz kolejny we śnie od anioła nakaz natychmiastowego udania się do Egiptu otrzymał, by życie dziecięcia ochronić. Powrócili dopiero po ponownym śnie Józefa, w którym dowiedział się, że Herod nie żyje. W galilejskim Nazarecie się na powrót osiedlili. Łukasz jeszcze raz Józefa wspomniał, gdy dwunastoletni Jezus podczas pierwszej pielgrzymki do Jerozolimy z powodu święta Paschy się zagubił. Później ewangelie o Józefie jak zaklęte konsekwentnie milczą. W jakiś dziwny sposób Józef cieśla, ojczym Jezusa, tematem tabu się stał, pewnie politycznie niepoprawnym i niewygodnym również, bo jedną nić DNA życia Jezusa Chrystusa Nazareńskiego religia, a drugą polityka tworzy. Która nić jest kodująca (w genetyce sensowna), a która nie (w genetyce antysensowna), burzliwie i od wieków jest dyskutowane.

Ale teraz Józef z gęstych oparów tabu się wydostaje. I to spektakularnie bardzo, synuś. Sam przyznasz. Cóż to za proces będzie!

Aż ręce zacieram. Precedensowy w każdym razie. Bo sprawa ultraprecedensowa jest. Nieletnia żona, jeszcze wtedy – dziewica – nagle staje się brzemienna za „sprawą Ducha Świętego". Ale kwitów żadnych na okoliczność tej „sprawy Ducha" nie ma. Józef od początku swoje wątpliwości miał, ponieważ wiedział, że ojcem dziecka w łonie kobiety swojej nie jest, więc jako poprawnie religijny Żyd z przekonania chciał ją potajemnie oddalić, co świat za absolutnie słuszne i sprawiedliwe by uznał. Jednak we śnie nakaz otrzymał, aby ją do siebie przyjąć. Ale na sen Józefa także żadnych dokumentów nie ma. A teraz demokracja jest taka, nawet w Niebie, że jak dokumentów nie ma, to sprawy nie ma tym bardziej. Bezpodstawne posądzenie Józefa o ojcostwo, z powodu pożycia z Maryją, żadnych szans prawnych także nie posiada. Każdy test genetyczny wykaże, że w Jezusie zmartwychwstałym chromosomów Józefa za diabła nie ma.

Myślisz synuś, że Józef żałuje? Wtedy do rozwodu wręczenie żonie aktu wystarczyło. Dziś i proces odbyć się musi.

Bo w komórkach człowieka Jezusa Chrystusa chromosomy Maryi i Boga mogły się jedynie znajdować.

I tutaj problem prawno-teologiczno-genetyczny, zdaniem moim, synuś, się pojawi. Adwokaci Boga przyczepią się z powodu czysto chemiczno-biologicznego podejścia do Stworzyciela i orzekną, że Bóg jako Świętość molekularny być nie mógł, więc chromosomów w związku z tym nie posiadał. Chromosomy pojawiły się, jako zamysł Boga samego, dopiero tak z grubsza jedenaście i pół miliarda lat po Wielkim Wybuchu, więc o czym tu w ogóle mowa jest.

A jeśli nawet – czysto teoretycznie – Bóg chromosomy posiadał, to z najświętszego prawa do ochrony danych wyjawienie kodu DNA Boga byłoby „niefortunne i w rzeczy samej niebezpieczne", bowiem w przyszłości do laboratoryjnego klonowania Boga przysłużyć by się istotnie mogło. A Bóg to nie owca Dolly przecież.

Z argumentem tym adwokaci Józefa pogodzić by się musieli i do momentu poczęcia Jezusa Chrystusa by – w odpowiedzi swojej – natychmiast nawiązali. Poczęcie owe nastąpiło, gdy przecież chromosomy już miliardy lat istniały, bo to w roku 0 plus/minus 7 „za sprawą Ducha Świętego" było. Logiką taką się kierując, o przeprowadzenie testu na ojcostwo Ducha Świętego natychmiast do sądu na piśmie by wnieśli. I tu problem natury formalnej by natychmiast się pojawił. Duch Święty pojęciem jedynie jest i jako taki ani jakiegoś PESEL-u, ani paszportu, ani adresu posiadać nie może, więc trudno mu krople śliny lub krwi do testu na ojcostwo pobrać. A tym bardziej krople jego spermy. Dlatego ja synuś wróżę, że sprawa rozwodowa Józefa przeciwko Maryi matce Jezusa jakimś polubownym wyrokiem za lat kilkaset tysięcy się zakończy. Bo orzeczenie rozwodu z winy Maryi, o co Józef w pozwie swoim wnosi, dramatyczne konsekwencje dla Nieba i zarówno Piekła by miało. Maryja w orzeczeniu wyroku owego jako matka dziecka pozamałżeńskiego wymieniona zostać by musiała. A to, krótko i okrutnie rzecz synuś ujmując, śmierć jej poprzez ukamienowanie, za cudzołóstwo oznacza. Z drugiej strony jednak – na co adwokaci Maryi natychmiast sądowi uwagę zwrócą – to pozamałżeńskie dziecko nie zostało poczęte w „akcie pożycia fizycznego z innym mężczyzną", bowiem Maryja dziewicą także po poczęciu pozostała. Co wprawdzie dziwne jest niesłychanie, ale pewne dowody na to istnieją. Może nie biologiczno-anatomiczne, ale prawne z pewnością. Ślub Józefa i Maryi w środę się bowiem odbył. I to, że akurat w środę swoje ważne znaczenie dowodowe posiada. W czasach w pozwie Józefa wymienianych śluby z dziewicami były jedynie i bez wyjątku w środy udzielane. Jeśli mąż po nocy poślubnej dziewictwo żony miał powody podważyć, to zaraz dnia następnego do sądu zobowiązany był przybyć. A sąd zbierał się tylko raz w tygodniu, w czwartek właśnie. Józef i Maryja małżeństwem we środę się stali, a obecności Józefa w sądzie we czwartek nikt i nigdzie nie odnotował. Stąd dwa ważne fakty wynikają: urzędnicy rzymscy w Nazarecie w dziewictwo ciężarnej Maryi uwierzyli, Józef żadnych pretensji po nocy poślubnej nie zgłosił. Pozwala więc to domniemywać, iż Maryja dziewicą jednak była. Adwokaci Józefa, a ja to wiem, natychmiast takiej karkołomnej interpretacji historii się przeciwstawią, wskazując, że ich klient, dla ochrony honoru swojej narzeczonej, czynu korupcyjnego się dopuścił, urzędnikom rzymskim pokaźną łapówkę wręczając, żeby środowy termin ślubu uzyskać. I tak publiczne pranie brudów małżeństwa Maryi, matki Jezusa, i św. Józefa z Nazaretu przed sądem trwać i trwać może.

No to ja Cię synuś w tym momencie z całych sił w oburzeniu moim przepraszam. Takiej wersji Nowego Testamentu nie wymyśliłby chyba, nawet upojony gruzińskim bimbrem, Stalin. Chociaż prawnicy – w nieomylnym podobieństwie do polityków – jak historia od antycznej po współczesną pokazuje, wymyślić mogą wszystko. I to całkiem po trzeźwemu.

W każdym razie Piekło od rana samego informacją o procesie pary św. Józef, ojczym Chrystusa, *versus* św. Maryja, matka Chrystusa, się z lubością upajało. Niczego z tego w większości nie rozumiejąc i prymitywnym gamoństwem się kierując. Bo ja Ci powiem synuś, że najbardziej w ludziach – grzesznych lub cnotliwych, w tym momencie *egal* – „buractwa" i głupoty nie znoszę. Czasami myślę, że w niekodujących odcinkach genów w DNA długie sekwencje wszystkich form ludzkiej głupoty są chyba zapisane. Mądrość w kodujące eksony poszła, a głupota – skromnym zdaniem synuś moim – w te długaśne niekodujące introny.

To by się nawet synuś zgadzać mogło, ponieważ – jak się w wyniku długotrwałych i kosztownych badań okazało – introny jedynie u bardziej „wyrafinowanych", cokolwiek to znaczy, organizmów występują. U takich bakterii na przykład w ogóle ich nie ma. I to też by się synuś z logiką zgadzało, bo bakterie głupoty raczej nie przejawiają. Ponieważ, po pierwsze, bakterie czasu na głupoty w życiu swoim krótkim nie mają, a po drugie, jak na brak u nich mózgu inteligencję niezwykłą przejawiają. Inaczej by się tak szybko na szczepionki nie uodporniały, ludzkość niekiedy w paniczny popłoch tym faktem wprowadzając. O czym synuś, obecnie w Niemczech przebywając, doskonale wiesz, bowiem prostacka i uwielbiana przez genetyków bakteria *E. coli*, co to w jelitach Twoich przebywa i masowo w kale ludzkim się wydala (tak średnio dziesięć milionów sztuk na gram ekskrementu), tak się wycwaniła i z *E. coli* w EHEC tajemniczo zmutowała, tak że żadne antybiotyki jej ruszyć nie mogą, z powodu czego ludzie w boleściach strasznych ostatnio nawet poumierali.

Może nie wszystkie formy głupoty w intronach się jako kod białka, nazwijmy tak dla wygody, debilizmu rozmieściły. Bo głupota ludzka granic przecież nie posiada i w żadnym normalnym DNA zmieścić się nie może. Bóg za bardzo na kodowaniu osobników na „na swój obraz i podobieństwo" się chyba skupił i eliminację głupoty w projekcie swoim pominął lub zaniedbał. Albo może jednak cel jakiś wyższy w tym miał? Gdyby wszyscy głupoty pozbawieni byli, to może by się religijność zdecydowanie mniej rozprzestrzeniła?

Ostatnio, przez zupełny przypadek, na jednym z rautów u Klimta pewnego dziwaka o nazwisku Arouet François-Marie (w Polsce naszej jako Wolter znanego, od jego pseudonimu artystycznego Voltaire) napotkałam. Wielu ateistów, deistów i rewolucjonistów jako swojego patrona go postrzega. Co kardynalnym błędem jest, ponieważ Wolter każdą religię oraz każdą ideologię z ogromną rezerwą i podejrzliwością traktował. Chociaż prawdą jest, iż instytucję Kościoła zdecydowanie i stanowczo odrzucał, w dogmatyzmie religijnym przyczyny nietolerancji, braku wolności, prześladowań i niesprawiedliwości dostrzegając. I tak jakoś przy czwartym lub piątym kieliszku absyntu na temat Boga się zgadaliśmy. Wolter w pewnym momencie do dogmatu w zdaniu „na swój obraz i podobieństwo" mimochodem nawiązał. I orzekł, że „jeśli Bóg nas stworzył na swój obraz i podobieństwo, to mu się pięknym za nadobne odpłaciliśmy". Muszę Ci Nusza wyznać, że nigdy tak na to nie patrzyłam. Ale coś w tym jest. Czasami dobrze jest absynt z filozofami pić. Uczy się przy tym człowiek. Mając już uwagę Woltera dla siebie tylko, z okazji nie omieszkałam skorzystać i go na okoliczność pewnego zdania, które jemu się przypisuje, ale wcale rzekomo od niego nie pochodzi, przepytać. Gdybyś mnie synuś, co to jest demokracja, kiedyś zapytał, to odpowiedziałabym tak: „Nie zgadzam się z tym,

co mówisz, ale oddam życie, abyś miał prawo to powiedzieć".
Jest w nim patosu wiele, ale w samo sedno trafia. Wolter mojego
pytania wysłuchał, ale odpowiedzi nie udzielił, brakiem pamięci
się zasłaniając. Ale ja nie o tym chciałam.

Ostatnio grzeszny z powodu oszustw i przekrętów podatkowych księgowy (umarł śmiercią naturalną głównie z powodu nie-
wydolności swojej skatowanej chemią wątroby, chociaż oficjalnie
na zawał, za przyczyną otyłości, stresu, nikotyny, alkoholizmu
i braku ćwiczeń fizycznych) z biura w niemieckim episkopacie
opowiadał, że wykształcenie na religijność kościelną – co z transcendentalnością Cloningera i innych niekoniecznie współgra –
się przekłada wyraźnie. Gdy obrzydliwie wstrętna pedofilia wśród
niemieckich kapłanów na jaw pełny wyszła, to ludzie z Kościoła
wypisywać się gremialnie zaczęli. Bo w Niemczech, jak sam
synuś wiesz, z Kościoła „wypisać się" można. To znaczy przestać
podatki na Kościół płacić. Często to z wyparciem się wiary związane jest, chociaż nie zawsze. I księgowy ów, co kasę z podatków
Kościołom niemieckim naliczał i na ich konta, jak się okazało
po mozolnych policyjnych śledztwach, niezbyt skrupulatnie prze-
lewał, zauważył, iż ludzie po studiach zdecydowanie częściej
„z Kościoła występują" niż ludzie po podstawówkach lub zawo-
dówkach tylko. I to w proporcji dziesięć do jednego, czyli w proporcji, nawet na pierwszy rzut oka niedowidzącego, wyraźnej.
Wykształcenie, co z głupotą w proporcji normalnej nie zawsze

się układa, ale bardzo często ją eliminuje, o przywiązaniu do religijności w wyraźnym statystycznie potwierdzonym trendzie decyduje. Według skorumpowanego i ortodoksyjnego w myśleniu eksksięgowego z niemieckiego episkopatu „im kto głupszy, tym bardziej religijny". Ja, ponieważ absolwentką zawodówki jestem i matury jako takiej z przyczyn historyczno-wojenno-obiektywnych nie posiadam, się z tą tezą z powodu przekonań swoich zgodzić nie do końca mogłam, więc mu po niemiecku – coby język w zrozumieniu intencji moich przeszkodą żadną nie był – wygarnęłam, że myślenie prymitywne uprawia. Ponieważ religijność z Urzędem Podatkowym ma tyle wspólnego co kaszel z kaszalotem, a Wągrowiec z Węgrami. Obraził się na mnie chyba za to solidnie i na stałe chyba, ponieważ więcej mi już *guten Morgen* – socjolog amator od teologii i siedmiu boleści jeden – nie powiedział.

Mnie synuś czasami cały ten neurotyczny zgiełk w Piekle podnieconym „niewiarygodnymi" informacjami z Nieba niekiedy tak z równowagi umysłowej wytrąca, iż wyciszenia pragnę. Wówczas silnie w kierunku poezji mnie ciągnie. To jakaś przypadłość wieku sędziwego chyba jest, ponieważ za życia to ja poezji raczej nie czytałam. I z braku zainteresowania, ale chyba bardziej z braku czasu. Leon natomiast czasami tomiki wierszy w księgarni na ulicy Dzierżyńskiego w Toruniu za grosze kupował, ale dla niepoznaki w gazety owijał, bo swojej romantyczności się chyba krępował. W tajemnicy przede mną je czytał, a potem na półce, w serwantce (tej synuś z pękniętą szybą, przy wyleniałym tapczanie, gdzie za książkami pieniądze przed ewentualnymi złodziejami chowaliśmy), obwoluowane „Trybuną Ludu", pomiędzy *Trylogią* Sienkiewicza i książkami Kraszewskiego Józefa Ignacego stawiał. A ja ani „Trybuny Ludu", ani książek w nią obłożonych nie dotykałam, o czym Leon szczegółowo wiedział. Do dzisiaj nie pojmuję, dlaczego ojciec Twój tę swoją słabość ku poetyckości przede mną skrywał. Pewnie z powodu przekonania, iż prawdziwy mężczyzna twardy być jak stal powinien i takimi „głupotami" jak miłość oraz rozczulenie głowy sobie zawracać nie przystoi. A jak już się to przydarzy, w jakiejś chwili słabości, to w ścisłej tajemnicy przed kobietą, którą kocha, utrzymać ten fakt powinien.

Bo ojciec Twój synuś mnie kochał bardzo.

I w dzień, i w nocy, chociaż w nocy – gdy teraz o tym rozmyślam – to zbyt rzadko. Nie informował mnie słowami o miłości swojej, ponieważ słów na to odpowiednich nie znał i chyba na stronach tych tomików poezji z księgarni na ulicy Dzierżyńskiego chciał je dopiero odnaleźć. Tak synuś przypuszczam jedynie. Bo czasami mu się ćwierćsłowa takie jakieś czysto poetyckie w trakcie naszych zbliżeń z krtani i serca wyrywały, że opadałam bezsilna w rozczuleniu moim na kolana i go po tej krtani i po sercu jego całowałam. A on wtedy milknął, włosy moje na rudo pofarbowane palcami swoimi czochrał bez opamiętania i na całym ciele swoim drżał. I ja wtedy tym drżeniem i niedopowiedzeniami jego przerażona szeptem mu brakujące trzy czwarte tych słów dopowiadałam. I on wtedy w całość te ułamki w głowie swojej składał i stawaliśmy się wówczas synuś Jednością. Dlatego, synuś, takie przekonanie mam, że zakochana kobieta potrafi mężczyznę jakoś dopowiedzieć. Ale ten mężczyzna musi być chociaż w ćwierci swojej odpowiedni. Wtedy Jedność wydarzyć się im może. Nam taka Jedność się często przydarzała.

Ja o tym ostatnio często rozmyślam, bo tak tęsknię za nim i to wspomnienie jego ćwierćmilczenia mnie taką nostalgią nastraja, że sobie śpiewaną poezję Brela w słuchawkach nastawiam, aby jeszcze więcej przeżyć mieć i sobie w tej szczęśliwości popłakać. A gdy utwór Brela *Nie opuszczaj mnie* słyszę, to taki smutek czuję, że do szczęśliwego, disneyowskiego Nieba, z naiwnych rysunków w broszurach świadków Jehowy, chce mi się natychmiast przenieść. Ty synuś także taki podobny do Brela Jacques'a romantyk w dużym sensie jesteś. Kaziczek także, ale on to skrupulatnie skrywa i w książkach się z tego romantyzmu jak dotychczas nie opublikował. Macie to chyba tylko i wyłącznie po rodzicach swoich, bo przecież nie po gastrologicznych genach Ewy i Adama. Po nich macie w DNA tylko nudny fundament historyczno-genetyczny. Nic chyba więcej. Czy zauważyłeś, synuś, że genotyczno-teologiczno-mojżeszowa para, Ewa i Adam, pomimo interesującego dla Hollywood rajskiego *ambiente* i pomimo warunków do spełnienia pikantnie podniecającego filmu pornograficznego pod tytułem *Grzech absolutnie Pierwszy* (celowo przez wielkie „P"), bohaterami żadnej interesującej powieści nawet nie są? Ani wiersza żadnego? Ani nawet serialu w Polsacie? Bo oni nudni byli jak olej z flakami zamkniętymi pod skórą długiego jak tasiemiec węża. Pod wieloma drzewami wielu parków na całym świecie szeptają na drzewach namawiające do grzechu węże. Ale one głosem Adama szeptają, a nie Ewy. I to kobiety tej namowie ulegają. Gdybym ja od nowa Stary Testament napisać miała, to kuszenie Adama w ogrodzie zoologiczno-botanicznym by się nie odbywało. Bo to ewidentnym obciachem i „cepelią" trąci. Ewa miałaby biojabłko ukryte w torebce wyprodukowanej z wężowej skóry nabytej w sklepie Gucci w Tel Awiwie, a Adam byłby metroseksualnym wegetarianinem, który lubi jabłka i logo firmy Gucci. I tak by się to wszystko zaczęło. Gwarantuję Ci synuś, że przy takim scenariuszu wiarygodność Mojżesza wzrosłaby istotnie. To tak na marginesie.

Ty podzielasz ponadto niezwykle intensywne pragnienia ojca Twojego. I on, i Ty córki mieć pragnęliście. Ty dwie córki ukochane posiadasz, ale Leon, z winy przypadku, żadnej nie miał, nad czym niekiedy w wypowiedziach swoich ubolewał. Po urodzeniu Twoim często mnie do kolejnego rozmnożenia namawiał. Z nadzieją i przekonaniem, że tym razem córunię mu jego ukochaną i wymarzoną powiję. Nie tylko namawiał, ale także kroki przyjemne w tym kierunku czynił. Ale ja już kolejnego dziecka, na płeć nie zważając, na świat wydać nie chciałam. Ty synuś na świat przybyłeś, gdy ja ponad lat czterdzieści miałam. To w czasach stalinowskich (bo ty za władzy Stalina się urodziłeś) pewnym perwersyjnym ewenementem było. Poza tym nie miałam już miejsca na moim pokrojonym podbrzuszu na kolejną bliznę po cesarce. Na dodatek częste – wynikające z chronicznych niedoskonałości socjalizmu – egzystencjonalne zmęczenie macierzyństwem czułam. Dlatego pomimo słodkich namów Leona się od tego jakoś wywinęłam, chociaż wówczas – o czym pewnie synuś nie pamiętasz – ani spiral, ani tabletek, ani nawet prezerwatyw w kioskach Ruchu i aptekach jeszcze nie było. Ale gdy nad przebiegiem i mechanizmem wytrysku spermy odurzonego rozkoszą mężczyzny się zastanowić, to zawsze można i tak jego penisem w momencie kulminacyjnym pokierować, żeby nawet kropelki nie uronić i ją w sobie zachować, jednakże z powodu bezpiecznej odległości ust od łona, do ryzyka poczęcia nie doprowadzając.

Ale Ty synuś na takie triki się nabrać nie dasz. Ty córki kolejnej chcesz. Bardzo chcesz. Ty z niewiastą sercu Twojemu bliską córkę trzecią, inaczej ukochaną, na świat sprowadzić pragniesz.

Pomimo starości swojej. Nawet imię jej sobie dokładnie obmyśliłeś, książki z bajkami dla czytania jej już teraz kupujesz, smak dotyku ust Twoich na jej główce sobie w snach wyobrażasz i ciepło jej rączek małych na głowie Twojej łysej wyraźnie czujesz. Zakochałeś się w niej synuś jeszcze przed jej poczęciem. I w jej matce tym bardziej. Ja to wiem, a bardziej nawet czuję. Ponieważ jako wnuczkę moją *in spe* także ją już kocham. Ale pomimo tych naszych dwóch miłości powiem Ci w szczerości synuś, iż to pragnienie Twoje mnie niepokojem napawa. Bo Ty, gdy córka Twoja do matury przystąpi, starcem raczej będziesz. A gdy palenia nie porzucisz i o serce swoje nie zadbasz, to ją przed maturą śmiercią swoją osierocisz. Pomyśl nad tym synuś intensywnie. I na sam początek palić przestań.

Czasami, synuś, myślę, że z tą miłością to Bóg raczej sobie nie poradził.

Moim zdaniem, plamę wielką dał. O monogamię na ten przykład nie zadbał w ogóle. Ludziom to pozostawił na losu pastwę. Ale ja Go rozumiem, bo to w Jego interesie raczej nie było. Myślisz synuś, że Bóg ma interes? W przypadku monogamii nie miał z pewnością żadnego. Bowiem przy monogamii pełnej i konsekwentnej ludzie jedno oko i ogromny paluch do walenia w klawiaturę by dzisiaj mieli. Bo ewolucja swoim dostosowaniem i mutacjami licznymi geny Boga Stworzyciela z DNA człowieka by całkowicie wyparła. I nawet takich cyklopów z okiem i paluchem jednym zbyt mało by było, aby świątynie ogromne na ziemi pobudowane jako tako wypełnić. Islam jakoś sobie to – trafem dla mnie dziwnym – przewidział i wielożeństwo dopuścił, ale chrześcijaństwo i starszy od niego judaizm, na ten przykład, w opóźnieniu zostały. W antycznym Izraelu, czyli w czasach starotestamentowych, poligamia czymś zupełnie naturalnym była. Można na przykład wspomnieć o czterech żonach Jakuba, żonach i nałożnicach króla Salomona czy też trzech żonach Abrahama. Czy żony Jakuba lub Salomona z tego powodu szczęśliwe były, to zupełnie inna sprawa. Ale wtedy je raczej nikt o to nie pytał. Faktem naukowo udowodnionym jest, iż niemonogamia tak długo jak człowiek istniała i do dzisiaj dobrze się miewa. Od antycznej wolności starożytnej Grecji poczynając i przez kultury Bliskiego Wschodu, Azji oraz Afryki dalej krocząc, i na dziewiętnastowiecznych oraz na współczesnych wyznawcach niemonogami, jako „związków opierających się na seksualnych i emocjonalnych relacjach więcej niż dwóch osób", w Europie i Ameryce kończąc. Jednym z zagorzałych wyznawców trójkątów, czworokątów, a także innych liczniejszych nawet kątów w owych „związkach" znający się na rzeczy teolog (po studiach w znamienitym amerykańskim Yale), niejaki Noyes John Humphrey, się objawił. Teolog, synuś, i to jeden z najbardziej docenianych (chociaż znienawidzonych również, co mu w popularności i w drodze do przeróżnych encyklopedii bardzo pomogło) z okresu końca wieku dziewiętnastego. Na Noyesa przez przypadek, synuś, zupełny trafiłam. W bibliotece naszej – z nazwy jedynie „narodowej" – gdy dwa słowa: „komunizm" oraz „Biblia", w ich wyszukiwarce (przestarzałe dziadostwo i do tego cenzurowane bardziej niż w Chinach) wpisałam, to link do książki Noyesa mi się jako pierwszy pojawił. Mnie komunizm, a także pokrewny mu socjalizm, w bezpośrednim nawiązaniu do Biblii interesuje bardzo, więc co popadnie w tym temacie czytam. Noyesa *Biblijny komunizm* więc w kolejności pierwszej przeczytałam. Trochę mnie na początku znudził. Bo on to taki biblijny perfekcjonista, więc się nad oczywistościami – mnie już dawno znanymi – długo rozwodził. Zainteresował mnie dopiero, gdy Niebo, jako komunę, łącznie z system „mężów i żon" analizował. I do wniosku doszedł, iż w Niebie taki system nie istnieje (w Niebie jest komuna, więc mężów i żon nie ma), a ponadto posiadanie jednego partnera „na wyłączność to grzech". Dosłownie tak komunista-teolog Noyes napisał. Monogamia jako grzech! Z tego powodu na wiele kłopotów się naraził. Z dyscyplinarnym usunięciem z uniwersytetu w Yale włącznie. Noyes to, co wyznawał, w czyn wprowadził, gdy w roku 1848 grupę ponad dwustu osób wokół siebie zgromadził, Komuną Oneida ją nazywając. W społeczności tej każdy był mężem lub żoną każdego, pełne równouprawnienie panowało

oraz wszyscy wspólnie zrodzone, w takim seksualnym galima-
tiasie, dzieci wychowywali. To synuś zbyt piękne było, aby długo
przetrwać mogło. Szczególnie w zacofanej w swoim purytanizmie
Ameryce. Po 30 latach komuna upadła, ale ślad po niej pozostał
na długo. To Noyes właśnie jako pierwszy termin „wolna miłość"
do języka wprowadził. Co u mnie synuś zdziwienie wywołało,
ponieważ początki „wolnej miłości" raczej z hipisami lat 60. i 70.
wieku dwudziestego kojarzyłam. Ale do antycznego Izraela,
z którego wyszłam, wracając, jednocześnie też monogamię prak-
tykowano, która później już w czasach „nowotestamentowych"
charakteru obowiązującego modelu nabrała. Tymczasem poligamia w interesie nie tylko Natury jest, ale Boga także. Kościół
jednak tego interesu Boga nigdy nie zrozumiał. Bo Kościół swój
oddzielny interes posiada i go za pomocą licznych księgowych
skrupulatnie od wieków pielęgnuje. Gdybym ja Bogiem synuś
była, na dzień dzisiejszy, latem upalnym roku 2011, Mojżesza
brodatego bym wskrzesiła i na szczyt góry Synaj bym go na powrót w te pędy przywołała. I przykazanie numer Zero, na samym
początku przed numerem Jeden w Dekalogu, wprowadzić mu
nakazała. I ogłosić ludowi na cały głos także. W całej rozciągłości
i brzmieniu takim:

Nie będziesz Kościoła żadnego przed Bogiem swoim święcił.
Nie będziesz się mu kłaniał ani służył. Ja jestem Pan, Bóg twój,

mocny, zawistny, karzący nieprawość ojców na synach do trze-
ciego i czwartego pokolenia tych, którzy mnie nienawidzą, a czy-
niący miłosierdzie tysiącom tych, którzy mnie miłują i strzegą
przykazań moich.

I tym przykazaniem fundament pod pozostałe dziesięć bym uczyniła. Taki, synuś, wybuchem wyczyszczony „Ground Zero" w historię ludzkości bym wpisała. A potem przejrzałabym uważnie całą pozostałą dziesiątkę przykazań z racji rozwoju przestarzałych i Dekalog 2.0 bym Mojżeszowi wskrzeszonemu podyktowała. Bo czas na to jest najwyższy. Watykan tego za diabła w tym i w następnym tysiącleciu nie uczyni, więc Mojżesza powtórnie przywołać należy. On dobre CV posiada, bowiem się już raz w kontekście przykazań przecież dobrze sprawdził. Gdy tak sobie teraz myślę, to może z tego Synaju bym jednak, ze względów geopolitycznych, zrezygnowała. To w Egipcie przecież jest, a tam sytuacja obecnie niestabilna i rejon raczej zapalny. Dekalog 2.0 spokojnego miejsca dla ogłoszenia potrzebuje. Myślę, że w Afryce pozostać należy, bo co tradycja, to tradycja. Ja bym dzisiaj Kilimandżaro zamiast Synaju wybrała. To tylko konkretne zyski Bogu przynieść może. Od Izraela i judaizmu, przynajmniej geograficznie, istotnie oddala (co na licznych antysemitów wpłynąć pozytywnie i ideologicznie może), a poza tym Kilimandżaro najwyższą górą świata jest. To znaczy górą wolno stojącą. Himalaje bowiem synuś to górski łańcuch jest, więc w tym kontekście z powodów oczywistych odpada. Dekalog z góry wolno stojącej, i to do tego w Afryce ogłoszony, analogię z Synajem dużą posiada i w Stary Testament bez porównania marketingowo lepiej niż taki Mount Everest się wpisuje. Sam, jako absolwent ekonomicznej szkoły wyższej, rację mi synuś przyznasz. Poza tym przetransportowanie wszystkich Izraelitów niewolonych z Egiptu do Nepalu logistycznie skomplikowanym bardzo by było. Tanzania jest wyborem o wiele bardziej korzystnym w mniemaniu moim. Wiz do Tanzanii Izraelici nie potrzebują, a szczepienie przeciwko żółtej febrze na granicy przyjąć za opłatą niewielką mogą. Poza tym synuś sama nazwa „Kilimandżaro" magię w sobie ogromną zawiera. W przepięknym języku suahili Kilimandżaro „ta góra" oznacza, co jak sam synuś przyznasz, w sensie każdym mistyczne jest. Nie jakiś tam Synaj oklepany. Dekalog 2.0 z „Tej Góry" ogłoszony być powinien. Z Kilimandżaro właśnie. To pewną niestety niedogodność dla Mojżesza stanowić może, ponieważ on biedak na malowidłach w siermiężnych sandałach ze stopami w skarpety nieodzianymi występuje. A na szczycie góry Kilimandżaro śnieg – z powodów klimatycznych – niezależnie od roku pory występuje. Ale i to na korzyść Boga przemawiać przecież może. Przy pewnym spektakularnie obmyślonym scenariuszu. Wystarczy, że zobowiązany przez Boga Mojżesz sandały swoje ze stóp zsunie i w śniegu po kolana swoje, egipskim słońcem opalone, brodzić zacznie. Tym samym Eskimosów, Czukczów i inne ludy północne w śniegu i mrozie żyjące do Dekalogu w wersji nowej przekonując.

W tej wersji nowej – 2.0 – „niewolnicy" oraz „służebnicy" znikną, a także „woły" oraz „osły". Bo to megaobciach przecież synuś jest. Szczególnie wobec nowo nabytych na ten kredyt zaufania Eskimosów oraz innych śnieżnych narodów, które z wołami i osłami kontaktu z racji klimatycznej nie miały. To tak jak gdyby im w dziesiątym paragrafie (stara wersja) przykazać: „Nie będziesz pożądał igloo bliźniego twego, ani sługi, ani służebnicy, ani renifera, ani żadnej rzeczy, która jego jest". No, obśmialiby się po nauszniki.

Dlatego w wersji 2.0 Dekalogu, ze szczytu *Kilimanjaro* przez *Mzungu* (białego człowieka z suahili na nasz polski) ogłoszonej, takich bredni nie będzie. Ku intelektualnej radości ulubionego mojego filozofa Kołakowskiego Leszka, z zawodu profesora, radości „postawienia nareszcie na swoim" nieulubionych feministek, radości spokojnej synuś Twojej oraz radości „z cierpliwego doczekania" skłaniającej się ku religii rozsądnej i wiary godnej części ludzkości.

Przykazania, jak każde prawo, swoją wykładnię posiadać muszą. Bez wykładni prawo jest, jak mówią górale, „o kant dupy rozbić". A górale przeważnie rację mają, szczególnie mój jeden góral ulubiony i bezgranicznie szanowany Tischner Józef, z przekonania sługa Boży, w duszy poeta, a z zawodu ksiądz profesor, choć przy okazji antyfeminista okrutny, co mu wybaczyć trzeba z racji góralskiego pochodzenia. Gdybym Leona nie poznała, to właśnie z Tischnerem dziecko, a najlepiej od razu dwoje w postaci jednojajowych bliźniaków, mieć bym chciała. Powiadam Ci, że z nikim innym synuś. Szczerze ubolewam, że Tischner Józef swoich genów nie rozprzestrzenił (co do czego raczej pewność posiadam). Szkoda to wielka i strata dla świata ziemskiego niepowetowana. Ale to tak na marginesie synuś Ci wyznałam.

Bóg, na okoliczności zważywszy, swój Dekalog obmyślił, do czasów mu aktualnych odpowiednio dopasowując. To wersja 1.0 była, a każda wersja pierwsza, jak sam synuś – z powodu Twojego informatycznego wykształcenia – pojmujesz, zawiera tyle „robali", że wersję 1.1 już nazajutrz po udostępnieniu wersji 1.0 rozpocząć pisać należy. Ale nikt tego Bogu, Panu naszemu, nie powiedział, ponieważ informatyka wówczas nawet w powijakach nie była. Pod górą Synaj powijaki jedynie do owijania niemowląt służyły. Bo niby synuś jak? Nie było żadnych wcześniejszych Dekalogów przed Jego Dekalogiem, więc na czym miał się nasz Pan Bóg wzorować? A gdyby nawet, dajmy hipotetycznie na to, istniały one we wszechświatach naszemu równoległych, to pewność posiadam, że Bóg nasz nigdy żadnym plagiatem przy tworzeniu czegokolwiek, a tym bardziej Dekalogu, by się nie zhańbił. Bo Bóg przy tworzeniu Dekalogu nie pisał ani licencjatu, ani magisterki, ani doktoratu, ani rozprawy habilitacyjnej. Więc po co mu niby plagiat? Poza tym w uczciwości swojej nieskończenie bezgraniczny jest. I na dodatek jak, na miłość boską, wszechwiedzący Bóg mógłby na tablice kamienne innych Mojżeszów równoległych się powoływać? W Dekalogu, zdaniem moim, żadnych przypisów nie było.

Ale do Dekalogu synuś powróćmy. Bóg mógł tylko jego „zarobaczoną" wersję 1.0 stworzyć. Jak każdy programista, chociaż on raczej Programistą jest. Mimo to mógł sobie tego „niewolnika" oraz zwierzynę gospodarską podarować, no ale cóż. To szczególnie o wyraźnym Jego zaniedbaniu wobec kobiet świadczy.

Tutaj u nas w Piekle opinia panuje, iż większego mizogina niż Bóg to ze świecą szukać.

Ale ja Go trochę nawet synuś pojmuję. Wówczas ani na barykadach stojące sufrażystki bez majtek i gorsetów, ani feminizm, ani tym bardziej magister Szczuka Kazimiera nawet temu przykazaniowemu „osłowi" do głowy by nie przyszły. A szkoda bardzo, ponieważ to niewiasta mądrością i wykształceniem jest obdarzona. Doktoratu wprawdzie nie ma, ale po co teraz kobietom doktorat? Doda też nie ma i żyje. Poza tym na dodatek Kazimiera niektórych mężczyzn niekiedy po rękach całuje, co o jej dużym sprycie i przewidywalności zaświadczać może, a w czasach wydarzeń z góry Synaj byłoby to niezwykle doceniane ze względu na ekstremalnie wówczas patriarchat panujący. Gdyby Szczuka Kazimiera Panu Bogu przy kompilacji Dekalogu pomagała, to dzisiaj świat zupełnie inny byśmy synuś mieli. Czy lepszy, to nie wiem, ale – tak na moje – polepszony. W szesnastym wieku zamiast inkwizycji byłaby pewnie seksmisja, ale już w osiemnastym wszystkie kobiety alfa albo by wymarły, albo do rezerwatów na Madagaskarze przeniesione by zostały i wszystko wróciłoby do – w przybliżeniu – starej normy. Awangardowe kobiety połowy wieku osiemnastego z alfaizmu oczyszczone zrozumiałyby, że bez mężczyzn się nie wszystko da i na dodatek z mężczyznami jest to o wiele przyjemniejsze. To tak na marginesie, synuś.

Ale do wykładni prawa w Dekalogu zapisanej powróćmy. Bo to bardziej z religią aniżeli z Bogiem jest związane. I zdaniem moim poza czystą filozofię – jak niektórzy twierdzą – wykracza. A jak jakiś filozof mądry, którego nazwiska oraz imienia na ten moment nie pomnę, wyrzekł dnia pewnego, wieki temu, prawdę najprawdziwszą, gdy stwierdził, iż „pomyłki w religii są niebezpieczne, pomyłki w filozofii jedynie śmieszą".

Mojżesz prawo w Dekalogu zawarte jedynie przedstawił, ale o towarzyszących mu aktach wykonawczych niewiele rzekł. Tym się natychmiast Kościół zajął, liczne luki prawne wykorzystał i religię niejedną na ich bazie stworzył. I to, co Kościół z Dekalogiem poczynił, to się o pomstę do nieba synuś samo prosi. Ponieważ

Kościół bezprzykładowej i brutalnej falandyzacji Dekalogu się dopuścił. Jeśli spotkam – co ze względu na jego biografię od grzechu niestroniącą jest prawdopodobne wielce – w Piekle doktora habilitowanego Falandysza Lecha, profesora prawa z zawodu, to sama go, w oczy mu patrząc, zapytam, czy Bóg, z prawem zgodnie, cały Kościół zwolnić mógłby, bo, jak wiadomo, sam go przecież powołał. A to cudnie falandyzacji przecież wypisz, wymaluj podlega i na logikę Falandysza się przecież idealnie powołuje.

Ja teraz się z wykładnią Dekalogu zapoznaję w szczegółach i przy niektórych, nazwijmy to, synuś, „przepisach wykonawczych" ręce mi moje spracowane do poziomu gorącej piwnicy pod Piekłem opadają. Bo na ten przykład synuś niejaki św. Grzegorz z Nysy, co Augustyna świętego mógł znać, ponieważ w tym samym czasie ziemskie życie, na Niebo czekając, spędzał, interpretuje cele Boga w sposób bardzo konkretny, ubolewając w słowach: „Pierwszym celem Boga było, żeby ludzie rodzili się bez czynu lubieżnego, jednak po grzechu Adama stało się to niemożliwe". Ta wypowiedź Grzegorza z Nysy inspirowała intensywnie wielu jego następców synuś. Niektórzy wyobraźnią nie grzeszyli. Taki na przykład, z wykształcenia teolog, Jan Szkot Eriugena czterysta lat później żyjący wypowiedź Grzegorza z Nysy uszczegółowił następującym – z definicji niesprawadzalnym – kuriozalnym poglądem: „w raju seks nie istniał, a praojciec płodził dzieci, nie zaznając żadnej przyjemności, gdyż poruszał członkiem beznamiętnie, jak nogą przy chodzeniu czy ręką przy powitaniu". Przyznasz synuś, że to wyjątkowy przykład znajomości tematyki życia seksualnego w „raju" jest. A szczególnie w kontekście motoryki męskiego członka. Ja tam na ten przykład, gdy ludzi mi bliskich spotykam, to czuję namiętność pewną, przy powitaniu rękę im podając. Ale może się teraz czepiam niesprawiedliwie. Bo Eriugena, na sprawę dobrą, relatywnie okej był, w porównaniu z takim wygadanym kaznodzieją św. Bernardynem ze Sieny na przykład. Ten dogmatyczny i w statystyce biegły świętoszek to już naprawdę konie po betonie puścił, prawie sześćset lat po Janie Szkocie, małżeństwo jako instytucję w 99,999% matematycznie oczerniając. W swoich mowach płomiennych przekonywał, iż „na tysiąc małżeństw 999 należy do diabła, a jedno do Boga. Jedynym usprawiedliwieniem dla tych 999 jest to, że czasem rodzą się z nich dziewice i święci". Gdy się w to wczytać, to ja się nie dziwię, że w Piekle przebywam. Małżeństwo winą obarczone jest skalaną. Przynajmniej podług Bernardyna. A ja w trzech małżeństwach przecież żyłam, więc po trzykroć bardziej potępiona być winnam.

Bogu dzięki, u nas w Piekle jakość grzechu, a nie ilość się liczy.

„Zakonnik" Rasputin Grigorij wcale nie lepszy jest od zakonnika, który tylko raz jedyny – z powodu przewagi testosteronu nad powołaniem – namiętności swojej uległ i pocałunek wilgotny niewiasty młodej, powabnej na policzkach swoich odczuł i myśli lubieżne, erekcją się objawiające, go przy tym ogarnęły.

Potem Kościół na szczęście trochę się opamiętał. Prokreacja, co by nie mówić, także Kościołowi służy. Przynajmniej ekonomicznie. Przymknął trochę więc oko na przyjemności z cielesnego połączenia kobiety i mężczyzny płynące.

Połączenia dwóch kobiet sobie chyba nie wyobrażał, a połączenie dwóch mężczyzn odrzuca do dzisiaj. Szczególnie Kościoły nam najbliższe, nasze chrześcijańskie synuś. Najpierw jak struś głowę w piasek chowały, a potem homoseksualizm pod dywany piękne i drogocenne w bazylice w Rzymie i w innych stolicach po świecie rozrzuconych miotłą swoją zmiatały. Jeśli już zmuszone były do reakcji jakiejkolwiek, to zachowania homoseksualne i samych homoseksualistów wyjątkowo srogo potępiały. O antycznej Grecji i homosodomii tam panującej wybiórczo zapominając. Ponieważ to z naukami zawartymi w Biblii związane było. A tam czarno na białym stoi: „Niesprawiedliwi Królestwa Bożego nie odziedziczą. Nie łudźcie się! Ani wszetecznicy, ani bałwochwalcy, ani cudzołożnicy, ani rozpustnicy, ani mężołożnicy". Mężołożnicy, czyli homoseksualiści wtedy oznaczało. Samo słowo „homoseksualizm" od niedawna funkcjonuje. Wcześniej homoseksualizm jako sodomia określano, co teraz do kontaktów seksualnych człowieka ze zwierzętami się wyłącznie odnosi. Oczywiście, że współżycie mężczyzn było zabronione, a karą śmierć być miała. Przykrość mi to ogromną synuś sprawia, ponieważ ja w Piekle naszym takich pięknych w myśleniu i czuciu gejów spotykam, że mi za Kościół wstyd jest normalnie. Wstyd zajebiście wielki. Wybacz synuś wulgarność nieopanowaną. Ale nieraz tak trzeba. Szczególnie jak sobie przypomnę te biblijne opowieści synuś. Sodoma i Gomora z Księgi Rodzaju, potem Księga Sędziów i Księga Mojżeszowa. A w Nowym Testamencie na pewno List do Rzymian, Pierwszy List do Tymoteusza i do Koryntian. No więc mi w tym kontekście wkurwienie moje wybaczysz synuś, prawda?

Trochę nawet Kościół zrozumieć się staram, pomimo zdenerwowania. Na ziemię otaczającą orientować się musiał, więc jakieś usprawiedliwienie znajduję. A na ziemi wieki całe gamonie przebywali. Nawet nie wiedzieli, jak z pragnienia i miłości wynikające wpychanie penisa jednego mężczyzny w odbyt drugiego nazwać. Pierwszy raz słowo „homoseksualizm" w roku 1869 pewien węgierski lekarz zastosował. Ale na szczęście nie po węgiersku, więc się przyjęło. Bardzo szybko problemem homoseksualizmu psychiatrzy się zainteresowali, co dziwne dla mnie nie jest. I do wniosków doszli, zdaniem moim błędnych tragicznie. Psychiatra Richard Freiherr von Krafft-Ebing uznał (to nazwisko nie zmieści się w dokumentach urzędów podatkowych za diabła), że homoseksualizm chorobą jest. Oznaczało to tyle, że po pierwsze trzeba ją leczyć, a po drugie nie można jej oceniać w takich samych kategoriach moralnych jak świadomie popełniane grzechy, takie jak cudzołóstwo choćby. To dla Kościoła cios w podbrzusze był silny. Mężołożnicy jako choroba? Gruźlica, trąd, syfilis, kiła i pedały. Jeśli gruźlików karać nie przystoi, to co zrobić z resztą całą?

Psycholodzy i psychiatrzy przez długi czas więc pomocni nie byli. Dopiero w roku 1973 homoseksualizm został skreślony z listy zaburzeń psychicznych przez Amerykańskie Towarzystwo Psychiatryczne, na które świat z nieznanych mi powodów się mocno orientuje. Może to i dobrze, ponieważ Światowa Organizacja Zdrowia przy ONZ działająca, powszechnie jako WHO znana, wykreśliła homoseksualizm z tej listy dopiero w roku 1991.

Ale przy klasycznym połączeniu kobiety i mężczyzny pozostańmy. Tutaj kontroli Kościół za diabła nie popuścił. Jeszcze do niedawna, w relacji do czasu życia ziemskiego mojego, grzeszyłabym z Leonem, gdybym w piątki przed nim szaty zdejmowała. No więc Ci synuś teraz wyznam, że nie tylko wbrew przepisom grzeszyłam, ale także wbrew przepisom rozmnożyłam. I to dwa razy. Ty i Kaziczek w mniemaniu moim w piątek właśnie poczęci zostaliście. Bo Leon na prośbę moją dyżurów nocnych w pogotowiu ratunkowym w piątki nie brał i w związku z tym nasze pożycie w piątki bardzo intensywne i ponadto dłuższe oraz częstsze było. O wiele bardziej niż w poniedziałki na przykład. Bo za pracę w niedzielę nawet komuniści więcej Leonowi płacili, więc dyżury nocne brał, aby móc Kaziczkowi i Tobie ubranka nowe zakupić, remont w mieszkaniu przeprowadzić, tornistry i piórniki drewniane Wam w papierniczym sklepie nabyć, w długich kolejkach czekając.

Ale wstrzemięźliwość w piątki oraz w czasie adwentu i Wielkiego Postu nie była jedynym przykładem wkraczania w życie seksualne ludzi sakramentem małżeństwa połączonych. Kościół zabraniał stosunków małżeńskich jeszcze czterdzieści dni przed Bożym Narodzeniem, tydzień po Wielkanocy, tydzień po Zielonych Świątkach, w przeddzień świąt uroczystych, w czasie gdy kobieta w ciąży była, w każdą środę, w czasie menstruacji i pięć dni przed do komunii przystąpieniem. Bo małżeństwa przecież nie ustanowiono po to, żeby człowiek mógł żądze swoje zaspokoić, ale wyłącznie w celu ludzkiego gatunku przedłużenia. Biskup Orleanu, niejaki Jonasz, cały długi rozdział tym kwestiom w traktacie *De institutione laicali* podarował. Nie wiem, jaką niemocą psychiczną Jonasz był w chwili tworzenia tego „dzieła" dotknięty, ale z pewnością była owa niemoc poważna i interwencji psychiatry wymagająca. Zdaniem biskupa Jonasza czerpanie jakiejkolwiek przyjemności z cielesnego obcowania małżonków występkiem jest i grzechem. „Konieczne jest, ażeby żywot rodzinny był przystojny, a nie wszeteczny i sprzeczny z rozsądkiem" – pisał. Do „wszeteczności" należą, zdaniem jego, cytuję synuś teraz: „niespanie z żoną w sposób zwyczajny, ustrzeganie się płodzenia potomstwa, stosowanie pozycji *recto* oraz *coitus interruptus*".

Kościół wiedział dokładnie, co na zapieckach i pod pierzynami wiernych się wydarza, bowiem w trakcie spowiedzi nieświadomych swoich praw o ochronie danych w szczegółach się dowiadywał. I odpowiednio oraz konkretnie reagował. Głównie aby spowiednikom przy wyznaczaniu odpowiedniej i należnej pokuty pomóc. I tak na ten przykład synuś – posłużę się teraz katalogiem pokut przez biskupa Burcharda z niemieckiego miasta Worms opracowanym – za pieszczenie piersi małżonki przez małżonka kara 5 dni o chlebie i wodzie wynosiła, za pożycie w pozycji „nie po bożemu" dni od 20 do 40, za połączenie się męża z małżonką w okresie Wielkiego Postu cały rok pokutny (no chyba, że małżonek pijany był, to wtedy o 40 dni karę skracano), za pieszczenie genitaliów ustami 7, i to nie diety na chlebie i wodzie, ale wstrzemięźliwości absolutnej, i nie 7 dni, ale 7 lat. No sam synuś przyznasz, że to masakra jakaś. Ale to jeszcze nic w porównaniu ze stosunkiem „po grecku", czyli analnym. Za taki akt biskup Burchard z niemieckiego miasta Worms proponował spowiednikom nakazanie 15 lat ścisłej ascezy. Jeśli wierna lub wierny pragnieniami niepohamowanymi lub jedynie czystą ciekawością kierowani pożycia analnego się dopuścili w wieku lat, dajmy na to, dwudziestu pięciu, następnie wyrzutami sumienia ciemiężeni do spowiedzi poszli, kapłanowi szczerze swój epizod seksu analnego wyznali, to wracając ze spowiedzi swoją pokutą obciążeni, mogli łatwo policzyć – nawet bez jakiegoś specjalnego matematycznego wykształcenia – że to ich najprawdopodobniej ostatni w życiu seks mógł być. Obojętnie, czy grecki, czy francuski, czy nawet niestosujący języka żadnego. W czasach biskupowi Burchardowi teraźniejszych mało kto bowiem lat czterdziestu dożywał. Zastanawiam się synuś, jak oni biedacy sobie z tą pokutą, testosteronem oraz zwykłą chucią zwierzęcą do końca swoich ziemskich dni i godzin radzili, wiedząc, iż na seks małżeński, czyli sakramentalny, do końca życia szlaban z powodu pokuty nałożonej mają.

Zostawały im, synuś, chyba tylko intensywny jogging, gra w szachy, wyplatanie koszy z wikliny, czytanie starodruków po nocach oraz masturbacja i onanizm. Te ostatnie z ogromną, ku zdziwieniu mojemu, pokutną beztroską i pobłażliwością w katalogu Burcharda traktowane. Jedynie 10 dni na wodzie i chlebie! Jak za darmo. Żadna tam wieloletnia wstrzemięźliwość i asceza. Dziesięciodniowe wczasy odchudzające i po grzechu. Wynika to – jak synuś przypuszczam – ze swoistej empatii kleru, wśród którego wielu wirtuozów prawej ręki było. Chociaż to prawda niepełna, ponieważ i wśród duchownych wielu mańkutów znajdować się musiało.

I gdy ja tak teraz katalog Burcharda kartkuję oraz retrospektywnie przy tym na swoje i Leona życie spoglądam, to Bogu miłosiernemu dziękuję, że w bardziej tolerancyjnym dwudziestoleciu międzywojennym moje życie seksualne przeżywać mi przyszło. Inaczej i Leon, i ja na anemię byśmy z powodu braku witamin i żelaza pomarli, a chleba naszego powszedniego w piekarniach nie nastarczyliby wypiekać. Ponadto Was, z powodu nakazu wieloletniej wstrzemięźliwości, na świecie by nie było.

Niezwykle lajtowe potraktowanie przez Burcharda grzechu Onana mnie trochę, synuś, zastanawia. Mam swoje podejrzenia, że bardziej praktyczni w myśleniu przedstawiciele Kościoła i prawą, i lewą dłoń do tego przyłożyli, choć jest to bardzo opozycyjne w stosunku do wspominanego już św. Tomasza z Akwinu, na ten przykład. Twierdził on bowiem, iż masturbacja jest grzechem przeciwko naturze, czyli grzechem ciężkim. Liczni papieże tym twierdzeniem powodowani w listach pasterskich ostrzegali, aby mężczyzn ten występek popełniających za żadne skarby do stanu kapłańskiego nie przyjmować. Na całe szczęście nie wszyscy listy pasterskie dosłownie odczytywali. Gdyby tak było, to stan kapłański by zaniknął tak samo bezpowrotnie, jak zaginęły dinozaury. Około 95% mężczyzn się masturbuje przecież. A około 5% tych, którzy twierdzą, że tego nie czynią, to kłamcy lub prawdomówni, jednakże bez rąk urodzeni. Masturbacja nie podobała się nie tylko katolikom. Protestantom także nie. Jeszcze w wieku dziewiętnastym arystokratyczny z pochodzenia pastor Karl von Kopf sprytnie masturbację z walką klas połączył. Twierdził, iż

„masturbujący się mężczyźni są groźni nie tylko dla siebie, ale i społeczeństwa, gdyż wszyscy rewolucjoniści byli onanistami". Wierzysz synuś, że Lenin nie wywołałby rewolucji, gdyby się nie onanizował? Ja tam w to nie wierzę.

Masturbacja nie jest synuś masturbacji równa. Sam to przecież osobiście wiesz, ale nie w tym kontekście, którego chcę teraz – powiedzmy – dotknąć. Niejaki Benedykt z Salamanki w wieku siedemnastym myślami masturbujących się mężczyzn świat zainteresował i ciężar grzechu masturbacji z fantazjami erotycznymi ściśle powiązał. I natychmiast konkretne wytyczne dla spowiedników opracował. Masturbacja bez podtekstów (nie ma takiej masturbacji zdaniem moim) była przewinieniem najlżejszym. Masturbowanie się nałożone na myśli o niewieście było dwa razy groźniejsze. Jeśli niewiasta dziewicą była, jako „hańba" czyn taki określano. Fantazjowanie o pożyciu z krewną, na ten przykład z kuzynką daleką, jako „kazirodztwo" traktowano, a o lubieżnym dotykaniu zakonnicy w celu ejakulacji „świętokradztwem" nazywano. Spowiednicy więc bardzo konkretne wytyczne co do uciążliwości zalecanej pokuty dostali. I o to przecież głównie Benedyktowi z Salamanki chodziło.

Cała ta wielowiekowa dyskusja o rzeczy tak normalnej jak dotykanie swoich genitaliów w celu wywołania krótkotrwałej przyjemności, zdaniem moim skromnym synuś, jest nieudolną i skandaliczną próbą zakamuflowania wielkiej pomyłki Kościoła.

Nieuważni urzędnicy niepoprawnie w kwestii historii biednego Onana Genesis odczytali. I zrobili z niego onanistę, chociaż on przecież wcale penisa swojego do ręki, poza oddawaniem moczu, nie brał! W waginę wdowy po bracie swoim tragicznie zmarłym go wpychał, świętym prawem lewiratu się kierując. Chociaż nie do końca motywy Onana są dla mnie zrozumiałe, bo faktem jest, że „ilekroć zbliżał się do żony swego brata, unikał zapłodnienia", co dziwnym się wydaje, ponieważ o ewentualne alimenty chodzić w tym wypadku nie mogło. Lewirat orzeka bowiem, iż „dzieci urodzone z takiego związku za potomstwo zmarłego się uznaje". Onan spermę swoją w normalnym akcie seksualnym wytryskiwał. Jednakże nie do waginy, ust lub odbytu owdowiałej szwagierki swojej, ale na ziemię. I w tej ziemi pies jest pogrzebany. Onan bowiem się nie onanizował wcale! Jedynie stosunki przerywane praktykował. Nie chodziło więc Bogu o masturbację, ale o antykoncepcję. Jednakże urzędnicy Kościoła tego nie zrozumieli i niesłusznie biednego Onana o masturbację oskarżyli, co wielowiekowe skutki miało. I do dzisiaj ma. Gdybym ja Onanem synuś była, to Kościół do sądu bym podała. Z oskarżenia o zniesławienie. Z wnioskiem o przeprosiny oraz odszkodowanie związane z nieprawnym wykorzystaniem wizerunku. Ja synuś nie orientuję się zupełnie, jak sumę takiego odszkodowania porachować można. Myślisz, iż to bezpośrednio od liczby opublikowanych oszczerstw zależy? Jeśli tak, to na te wszystkie pisma teologiczne, encyklopedie niezliczone, tomy podręczników dla szkół różnych, artykuły w czasopismach poważnych i naukowych oraz czasopismach obrzydliwie szmatławych zważywszy, Onan mógłby – ustami adwokatów swoich – pokaźnej całkiem sumy kilkunastocyfrowej zażądać. Z torbami Kościoła by nie puścił, bo nie ma na świecie synuś tak wielkich toreb, ale w tym procesie wcale nie o torby by chodziło. O precedens by szło. I byłby to precedens ważny bardzo. Tak synuś przypuszczam.

Ale ja od nieporadzenia sobie Boga z międzyludzką miłością wyszłam i się bardzo dużo na temat instytucji o nazwie „Kościół" rozpisałam. A jak sam wiesz, w instytucjach mało jest miłości. Jeszcze mniej nawet niż w domach z betonu. Możesz po tym wywodzie moim powyższym synuś mylnego przekonania nabrać, że ja jakaś trochę antyklerykalna jestem. To synuś całkowita prawda nie jest.

Ja nie jestem „trochę" antyklerykalna. Ja bardzo antyklerykalna, synuś, jestem.

Ale nie ortodoksyjna. Zdarzają się klerycy, których przytulić i utulić bym na ten przykład chciała. Bogu oddani nie mniej niż gawiedzi z parafii im przynależnej. Zatroskani, nad wyraz mądrzy i swojej służbie oddani. Jak na przykład proboszcz kościoła w pewnej gminie w Opolskiem. Ów kapłan – prawdopodobnie wbrew woli swojej – z „cudem" został nieoczekiwanie skonfrontowany. W pobliżu jego kościoła z powodu pogody burzowej błyskawice na niebie się pojawiły w piątek po wieczornym nabożeństwie ostatnim. Jeden z piorunów w topolę wysmukłą trafił i na całej długości pnia ją jak piła tarczowa o małych zębach na połowę rozciął. Do pnia mała skrzynka drewniana w kształcie kapliczki z figurą Matki Boskiej przymocowana była (jakich pełno na polskich drzewach, bo nasz naród przecież z symboliki katolicko-rzemieślniczej słynie). Piorun bliznę na pniu topoli pozostawił, ale drewnianą skrzynkę oszczędził, pozostawiając ją nienaruszoną całkowicie. Naród zamieszkały w okolicach topoli dziwne zachowanie pioruna natychmiast w „cud maryjnej topoli" obrócił i akcję PR-ową cudu owego przy sklepie spożywczo-przemysłowo-monopolowym, w gospodzie, przy remizie ochotniczej straży pożarnej oraz w Internecie zainicjował. Tak intensywnie, że proboszcz w niedzielę przy wypełnionym po brzegi kościele się do tego do cudu odnieść musiał. Nie może być przecież tak, że cud jest na Polsacie, a nie ma go na mszy. Proboszcz, czując na sobie oddech telewizji Polsat oraz rozumiejąc naglącą potrzebę wiernych, do „maryjnego cudu topolowego" się odniósł tak pięknie, że mi na chwilę antyklerykalizm przeszedł jak ręką odjął. W trakcie kazania bowiem proboszcz z ziemi opolskiej mój ulubiony rzekł głosem spokojnym i nienawiedzonym: „W naszej parafii zdarzył się ostatnio niezwykły cud. Dzięki naszym rekolekcjom udało się przekonać do leczenia 29 alkoholików. Pomódlmy się teraz wspólnie za ich silną wolę". Szmer się falą wówczas w wypełnionym po brzegi kościółku rozszedł, a także szmer w moim mózgu się inną falą rozszedł. Żadnej synuś topoli cudownej w kazaniu nie było. Proboszcz na bardzo szkodliwym i rozpowszechnionym w parafii etanolu się skupił. I to tak nie-oczekiwanie i pięknie dla mnie zabrzmiało, że antyklerykalizmu się w sobie pozbyłam. I w tym stanie długo trwałam. A gdy pro-boszcz do ogłoszeń parafialnych dotarł, to mi się ten stan prze-dłużył, bo proboszcz do opłaconej sumą ogromną mszy „w in-tencji cudownej topoli" się odniósł. I wtedy synuś mnie zatkało na maksa, że tak nowocześnie się wyrażę. Proboszcz powiedział głosem podniesionym, że „w intencji dębów, sosen, akacji, topoli oraz innych drzew mszy intencyjnej odprawiać nie będzie, bo to intencjom mszy za zmarłych ubliża". A potem spokojnym głosem fizykę pioruna wiernym objaśnił, wskazując, że kapliczka zawie-rająca figurę Maryi jest stalowymi blachami do topoli przytwier-dzona i do tego w pewnej odległości. Piorun nie mógł dotrzeć do drewna kapliczki, ponieważ rozładował się na stali. Cud wy-darzył się więc jak najbardziej. Polegał na fenomenie przewod-nictwa stali. A to boski fenomen jest znany powszechnie od dawna fizykom, więc topoli w niczym nie uświęca. Tak synuś proboszcz na głos w pełnym ludzi kościele powiedział. Probosz-czów objaśniających „cud" prawami elektrycznego przewodnictwa stali, i to z wysokości ambony, jest w naszej Polsce raczej niewielu, jeśli nie on jeden. Sam więc synuś rozumiesz, że antyklerykalizm mógł mi chwilowo niebezpiecznie zaniknąć. Jednakże opinia moja o klerykalizmie zmianie nie uległa. Bo w nim wyłącznie ucieczki od czystego *sacrum* się dopatruję, co tylko zabawom w ateizm przysłużyć się może. I to mnie synuś niepokoi bardzo. Bo z niektórymi ateistami to my tutaj w Piekle nieustanny problem mamy. Wielu z nich z grzechem tak naprawdę utożsamić trudno. Dekalogu za życia swojego zupełnie nie uznawali, ale jednocześnie żadnego przykazania nie złamali. W dzień święty do Realu lub galerii handlowych nie chadzali. Innego „Boga przede mną" także nie posiadali, bo w żadnych bogów nie wierzyli. Przykazań „o niewolnikach", czystością i etyką swoją się kierując, nie łamali. Nikogo nie zabili. No w ogóle kaplica, czyli nic z tych dziesięciu rzeczy synuś. A w Piekle poniewierają się pomimo to. To synuś wyjątkowo absurdalna niesprawiedliwość w mniemaniu moim jest. To tak jak gdyby przed sądem dla ssaków postawić jaszczurki i zarzucić im, że nie ssą. Jakiś kosmiczny absurd synuś. Ja takie przypuszczenie Nusza posiadam, że gdy taki bezgrzeszny ateista do bram Nieba puka, aby przed Sądem Ostatecznym stanąć, to Bóg najchętniej by udawał, że go w domu nie ma.

Przy okazji w dygresję długą się ponownie i nieopatrznie wplątałam. Wybacz mi to synuś. Ja tak naprawdę o moim kochaniu Ciebie najbardziej pisać lubię.

Tak naprawdę to na tym Fejsie, synuś, z Tobą jestem, bo tę moją miłość do Ciebie chcę jakoś w słowa poskładać.

I opowiedzieć Ci to, czego za życia nie zdążyłam. I to nie z braku czasu synuś. Rok i pół przecież umierałam, z łóżka się nie ruszając, więc czasu mnóstwo było. Gdy mi serce nawalać zaczęło, to uwierzyć przecież nie mogłam, że mi kiedyś stanie zupełnie. Myśleliśmy z Leonem, że to taka tylko kolejna awaria oraz że ją usuniemy z serca mojego, gdy palić przestanę, robotę rzucę, na rentę przechodząc, i tabletki odpowiednie łykać zacznę. Na rentę przechodziłam w trudzie i znoju trzema komisjami lekarskimi wymęczona, z czego jedna była na wyjeździe w Bydgoszczy. Papierosy rzuciłam z miesiąca na miesiąc (tylko w chwilach słabości w toalecie popalając, ale dla zdrowia tylko z filtrem i tylko do połowy papierosa), tabletki łykałam cierpliwie i podług instrukcji, ale nic ku poprawie nie szło. Leon uważał, że tabletki nie te co trzeba, „bo te łapiduchy się nie znają", więc mnie po gabinetach lekarskich w szpitalach i przychodniach przeganiał jak urzędnicy petenta od biura do biura w prezydium. Staniki przed tyloma lekarzami z siebie zdejmowałam, że chyba wszyscy kardiolodzy z Torunia moje piersi widzieli, nie mówiąc o niższym personelu pomocniczym w postaci pielęgniarzy, bo pielęgniarek to nawet nie liczę ze względu na inny, synuś, kontekst. Dlatego ja z powodu miłosnej troski Leona oraz jego chronicznego braku zaufania do „łapiduchów" serce, jak dziwka jakaś, dotykane przez wszystkich możliwych lekarzy miałam. A wydruków EKG to tyle, że całą szufladę w serwantce zajmowały. Czułam się przy tym wobec Leona niefortunnie, bo on serce moje nie tylko całym swoim kochał, ale także chciał uleczyć. Dlatego po którejś wizycie u kolejnego kardiologa zacząć go okłamywać postanowiłam, opowiadając, że lepiej się czuję. On tego mocno wyczekiwał, więc uwierzył jak dziecko w Świętego Mikołaja. Ale wkrótce całe kłamstwo moje na jaw wyszło, gdy dnia pewnego dusić się zaczęłam. W sercu moim przepływ krwi pomiędzy przedsionkami i komorami, albo komorami i komorami, albo jakoś tak, nie odbywał się tak, jak powinien, bo te zastawkami przykrywane lub odkrywane zawory jakoś z powodu wyhodowanej choroby awaryjnie działały. A to dusznościami okropnymi się objawia. Okazało się, że w ataku takim podobnie jak u astmatyków jedynie zastrzyk dożylny z eufiliny pomóc mi może. Leon zastrzyki dożylne z racji swoich obowiązków w służbie zdrowia robić potrafił, jednakże mi w żyłę igły wepchnąć, z powodu trzęsących się rąk swoich i ogólnego silnego zdenerwowania, nie mógł. Dlatego do przychodni lub szpitala mnie w tym celu zawoził, gdy dyżur miał, albo jego koledzy mnie zawozili, gdy akurat wolne miał. Potem, gdy regularnie raz na dzień się dusiłam, Leon pielęgniarza w robieniu zastrzyków wyspecjalizowanego opłacił, który wkrótce stałym gościem w domu naszym się stał. Na początku raz na dzień przychodził. Na końcu, tuż przed śmiercią moją, zdarzało się, iż pięć razy bywać u nas musiał. To dla mnie synuś od momentu pewnego zagadkowe było, jak on ma moich pokłutych jak lalka wudu rękach pod różnobarwnymi siniakami linię żyły wynajdywał i zawartość strzykawki w niej bezboleśnie nieomal opróżniał. Cichy, odpowiedzialny, punktualny, spolegliwy oraz obowiązkowy niezwykle człowiek. Babcia Marta w związku z tym podejrzenie powzięła, że niemieckie korzenie posiadać musi, ale mu to po kilku miesiącach wybaczyła. Ostatni raz przyszedł, z planem zgodnie, o siódmej rano w piątek, 16 grudnia A.D. 1977. Jak zwykle nie spóźnił się – w sensie praktycznym – ani o minutę, ale w teoretycznym spóźnił się o całą wieczność, ponieważ ja około czwartej rano umarłam. Ale to tak synuś na marginesie.

Opowiedzieć Ci wielu rzeczy za życia nie zdążyłam z przeoczenia, z zaniedbania, z zaniechania lub – najczęściej – z tej śmiesznie naiwnej, ale głębokiej wiary mojej, że będę żyć wiecznie, więc zawsze jeszcze zdążę. Ale nie zdążyłam, synuś. Gdyby chociaż przy umieraniu moim to „przewinięcie taśmy życia wstecz" mi się wydarzyło. Ale nie. Może zbyt łapczywie umarłam? A może do tego „przewinięcia" mózg tlenu potrzebuje, a ja się przecież udusiłam. Nawet nie wiem, czy byłeś wtedy przy mnie. Byłeś, synuś?

I z tego niedopowiedzenia sobie teraz obrazki z wycinków wspomnień składam. Czasami płaczę, czasami ze śmiechu wyję, a czasami ręce przed siebie wyrzucam, aby Cię dotknąć i utulić. Bo ja Cię tulić chciałam, synuś, ciągle. Jak jakiś beznadziejnie uzależniony od tego tulenia ćpun. A Ty mi uciekałeś. Czasami na godziny, czasami na dni, a raz uciekłeś mi na całe pięć lat. Na godziny to sama Cię synuś przez określony czasookres życia naszego wspólnego oddalałam. Z powodów socjalizacyjnych i z myślą o przyszłości. Chcieliśmy z Leonem wytchnienie babci Marcie dać, ale przede wszystkim Kaziczka i Ciebie do życia w grupie zorganizowanej przyzwyczaić, a nie tylko w tej hordzie na podwórku. Pamiętam, jak Cię Kaziczek za rękę do przedszkola pod wezwaniem „Jaś i Małgosia" na ulicy Lelewela prowadzał. Widzę wyraźnie. Jak gdyby to wczoraj rano po śniadaniu było. Ty do płotu się rączkami przypinałeś, a on Ci te rączki odrywał i za sobą wbrew woli Twojej, a z przykazania Leona i mojego, do przedszkola na siłę ciągnął. Bo Ty, na moje, w grupie zorganizowanej znaleźć się nie chciałeś wcale. Babcia, dziadek, Leon, ja, Kaziczek, pies Puszek oraz kot Murzyn z odgryzionym prawym uchem jako grupa Ci wystarczaliśmy zupełnie. I to Ci, synuś, jak Cię obserwuję do dzisiaj, zostało. Organizacji nie lubisz za czorta. Ale wtedy to płaczem żałosnym wyrażałeś i trzymaniem się rączkami Twoimi małymi płotu zardzewiałego. Dzisiaj masz to po prostu — wybacz synuś wulgarność — w dupie i każdy taki płot byś skopał. I żaden starszy brat nie miałby nic przy tym do gadania. A my przecież z Leonem jedynie dobro

Twoje na uwadze i w sercach mieliśmy. Cobyś już od maleńkości życia społecznego trochę liznął, swoje miejsce w szeregu pośród innych odnalazł, o swoje walczyć się nauczył, gdy prawda po stronie Twojej jest, albo innym ustępował, bo czasem i tak trzeba. I dlatego Kaziczkowi polecenie daliśmy, aby Cię do zorganizowanej grupy „maluchów" w socjalistycznym przedszkolu „Jaś i Małgosia", na Twoje opory nie zważywszy, zaciągnął. Babcia Marta na ten przykład pogląd na tę sprawę zupełnie inny miała. Gdy Cię do płotu przypiętego widziała, to w kapciach i bez okrycia wierzchniego biec za Tobą chciała, coby nasze plany wychowawcze wobec Ciebie z powodu rozczulenia swojego zrujnować. Bardzo niepochlebnie się o mnie wyrażała, gdy ją w progu domu gwałtownie zatrzymywałam. Wiesz synuś, że Twoja babcia Marta w chwilach największego uniesienia klęła po niemiecku? Pewnie nie wiesz, bo ona przy Tobie głosu nigdy nie podniosła. „Na kolanka" Cię brała, „włoski" Ci gładziła, słodyczami „futrowała", arie Ci śpiewała, z psem w łóżku spać pozwalała i bułki z dżemem na podwórko Ci wynosiła, żebyś sobie broń Boże zabawy nie przerywał i do domu wracać nie musiał. I powiem Ci synuś, że ja bardzo zazdrosna o Martę byłam. Uczucie takie miałam, że Ty ją bardziej ode mnie kochasz. I takie dziwne ukłucia pod sercem moim schorowanym wtedy odczuwałam. To matka moja, babcia Twoja, ale to z mojego brzucha mi Ciebie wyjęli. I to ja pierwsza główkę Twoją łysą i niekształtną całowałam.

Myślisz synuś, że kochałeś Martę bardziej niż mnie? Czy tylko inaczej?

Mnie także dusza bolała, gdy Ci Kaziczek rączki Twoje od płotu odrywał. Ale najbardziej bolała, gdy Leon dnia pewnego karetką swoją tuż pod sklepem moim spożywczym z piskiem opon zahamował i do szpitala na ulicy Batorego mnie na syrenie samochodem marki Nysa powiózł. A tam Ty na kozetce brudnej zapłakany leżałeś z pokrwawionym bandażem wokół głowy swojej. Jak jugosłowiański partyzant jakiś. W ramach walki o prawdę swoją w pysk pewnemu chłopakowi z grupy „średniaków" – za niesprawiedliwość małej dziewczynce z grupy „maluchów" wyrządzoną – dać chciałeś. Do końca życia mojego powiedzieć mi nie raczyłeś, cóż to za niesprawiedliwość była, ale skutek jej wyrównania dla główki Twojej był tragiczny i bolesny. Chłopak ze „średniaków", o półtorej głowy wyższy od Ciebie, stwierdził, że taki karzełek nie może mu wobec niewiasty wstydu przynosić, i jednym szybkim ruchem ręki to udowodnił. Traf chciał, że upadając, czołem o ostrą, cementową krawędź obramowania piaskownicy z siły całej uderzyłeś, co fatalne skutki dla Twojej główki miało. Leon, przewrażliwiony na jej punkcie, natychmiast podejrzenie powziął, iż to nie o czaszkę i naskórek Twój tylko się rozchodzi, ale przede wszystkim o mózg, który już raz testowi na wytrzymałość podlegał. Bogu dzięki po badaniach licznych przez Leona w niecenzuralnych słowach wymuszonych okazało się, że raczej wstrząśnienia mózgu tym razem uniknąłeś, a i podstawa czaszki nienaruszona została. Gdy do domu Cię takiego w bandażach przywieźliśmy i historię Twojej walki o honor pewnej nieletniej niewiasty z grupy „maluchów" babci Marcie w szczegółach opowiedzieliśmy, to gdy tylko się ze swojego pierwszego szoku otrząsnęła, wysyczała mi z satysfakcją i jadowicie: „A nie mówiłam ci? Dzieciaka do przedszkola posyłasz, zabiją go tam nam jeszcze, serca nie masz, kobieto". I potem z powodu bandaży Twoich przez miesiąc, pod pretekstem zmiany opatrunków, nie miałam synuś żadnych wobec Marty argumentów, aby Cię do przedszkola posyłać. I gdy już po miesiącu na nowo posłałam, to się tak płotu po drodze uczepiłeś, iż myślałam, że go przewrócisz. A Marta, patrząc na to, tylko klęła. I to cały czas po niemiecku.

Uciekałeś mi synuś nie tylko na godziny.

Pewnego dnia pod koniec lata pewnego gorącego na całe pięć lat mi uciekłeś. Taki Summer of '69 synuś zrobiłeś, że dech w piersiach mi zaparło. Z tęsknoty mi oddech odjęło. Ja myślałam, że to tak na chwilę. Jak atak astmy jakiejś. Ale nie. To mnie przez całych pięć lat trzymało w rodzaju bezdechu. Trochę mnie synuś przydusiłeś. Porzuciłeś mnie, Nuszku. Tak mi się wydawało na początku. Ale syn porzucić matki nie może. Chociaż trochę to trwało, zanim zrozumiałam. Bo ja Cię tak synuś szalenie kochałam, że gdy Cię w pokoju obok nie było, to rzygać mi się chciało z tęsknoty. Dosłownie tak. A Leon mi mówił, że mam sobie odpuścić, bo Ci tęsknotą moją przyszłość zepsuję. Synowie odchodzą od matek „i teraz Irenka wreszcie *Schluss*". Tak mi Leon po niemiecku frazę kończył. A gdy Leon po niemiecku coś mówił, to jakby ktoś widelcem drapał o widelec albo zmoczonym styropianem po szybie przejeżdżał, więc mnie to wstrząsało i na chwilę zapominałam o tęsknocie swojej. Ale myśli moich nie opuszczałeś.

Ty tam daleko. Bez nikogo. Kto Cię tam utuli? Kto przykryje Cię, gdy rozkopiesz kołdrę? Kto synuś? Czasami chodziłam sobie na zasikany Dworzec Wschodni w Toruniu i patrzyłam, jak odjeżdża pociąg do Kołobrzegu. Przez Bydgoszcz, Piłę i przez Białogard. Tak sobie patrzyłam synuś i lepiej mi było, bo jakieś połączenie z Tobą czułam. Przez Białogard. A potem w nocy, gdy moczyłam łzami nagie ramię Leona, to on mi mówił, że „świruję". I się wcale nie mylił. Bo świrowałam. On także świrował. Ale wojownik taki był, że swoich uczuć nie okazywał, czym tylko wrzody na żołądku swoim powiększał. I w takim stanie umysłu mojego zaczęłam powieść epistolograficzną z Tobą synuś pisać. Każdego dnia jeden kawałek. Zeszyt w kratkę sobie kupiłam i pisałam. O psie Azorze, czy ma pchły, o tym, co dzieje się na podwórku, o kocie Murzynie, który Cię wypatruje, o babci Marcie, która jak jakaś nawiedzona nie przestaje o Tobie mówić, o braku Ciebie ogólnie, o tym, że pranie zrobiłam i nie było koszul Twoich, o tym, że kapusta kiszona w kiosku na rogu jest taka biała i soczysta, jak lubisz najbardziej, o tym, że mi ta kapusta bez Ciebie nie smakuje zupełnie, i także o tym, że mi bez Ciebie nie smakuje nic zupełnie. Nawet papierosy.

Nic pomiędzy liniami pisać nie chciałam. Dlatego zeszyt w kratkę kupiłam. Ale i tak najważniejsze pomiędzy linie, których nie było, wpychałam. I Ty synuś to odczytywałeś, tę miłość spomiędzy linii moją. I pomiędzy swoje linie swoją miłość mi wpisywałeś, wcale jej po imieniu nie nazywając. I to Ci do dzisiaj pozostało. Dlatego czytam Cię synuś pomiędzy liniami najchętniej. To nienapisane najważniejsze jest w pisaniu Twoim. Tak myślę synuś. Potem kupiłam kolejny zeszyt w kratkę. A następnie następny. I tak pięć lat wyrywałam kartki z tych zeszytów i pisałam Ci, czy Azor ma pchły. A gdy Azora samochód przejechał i Leon go zakopał przy transformatorze, to pchły Azora wymyślałam. Bo Azor zawsze miał pchły. Nawet po śmierci swojej musiał mieć. W Azora bez pcheł byś synuś przecież nie uwierzył. A ja chciałam, abyś wierzył, że Azor żyje ciągle. Ale potem przyjechałeś pociągiem przez Białogard, Piłę i Bydgoszcz, a Azor nie zsikał się z radości przy drzwiach, Ciebie witając. I patrzyłeś na mnie z takim smutkiem synuś. Takim ogromnym. Ty mieć całe morze smutku w oczach swoich potrafisz. Całe oceany. Kruchy tam w środku synuś jesteś. Smutek Cię tak osłabia, że pisać zaczynasz w tej bezradności swojej. Ale wtedy tylko patrzyłeś na mnie, a ja jedynie wargi zagryzałam, aby nie płakać. Ja to do dzisiaj synuś pamiętam.

I czasami na tym Fejsie to sobie tak synuś do rana siedzę, bo senności nie czuję tęsknotą odurzona. Sam przecież z powodu Twojego wykształcenia oraz zainteresowań i doświadczeń życiowych wiesz doskonale, że taką w człowieku tęsknota chemię perfidną wytwarza, iż mu on sen zaburza kompletnie. Bo na kortyzolu z powodu stresu niecierpliwości czekania się jest, na adrenalinie z powodu złości na to czekanie i na braku dopaminy z powodu uczucia nieszczęścia i smutku. Na taką kombinację nawet ciepłe mleko z miodem nie pomaga. Więc ja synuś często dopiero nad ranem – według zegarka – na spoczynek się udaję i często niektóre rzeczy w okolicy przed innymi rejestruję. I dzisiaj, w piątek, 22 lipca A.D. 2011 – co mi się nostalgicznie ze starą skomuszałą Polską i „dniem wolnym od pracy" z powodu święta Odrodzenia kojarzy – zarejestrowałam w Piekle poruszenie ogromne. Piekło dnia owego norweskie się stało. I wszędzie krzyże w Piekle się pojawiły. Granatowe. Na tle czerwonym. Jak na norweskich flagach oraz chorągiewkach. Ważny plac, który imienia dotychczas nie posiadał, dekretem pośpiesznie wydanym na plac Breivika przemianowano. To mnie trochę na początku synuś zadziwiło, ponieważ żadnego Breivika ani osobiście, ani medialnie przyjemności lub nieprzyjemności poznać nie dostąpiłam. Ale to się zmieniło radykalnie, gdy tylko się przez chwilę krótką dopytałam, o co z tą miłością do Norwegii nagle się rozchodzi. A to wcale synuś miłość do Norwegii nie była. To była miłość do nienawiści przez pewnego obywatela Norwegii długo pielęgnowanej. Dokładnie tak. Obywatel ów, Anders Behring Breivik, w Oslo nie tak dawno urodzony i w Oslo ostatnio zamieszkały, z nienawiści do pewnych ludzi oszalał, w związku z czym zupełnie innych ludzi nieznanych mu nawet z widzenia zamordować postanowił. I w piątek 22 lipca A.D. 2011 spektakularnie to uczynił, świat przerażeniem ogromnym napawając, a nasze Piekło w równie ogromny zachwyt wprowadzając. O godz. 15.22 w centrum Oslo potężną bombę odpalił, następnie o 17.07 na nieodległej od Oslo maleńkiej wyspie Utøya się znalazł, ale już o 18.27 w drogę powrotną do Oslo na policyjnej łodzi ruszył. Od 15.22 do 18.27, czyli przez, w przybliżeniu, trzy ziemskie godziny, zdążył 77 razy przeciwko piątemu przykazaniu „Nie zabijaj" zgrzeszyć. Bombą ośmioro ludzi zabił, a na Utøya sześćdziesięciu dziewięciu rozstrzelał. Taką synuś wydajność w Piekle się dostrzega, docenia, szanuje i nagradza, wdzięczność swoją między innymi w postaci dekretów wyrażając. Tym bardziej, że Breivik tego w jakimś tam afekcie nie uczynił, ale z planem szczegółowym i krwią lodowato zimną. Nie dość, że w błyskawicznym tempie złamał 77 razy przykazanie piąte, to jeszcze od 15.22 do 18.27 łamał nieustannie przykazanie pierwsze: „Nie będziesz miał bogów cudzych przede mną". Bo Breivik, gdy zabijał, Bogiem się czuł. Co do tego wątpliwości to ja synuś nie mam żadnych. A raporty, fotografie i relacje z wysepki Utøya potwierdzają to w pełnej rozciągłości. W Niebie musieli to odczuć boleśnie, bo zabić to zabić, ale czuć się przy tym Bogiem kontekst zupełnie inny posiada.

Breivik na naszym Fejsie Bogiem nie jest, ale bożkiem na sterydach i blond bożyszczem z pewnością. Serwery padały od klikania w „lubię to" pod jego fotografią i fotografiami trupów na kamiennym brzegu Utøi. Jednym z tych trupów była czternastoletnia dziewczynka. Gdy to do mnie dotarło i gdy tym fotografiom z trupami nieletnich się synuś napatrzyłam, to na nowo nazwany plac Breivika się pośpiesznie udałam i okolicznych żebraków płci męskiej poprosiłam, pieniądze niemałe im darując, aby nocy następnej, gdy plac opustoszeje, kał na placu owym w ilościach maksymalnych i na dużej przestrzeni wydalili. Pomyślałam, że jedynie gównem – wybacz synuś wulgarność – mój stosunek do Breivika wyrazić można. Ponieważ Anders Behring Breivik z zawodu „chrześcijański fundamentalista" taką breję czynami swoimi rozlał, że rwące potoki gówna przy niej to jak kryształowo czysta woda święcona. Jednakże Ci synuś więcej o tym pisać nie będę, bo wyjdzie na to, że ja Breivikowi, pseudonim „Breja", jakieś „publicity" robię, a to tylko perwersyjnego zadowolenia dostarczać by mu mogło.

Uff! To okropny dzień synuś był dla mnie, ale radość ze zgody na obsranie placu Breivika dzięki trzewiom oraz wzmocnionej finansowo (z moich pieniędzy) empatii żebraków posiadłam, więc dla uspokojenia oraz zebrania innych myśli telewizor w godzinach wieczornych oglądać postanowiłam. W bardzo wieczornych, powiedziałabym nocnych nawet, ponieważ kanał „Kultura Piekła" uruchamiają zaraz po pornosach, gdy normalni grzesznicy akurat jedynie o śnie myślą, w głębokim śnie się już znajdują lub znajdować powinni. A tam, na kanale owym, ostatnio taki serial leci, co mnie przyciąga i pociąga. Nakuszeni przez telewizję komercyjną producenci postanowili odkulturalnić kanał „Kultura", relację z kontenera w ramach audycji typu „Wielki Brat" emitując. Tam nazywa się to z angielsko-francuska „Big Brother Intellectuel", coby cierpiące na bezsenność i nieznające języków obcych przypadkowe gamoństwo samym tytułem odstraszyć. Ja kiedyś, pilotem klikając, przypadkiem na tym kanale się znalazłam i od momentu owego bywam na nim regularnie. A tam synuś nikt pod prysznicem piersi swoich krzemem wypełnionych nie pokazuje, nikt seksu oralnego pod kołdrą w pokoju niecałkiem zaciemnionym nie proponuje. Wszyscy prawie bez ustanku na kanapach, fotelach lub na podłodze przesiadują i zupełnie bez ustanku rozmawiają. Głównie o miłości, bo ta problematyka w podtytule została wyeksponowana, na cenzurę w Piekle nie bacząc. A podtytuł w rozwinięciu jest smakowity: *Paradygmat kultury miłości wobec kolejnych zwycięstw nienawiści*. Na samym początku w słowniku u Kopalińskiego znaczenie słowa „paradygmat" wyszukałam, bo to słowo pospolite dla ludzi takich jak ja, bez matury, raczej nie jest. Okazało się, co hellpedia.hell w rozciągłości pełnej potwierdza, że wstydzić się za brak wiedzy swojej nie muszę, ponieważ to słowo dopiero w roku 1962 przez pewnego amerykańskiego (a jakżeby inaczej) filozofa wymyślone zostało i zanim do obiegu się przedostało, kilka dobrych lat przeminęło. Ja w gomułkowskich latach sześćdziesiątych wieku dwudziestego sprzedażą artykułów spożywczych i monopolowych w sklepach przedsiębiorstwa MHD intensywnie od rana do wieczora byłam zajęta, więc z racji oczywistych śledzenie rozwoju filozofii, szczególnie amerykańskiej, zaniedbałam. W czasach owych w Polsce, o czym sam synuś podczas swoich częstych wizyt w bibliotece miejskiej na ulicy Granicznej w Toruniu przekonać się mogłeś, najbardziej rozpowszechnioną amerykańską filozofią były myśli wyrażane przy fajkach pokoju poprzez pewnego prześladowanego przez „amerykański imperializm" Indianina o nazwisku Winnetou. Bo czasy takie były, że przez żelazną kurtynę jedynie Indianie przeskoczyć mogli. To tak gwoli usprawiedliwienia. Ale teraz już wiem, że paradygmat bardzo podobny dogmatowi jest, tyle że podważony w konsensusie być może, co dogmatowi się niestety przydarzyć nie może. Gdyby religie, dajmy na to chrześcijańskie, na paradygmatach, a nie na dogmatach postawione były, to kościoły pełne ludzi by dzisiaj były, i to nie tylko w niedziele wielkanocne i w noce pasterek. Takie mnie synuś w tym kontekście przemyślenia naszły, ale to w relacji do audycji pod tytułem „Big Brother Intellectuel" znaczenie raczej marginalne ma, bowiem tam do paradygmatów mało się nawiązuje, na miłości się skupiając. A zestaw „gadających głów" do dyskursu zgromadzony jest przepiękny i przekrojowy. Aż chce się z wdzięczności za takie programy abonament telewizyjny zapłacić, i to na dwa lata z góry. Zdaniem synuś moim temat – prowokację w sobie niosący – głowy owe do kontenera przygnał. Bo przecież nie jakaś kasa albo parcie na szkło. To nie ten target celebrytów, jak się za chwilę sam synuś przekonasz.

Obojętnie jak bardzo nienawiść jako uczucie wiodące propagowana będzie, to i tak miłości ulegnie. Bo bez miłości nienawiść nigdy by nie powstała. Żeby nienawidzić, trzeba najpierw kochać. Wszyscy w Piekle to wiedzą, a Ci, co nie wiedzą, to krzyż im niech lekki na drogę będzie. Coby się szybko oddalili. Bo niektóre małe, kudłate mózgi zindoktrynowane co do neuronu pojedynczego tego pojąć nie chcą, chociaż same z aktu miłości w większości powstały. Ale mniejsza o to.

„Wielki Brat Intelektualny" na kanale „Kultura" z paradygmatem miłości w podtytule wciągnął mnie jak chodzenie po bagnach. Punktualnie o drugiej pięć w nocy zaraz po wiadomościach na podłodze siadam i czekam na to, co tym razem o miłości na ten przykład Kinsey Alfred Charles powie. To od niego zawsze się nazwijmy to show rozpoczyna. Kamera. Głośna, monumentalna muzyka skrzypcowa. Zbliżenie. Kinsey w nieskazitelnie białej koszuli, jak zawsze w muszce pod szyją i jak zawsze z notesem na kolanach i czarnym piórem wiecznym w dłoni prawej. Podnosi wzrok, rozgląda się badawczo po kontenerze, zaczyna drapać się po czole, aby po chwili wydobyć z siebie jakąś inspirującą prowokację. Najczęściej w formie pytania do jego ankiety. Bo Kinsey synuś od tej swojej obsesyjnej ciekawości uwolnić się nie potrafi. Widocznie ciągle za mało mu rozmów o seksualności na ziemi było. Pomimo tysięcy przepytanych ludzi oraz pomimo rodzaju podglądactwa, które zdaniem jego w „imię nauki" regularnie uprawiał. Wiadomo bowiem nie od dzisiaj, iż Kinsey swoich asystentów nie tylko do przeróżnych praktyk seksualnych gorliwie namawiał, ale nawet niekiedy – za ich zgodą – wyczyny ich filmował na strychu domu swojego w Bloomington. Niektórzy biografowie poważnie w pismach swoich spekulują, iż Kinseya nie tylko naukowa ciekawość, ale przede wszystkim nieposkromione i nietuzinkowe w przejawach swoich libido napędzało. Inni, po freudowsku, do dzieciństwa małego Alfreda nawiązują. Jego rodzice zdewociałymi chrześcijanami do Kościoła metodystów przynależnymi byli. Ojciec Kinseya oprócz listonosza wpuszczał do swojego domu praktycznie jedynie podobnych mu innych dewotów, a więc Alfred tak naprawdę w atmosferze moralnej represji dorastał. Na ten przykład niedziele u Kinseyów spędzane były na całodniowych modlitwach, o czym dorosły Alfred w licznych wywiadach, gdy po swoich raportach słynnych celebrytą się stał, bez skrępowania opowiadał. Ale Ty, synuś, życiorys Kinseya znasz, często w pismach swoich się do jego badań odwołujesz, więc zanudzać Cię szczegółami pobranymi z CV Kinseya więcej nie zamierzam.

Ostatnio Kinsey transmisję z kontenera dość – zważywszy nawet na jego chroniczny brak skrupułów – niestandardowo rozpoczął. Zwracając się do rozpostartej na kanapie, wytwornej w swojej stukilowej chyba szacie Lukrecji Borgii, zapytał:

– Przy fantazji o jakim mężczyźnie, podczas masturbacji, odczuwa pani najbardziej intensywne zwilżenie pochwy?

No to ja Ci synuś powiem, że czegoś takiego się po tym świntuchu Alfredzie nie spodziewałam. Zamarłam na chwilę, z napięciem na biedną Lukrecję spoglądając. Alfred tymczasem notatnik spokojnie rozwarł i pióro z kieszeni wydobył. Wrażenie miałam, iż dla niego pytanie owo nie było bardziej szczególne niż zapytanie Lukrecji, czy lubi kapuśniak, a jeśli tak, to czy ze słodkiej, czy kwaśnej kapusty. Ku zdziwieniu mojemu okazało się, że Lukrecja ze spokojem kapuśniaku pytanie owo przyjęła. Uśmiechnęła się tylko filuternie, fryzurę kokieteryjnie poprawiła, oczętami swoimi przewracając i wargi śliną zraszając, odrzekła:

– Oczywiście nie wymienię imion i nazwisk konkretnych mężczyzn, ponieważ mogliby poczuć się zbyt pewni swojego uroku i zaprzestać o mnie zabiegać, tak jak to czynią teraz. Powiem panu jednakże, iż nie jest to mój ojciec oraz nie jest to żaden z moich braci, ani Juan, ani także Cesare.

Aluzja Lukrecji do oskarżeń o jej rzekome kazirodztwo dla wszystkich oczywista była. Tak do końca z tych zarzutów jej nie oczyszczono, chociaż w wieku dziewiętnastym otwarte archiwalia zaświadczają, że raczej z ojcem i braćmi Lukrecja Borgia nie sypiała. Gdyby to prawdą ostateczną się kiedyś okazało, byłaby to jednocześnie rehabilitacja papieża Aleksandra VI, ponieważ Lukrecja córką papieża była, z kochanką Vannozzą Cattanei spłodzoną (do zakończonego poczęciem Lukrecji połączenia z Vannozą doszło, kiedy ojciec Lukrecji, Rodriga Borgia, ciągle jeszcze kardynałem był). Pomówienie Lukrecji o kazirodztwo, i to z papieżem, oczywiście smaczkiem niesłychanym dla Kinseya było, więc temat współżycia z rodziną i w rodzinie najbliższej szczegółowo rozwinął, na swoje liczne dane się powołując, sam jednak przyznając, iż przypadek pożycia córki z ojcem na tron Piotrowy wyniesionym jest kazusem w historii niepowtarzalnym. Stwierdziwszy to, jak jakiś prokurator zapytał, na ciekawość naukową się oczywiście powołując, czy prawdą jest, iż Lukrecja w dniu 31 sierpnia A.D. 1501 (jako prawowita wówczas małżonka swojego trzeciego męża Alfonso I d'Este) w słynnej orgii odbytej w apartamentach rzymskiego Pałacu Apostolskiego (a zorganizowanej przez Cesarego, brata Lukrecji) udział brała i czy prawdą jest, że na to „przyjęcie" papież, czyli jej ojciec, także zaproszony został. Ponadto zainteresowanie liczbą prostytutek dla celów tej orgii wynajętych wyraził oraz wprost Lukrecję zapytał, czy przypuszcza ona, że to w trakcie tego wydarzenia jej brat Cesare syfilisem się zaraził.

Przy tym Kinsey od „rzucania kalumni" się zażegnywał, ponieważ historycy co do tego pewności, zdaniem jego, nie mają. Niektórzy tę relację za prawdziwą uważają, inni z kolei wiarygodności jej stanowczo odmawiają. Kinsey osobiście w orgiach niczego specjalnie nadzwyczajnego nie dostrzegał, więc Lukrecję (na wizji, czyli *live*) przekonywał, aby kilka pikantnych szczegółów zdradziła, bo to dla widzów, słowami Kinseya, „może się wydać niezwykle interesującym". I dla widzów historyków rodzącego się renesansu, i dla widzów seksuologów, i dla widzów z narodu zwykłego pochodzących, którzy chcieliby wiedzieć, czy skandaliczny film pod tytułem *Kaligula* jedynie mrzonką reżysera i scenarzysty jest, lub czy się o prawdę chociaż jednym bokiem otarł. Lukrecja gorącego tematu orgii słowem jednym nie skomentowała, ale zamiast tego w długim wywodzie do opinii historyków co do swojej reputacji, a raczej jej braku, się odniosła. Ani wenecki kronikarz Giorolamo Priuli, który ją nikczemnie „największą kurtyzaną Rzymu" nazwał, ani wtórujący mu zajadle umbryjski Matarazzo racji nie mieli. Na taki komplement „trzeba było sobie w Rzymie czasów owych naprawdę zasłużyć, a ja przecież tylko nic nieznaczącą dziwką byłam ze swoimi trzema mężami i kochankami, których można policzyć na palcach jednej ręki. A to zasługi jak na rzymskie standardy początku wieku szesnastego nawet mniej niż mizerne. Gdyby nie jej pochodzenie i wysokie stężenie testosteronu w papieskiej krwi jej ojca byłaby dzisiaj zupełnie nieznaną rzymską mieszczką".

W tym momencie Leśmian Bolesław się odezwał, nasze małe *polonicum* w intelektualnym „Wielkim Bracie", wykrzykując, że „rozmowa wyraźnie od tematu miłości się oddala, czemu on się zdecydowanie przeciwstawia, ponieważ jako poecie dusza mu postąpić inaczej nie zezwala". Wszyscy na niego z pobłażliwym zaciekawieniem spojrzeli. Leśmian z powodu wzrostu niewielkiego (155 centymetrów) zazwyczaj poduszkę sobie twardą i pokaźną pod pośladki wsuwa, aby na kanapie jak karzeł niewyrośnięty nie wyglądać. Frustracja niewysoką posturą była powszechnie jego przyjaciołom znana i wielu pamiętało, że Leśmian gotowy był „oddać swój talent poetycki za kilka centymetrów wzrostu". Szczęście całe synuś, że nie oddał, bo *W malinowym chruśniaku*, by nie było, a sam wiesz, że świat bez tego wiersza byłby jak nie całkiem dokończony. To chyba jedyny wiersz, który Leon, ojciec Twój niepoetycki, chciał, aby mu do ucha szeptać, gdy rozczulenie go ogarniało. I ja mu wówczas język w uszy wsuwałam i gdy gęsia skóra jego skórę własną pokryła, to mu szeptałam:

> *I stały się maliny narzędziem pieszczoty*
> *Tej pierwszej, tej zdziwionej, która w całym niebie*
> *Nie zna innych upojeń, oprócz samej siebie,*
> *I chce się wciąż powtarzać dla własnej dziwoty.*

A Leon zapominał się wówczas pięknie i mapę ciała mojego tak dobrze mu znaną z pamięci swojej usuwał i jeszcze piękniej od nowa przypomnieć ją sobie pragnął, jak gdyby to nasz zupełnie pierwszy, a może i najbardziej ostatni pierwszy raz był. I dlatego synuś moje erotyczne życie erotykom Leśmiana ma do zawdzięczenia wyjątkowo dużo.

A tak w ogóle to Leśmian był niezadowolony z tego, na co wpływ raczej niewielki lub żaden posiadał. Nie dość, że niski, to do tego łysawy, z żydowskim orlim nosem i nazwiskiem, którego na tyle nie lubił, że je zmiękczył przecinkiem nad „s". Z żydowsko brzmiącego Bolesława Lesmana stał się baśniowo brzmiącym

Bolesławem Leśmianem. Namówił także do zmiany nazwiska swojego stryjecznego brata, który z Jana Lesmana w krótkiej chwili Janem Brzechwą się stał, o czym synuś, jak przypuszczam, mógłbyś nie wiedzieć. Gdy *Akademię Pana Kleksa* Kaziczkowi i Tobie przed snem czytałam, to kuzynostwo Jana i Bolesława do głowy mi nie przyszło nigdy.

Jeśli o miłość chodzi, to nadmienić należy, iż Leśmian od monogamii zdecydowanie stronił. Z czego też żadnej tajemnicy raczej nie czynił. Kobiety, z którymi sypiał, znały się nawzajem i specjalnych problemów z powodu braku wyłączności do małego ciała Leśmiana nie czyniły. Czesława Sunderland, bardziej biografom Leśmiana jako Celina znana, uległa jego bałamuctwom – cokolwiek to znaczy – w wieku lat piętnastu (on był o 8 lat starszy). To w Iłży, na zboczu posiadłości rodziny Sunderlandów słynny malinowy chruśniak się rozciągał. Uczucie do Celiny silne być musiało, ponieważ Leśmian się jej oświadczył, jednakże czarną polewkę przełknąć musiał. Nie przeszkadzało mu to za Celiną do Paryża wyjechać i romans z nią odświeżyć. Jednakże przedtem z koleżanką Celiny ze studiów, z niejaką Zofią Chylińską, kobietą o egzotycznej urodzie, się blisko i intymnie zapoznał. Chylińska żoną Leśmiana wkrótce się stała i dwoje dzieci mu urodziła. Bolesława tymczasem hazard zafascynował. Namiętnie w pokera grał, pracowicie, choć bezskutecznie, „niezawodny system wygrywania w ruletkę" opracowywał i dalej z Celiną romansował. W roku 1917 poznał przyjaciółkę Celiny, niejaką Lebenthal Dorę. Zakochał się w niej bez pamięci, ale ani z kochanką, ani z żoną nie zerwał. Starsza córka Leśmiana Celinę i Dorę „dwiema rozpustnymi lesbijkami" nazywała, bo przez pewien czas (wcale niekrótki) panie w jednym domu mieszkały w rodzaju artystycznej komuny. Dora młodsza od Leśmiana o 8 lat z zawodu lekarzem ginekologiem była i do tego rozwódką. Jej były mąż za bardzo przystojnego mężczyznę uchodził, który tak jak wielu innych w tym czasie przez łóżko Zofii Nałkowskiej przeszedł, ale to synuś zupełnie inna bajka. W każdym razie poeta Leśmian Bolesław w rozmowę Kinseya i Lukrecji Borgii się bezceremonialnie wmieszał i głośno przeciwko sprowadzaniu „miłości wyłącznie do pożycia seksualnego" zaprotestował, co salwy sarkastycznie brzmiącego śmiechu w kontenerze wywołało, ponieważ cieleśnie konsumowana chroniczna *poliamoria* (tak to teraz synuś – przyznasz, że ślicznie? – psychologowie nie tylko amerykańscy nazywają) Bolesława L. dla nikogo tajemnicą nie była.

Jedynie Monroe się nie śmiała.

Palcami skronie swoje powoli rozcierała, jak gdyby atak migreny wypędzić z głowy chciała. Zamyślona, ze smutkiem w oczach jak u ciągle małej i zagubionej dziewczynki. Marilyn

Monroe, z domu Norma Jeane Mortenson, ochrzczona jako Norma Jeane Baker (58,5 miliona razy wspominana na ziemskim Google'u, podczas gdy Adolf Hitler jedynie 25,8 miliona. Nawet nie wiesz, jak ta statystyka synuś mnie zadowala, 2:1 w meczu Hitler *vs.* Monroe na Google'u; to jest duże zwycięstwo ludzkości w meczu z potworami). I wtedy Bolesław Leśmian, z powodu zawstydzenia chyba, z podwyższenia pod tyłkiem swoim się zsunął i przy Marilyn się przysiadając, dłoń jej całować zaczął. Kinsey w tym momencie notatnik na dywan podłogę kontenera przykrywający odłożył i przez chwilę w milczeniu i rozczuleniu się tej scenie przypatrywał. Wkrótce jednakże mu to minęło i wystrzelił nabojami ostrymi – jak to w Kinseya zwyczaju – zwracając się do Monroe, zapytał:

– Mrs. Monroe, sypiała pani jako żona ze sportowcem bez matury niejakim Josephem Paulem DiMaggio, następnie tuż po zaledwie 274 dni trwającym małżeństwie poślubiła pani wrażliwego intelektualistę po studiach – więc z maturą – niejakiego Arthura Millera. Obydwaj byli prawie w tym samym wieku, obydwaj zdrowi i heteroseksualni, obydwaj około dwanaście lat starsi od pani, obydwaj prawdopodobnie zakochani w pani. Gdyby mogła pani ocenić, na skali od 0 do 6, jakość swojego życia seksualnego w obu małżeństwach, to jakie przyznałaby pani oceny?

Marilyn spokojnie po butelkę z colą bez cukru sięgnęła, Leśmian przestał całować jej nadgarstki, Lukrecja Borgia wyrazem twarzy odmalowała swoją satysfakcję, a cała reszta ludzi w kontenerze na chwilę oddech wstrzymała. Wtedy Marilyn głosem u niektórych mężczyzn określone fantazje powodującym spokojnie acz w długiej przemowie odpowiedziała:

– John F. Kennedy 10, jego młodszy brat Robert 0+ (plus jedynie za to, że nie chrapał), a o mężach, bo nie mam tego w zwyczaju, wypowiedzi nie udzielę, ty ciekawski owadobójco i specjalisto od bzykania os galasówek. Oprócz tego zastosowałeś złą skalę, Alfred. Uparłeś się chyba na tę „szóstkę". Istnieli i pewnie istnieją ciągle mężczyźni, którzy się w Twoim zakresie nie mieszczą. Ty przywiązałeś się do swoich siedmiu stopni homoseksualizmu, prawda? Ty w ogóle, Alfred, to chyba trochę homoseksualny jesteś? Tak cię szacuję na pomiędzy 2 i 3, głównie hetero, ale bardziej niż przypadkowo homo dla dwójki lub bi dla trójki. Poza tym, gdy już raczysz ze mną rozmawiać, to powiem ci, że te twoje raporty są niepełne. Próby do ankiet wybrałeś jakoś tak, no powiedzmy, że nie chcę powiedzieć rasistowsko, więc powiem selektywnie. Afroamerykanie, obywatele pełnoprawni nasi, są przez ciebie pominięci zupełnie. Tak jak gdyby w łóżkach Murzynów nic się nie działo.

Wierz mi na słowo honoru, że się działo. Ja wiem, że czasy inne i niesprzyjające ciągle wtedy były, ale ty, Kinsey, nie na politykę i uprzedzenia powinieneś się orientować. Pominąłeś wiele interesujących odpowiedzi na swoje pytania. I nie zadałeś, Kinsey, innych ważnych. Twoje raporty, Kinsey, mają za mało pigmentu i dlatego są zbyt wybielone. A ten twój przekręt z jednym pedofilem, którego odpowiedzi rozłożyłeś na kilka osób, to jest działanie nieomal kryminalne. Jestem jako Amerykanka tobą Kinsey rozczarowana. Gdybyś opublikował swoje raporty w Europie, to wylądowałbyś w jakimś czytanym przez kilkudziesięciu nieznanych specjalistów naukowym żurnalu o niskim nakładzie. Ale ty, doktorze Kinsey, szczęście miałeś, że opublikowali ci je w purytańskiej Ameryce. W tamtych czasach w Ameryce nazwanie łechtaczki łechtaczką było w niektórych stanach zagrożone karą więzienia, podobnie jak homoseksualizm, seks oralny, a nawet zdrada małżeńska. A ty, Kinsey, sobie pozwalasz spokojnie w raportach między innymi bezeceństwami napisać, że 17 procent amerykańskich farmerów obcowało płciowo ze zwierzętami. Ale za tobą przecież z nieznanych mi powodów stał wówczas wszechmocny klan Rockefellerów, więc zamiast do więzienia trafiłeś na listy bestsellerów i na kiczowatą okładkę tygodnika „Time".

W środku tej gazety jakaś para nawiedzonych i wykształconych ponad miarę entuzjastów napisała o tobie, że – cytuję – „Kinsey zrobił dla seksu to, co Kolumb zrobił dla geografii". To nie jest piękny komplement niestety, ponieważ większość Amerykanów, jeżeli o geografię chodzi, jest przekonana, że Budapeszt to małe miasteczko w stanie Wisconsin, a Kolumb to grał w baseball. I ty, Kinsey, nie możesz o tym nie wiedzieć. Ameryka była w twoich i moich czasach zacofana (z wyjątkiem mało licznej elity i przedwojennych oraz powojennych, głównie żydowskich, emigrantów). W Ameryce ludzie zachwycali się francuskim serem, ale odróżniali go od mydła dopiero wtedy, gdy brali prysznic. Więc powiem ci, Kinsey, w przedostatnim słowie, że ty się tutaj nie wywyższaj. Pamiętaj, Kinsey, że jesteśmy w Piekle, a to nie średniowieczna Dakota Północna w USA lat pięćdziesiątych, gdzie ludzie twoje raporty czytali w tajemnicy przed pastorem, w tajemnicy przed szeryfem oraz w tajemnicy przed mężem lub żoną, na strychu przy świecy, i gdy się przy czytaniu zmasturbowali, niektórzy fantazjując przy tym zmysłowo o swojej krasuli, to pomyśleli, że nie są całkiem offline, bo pasują jak ulał do twoich tabelek. A teraz się Kinsey nie uśmiechaj pod nosem do kamery. Słuchasz mnie, ale nie potrafisz mnie brać poważnie, prawda? Za bardzo jestem blond, prawda? Za bardzo pasuję do twojego stereotypu? Nie masz ochoty Kinsey wydobyć mnie z szuflady, w której mnie w swoim mózgu zamknąłeś. Prawda? O DiMaggio pytałeś. U niego byłam dokładnie w tej samej szufladzie co u ciebie. Z naklejką „infantylna, słodka, głupiutka MM". Gdy zaczęłam wypytywać go, dlaczego nie czyta książek, to się obrażał i przestawał kupować mi biżuterię. Dlatego przestałam go pytać. Pytałeś także o Millera. U niego o dziwo także byłam w tej szufladzie. Gdy zaczęłam go pytać o książki, to zaczynał kupować mi biżuterię. Dlatego przestałam także go pytać, ponieważ od niego nie chciałam dostawać biżuterii. Więc sam widzisz, Kinsey, że strasznie trudno być intelektualistką, gdy lubi się diamenty...

Kinsey śmiać się zaczął. Ale tak prawdziwie i serdecznie tym razem. Nie do kamery. Borgia, czy ciągle ma swoją biżuterię wokół szyi i na uszach, pośpiesznie sprawdziła, bo z Rosjanami przecież nigdy nie wiadomo, a Jesienin powłóczystym od wódki krokiem do Marilyn podszedł i na obu kolanach przed nią klękając, wyszeptał:

– Sierioża Aleksandrowicz Jesienin jestem, ze średniowiecznej północnej Rosji. To daleko od Dakoty Północnej, więc na Boga proszę się nie lękać. U nas nawet lokaje na dworach wiedzieli, gdzie jest Budapeszt, a chłopi to do dzisiaj wiedzą, kto to Kolumb. Ale zapewnię panią, że o Kinseyu nie słyszeli. Ja także nie. W Rosji Kinsey niewiele by się o seksie dowiedział. Kobiety by go wyśmiały, a mężczyźni odpowiedzieliby jednym krótkim zdaniem: *Nie nuzna govorit', jebat' nada.* A poza tym jest pani taka piękna i krucha. Zaopiekuję się panią. Zostanie pani moją żoną? Chociaż na jakiś czas?

Monroe w oczy Jesienina się wpatrywała, jego policzki palcami gładziła, a Kinseyowi, aby się nie odzywał, znaki za plecami jego dawała. Po chwili na głowę Jesienina falami włosów pokrytą pozostałą w butelce colę wylała i krople z jego oczu oraz warg placami zdejmując i połykając, wyrzekła:

– Sierioża Aleksandrowicz, co pan tutaj za bzdurne poezje po pijanemu recytuje? Nic pan się od życia na ziemi nie nauczył! Nic. Miał pan już przecież kilka żon, którymi tylko krótko się pan opiekował. Z tego, co mi wiadomo, to raczej one panem. Słownie pięć. To zdumiewający wynik jak na mężczyznę przed trzydziestką. Bo umarł pan młodo, Sierioża. Trzydziestu lat pan jeszcze nie ukończył, gdy się pan w hotelu w Sankt Petersburgu na rurze pod sufitem powiesił. Oprócz wielu kochanek, które z pewnością chciały o panu zapomnieć, pięć pańskich „na jakiś czas" żon musiało o panu tego jesiennego wieczoru myśleć. Dobrze lub źle, ale myślały. Pięć żon w pana wieku. Coś takiego! To nieprzeciętny wynik, przyznasz, Kinsey? Skąd miał pan tyle pieniędzy na adwokatów? Z pisania poezji to raczej chyba nie. Pan się zabił godnie, Sierioża Aleksandrowicz, jak na poetę przystało. Jednoznacznie. Wisielec nie pozostawia w tym względzie żadnych niedomówień. A pan na dodatek zostawił pożegnalny list. Co ja mówię. Jaki list. Pan pozostawił pożegnalny poemat. Napisany atramentem z własnej krwi. Naciął pan sobie żyły na nadgarstku, upuścił krwi i zamaczał w niej stalówkę swojego pióra przy pisaniu swojego ostatniego wiersza. Boże, jakież to romantyczne, Sierioża. I jak pięknie przechodzi się dzięki temu do historii. Zabił się pan także pięknie. Bardzo poetycko. Nie tak jak ja. Ja panicznie bałam się widoku krwi. Aktorki często tak mają. Krew na planie to przecież tylko oszukańcza farba. Ale pan przecież powinien znać aktorki. Dwie pana żony były aktorkami. Akurat dwie ostatnie, więc powinien pan chyba ciągle je pamiętać. Poślubił pan ostatnią, tak mówią niektóre jadowite języki, zanim rozwiódł się pan z przedostanią. W Dakocie Północnej za bigamię zgniłby pan w więzieniu. Ale pan przecież z północnej Rosji. Jakie to szczęście dla pana…

Kinsey, który nagle i wyraźnie moderatorem audycji z kontenera nadawanej się poczuł, palec w kierunku Morrisona wysunął, aby pytanie mu zadać. Ale nie zdążył, bowiem niepozorny mężczyzna na drodze linii jego palca stanął, czym Kinseya wyraźnie zirytował. Szczerze Ci, synuś, powiem, że mężczyzna ów w tej zupie encyklopedycznych i medialnych celebrytów pasował jak utopiona tam przypadkowo mucha. Zwykły człowiek taki. U dołu ekranu telewizora natychmiast podpis się pojawił: „John Lincoln Weber, katolik". Coby naród wiedział, z kim ma do czynienia.

Weber chyba z nieśmiałością swoją intensywnie walczył, ponieważ ręce mu się trochę trzęsły i pot na jego wysokim czole wystąpił. Podstarzały był, pomarszczony na twarzy, taki w wieku Twoim synuś. Ale wychudzony i przystojniejszy od Ciebie. Tutaj tacy ważni, opisani, z biografiami drukowanymi, a on taki katolik tylko. I gdy swoje drżenie rąk i krtani opanował, to głosem nerwowym, w gardle mu momentami niknącym przemówił:

– Pani Monroe, pani Borgia, profesorze Kinsey, szanowni państwo. Czy ja mogę teraz coś o miłości? O mojej miłości? Bo to i na temat w końcu będzie, i mi pewnie pomoże. Mogę? – dodał, rozglądając się niepewnie i nieśmiało wokół.

Monroe Jesienina, coby jej widoku nie zakłócał, natychmiast na bok odsunęła i powiedziała:

– Kinseya się pan pyta, Weber? Kinseya? On na miłości się zna tak jak matematyk na całkach. Rozwiąże równanie, poda wynik w liczbach, ale co ta liczba znaczy, i tak nie zrozumie. Niech pan opowie. Proszę!

Weber dłonie splótł, krawat poprawił, oddechu nabrał i mówić zaczął:

– Ja któregoś razu we wsi na ławce siedziałem i paliłem papierosa. I podeszła do mnie kobieta. Śliczna. Bo chciała zapalić, a zapałek chyba nie miała. I gdy tak w jej oczy patrzyłem, podpalając jej papierosa, to wyszło ze mnie takie dziwne pragnienie. Zapytałem ją, ot tak, impulsywnie, czy ze mną do miasta daleko od naszej wsi pojedzie. Nie wiem dlaczego zapytałem. I to nie było kłamstwo, ponieważ ja do tego miasta chciałem tego wieczoru pojechać. Wiem tylko, że w tym momencie zapragnąłem, aby ona tam ze mną pojechała. Coś takiego się zdarzyło, że chciałem, aby – gdy jej już papierosa podpalę – nie zniknęła z mojego życia. Dziwne to takie, ponieważ ja normalnie do obcych kobiet się nie zbliżam. Ale do niej chciałem. Co ja ciągle z tym chciałem?

Proszę wybaczyć. Powiedziała tylko, że „pan mnie z kimś pomylił", i odeszła. W podróży myślałem o niej. I cieszyłem się, że palę. Bo gdybym nie palił, to przecież by do mnie nie podeszła. I następnego dnia jeszcze bardziej się cieszyłem. Bo przez moje palenie świat mi ją podarował. To znaczy nie ją samą, ale myśli o niej. Umieściłem ją w swoim świecie. Bez jej wiedzy i bez jej przyzwolenia. Tak jest bezpieczniej. Budziłem się rano i myślałem o niej. Zasypiałem wieczorem i myślałem o niej. Kupowałem bułki, wybierając te, które myślałem, że ona lubi, i dopiero w domu zauważałem, że z zamyślania o niej zapomniałem zabrać torebki z piekarni. Myłem zęby i myślałem o niej. Obcinałem paznokcie i myślałem o niej. Wynosiłem śmieci i myślałem o niej. Masturbowałem się pod prysznicem i myślałem o niej. Chciałem jej dotykać, rozbierać i na powrót ubierać. Czesać jej włosy, czochrać jej włosy, patrzyć, jak maluje się rano w łazience, wydawać na nią pieniądze, przyjmować od niej prezenty, wiedzieć, kiedy ma okres, wiedzieć, kiedy bolą ją zęby, kiedy się boi i kiedy chce, abym nic nie chciał od niej, ponieważ chce być sama ze sobą. Opowiadała mi o sobie w tych moich myślach. O tym, co przeczytała, o tym, co chciałaby, abym ja jej przeczytał, o tym, że lubi jedwab, o tym, że nienawidzi korków na drogach, gdy do niej jadę, o tym, że uwielbia korki na drogach, gdy z nią jadę. I o parkingach, na których powinniśmy się na chwilę zatrzymać i się całować do opuchniętych warg. I o tym, że gdyby zaczęła pisać, to napisałaby dla mnie miłość. Swoją. Od nowa. Taką szczęśliwą, bez zazdrości, bez bólu, bez krzyków, bez cierpienia i bez poniżenia. To było zarozumialstwo, ale wydawało mi się, że może by mogła napisać tam trochę o mnie. I dlatego ja się tak cieszę, że palę. Bo bez palenia to nigdy bym tego zarozumialstwa nie poczuł. Uczyniłem ją w swoich myślach moją kobietą. Nie wiedziałem tak naprawdę, od którego momentu kobieta staje się „moją", ale przypuszczałem, że to się wydarza, gdy nie wstydzę się przy niej płakać. Albo odważam się pewnego dnia albo pewnej nocy wyszeptać jej do ucha, że jest najważniejszym człowiekiem na świecie. I zaczynam się wtedy panicznie bać. Bo może mi siebie przecież odebrać. Porzucić mnie. Powiedzieć mi – w moich myślach – że jakim prawem, bo niby kto ja? Jeden jedyny krótkotrwały płomień ze mną podzieliła, a ja tu sobie jak jakiś narzeczony fantazjuję o całym wspólnym ognisku. A może nawet o dziecku z nią…

W tym momencie Kinsey głośno chrząknął i takiego farmazona synuś wywalił, że mi wstyd nieomal kiszki skręcił i gdyby mnie do kontenera w tym momencie ochroniarze wpuścili, tobym mu nie tylko to jego piękne pióro z dłoni, ale także jądra z korzeniami wyrwała. Z wyraźnym zaciekawieniem bez szacunku na Webera spoglądając, monotonnym swoim głosem rzekł:

– Jest pan przypadkiem schizoparanoidalnym. Zdarzają się takie. Przeżywa pan swoją miłość w wyobraźni, ale konsumuje ją pan cieleśnie. Jest pan ciekawym obiektem badawczym. Czy mógłby pan dokładniej opowiedzieć o swoich epizodach masturbacji pod prysznicem? O której godzinie robi to pan zazwyczaj? Jak dużo czasu potrzebuje pan od decyzji o masturbacji do pełnej erekcji? Czy zdarza się panu odczuwać niepełne erekcje? Czy za każdym razem pan ejakuluje? Czy fantazjuje pan za każdym razem o tej samej kobiecie? Czy przed epizodem masturbacji ogląda pan materiały pornograficzne? Czy spożywa pan napoje zawierające etanol? Czy przed masturbacją inhaluje, połyka, rozprowadza na błonach śluzowych, wstrzykuje do układu krwionośnego substancje określane zazwyczaj jako narkotyczne? Czy wpływają one na jakość pana orgazmu? Jeżeli tak, to jak by pan to ocenił w skali od 1 do 6? Czy sądzi pan, że objętość pana ejakulatu zależy od pory dnia lub substancji, które wprowadził pan do swojego organizmu? Czy nie obawia się pan, że ta objętość, ponieważ pan pali, jest zbyt mała? Mężczyźni niepalący w pana wieku produkują przeciętnie 3,5 mililitra spermy. Pan jedynie

1,9 mililitra. To tak ostrzegawczo w nawiązaniu do pana fantazji o ojcostwie.

Biedny Weber, jak leżąca na asfalcie, kopana w nerki i głowę ofiara napadu wschodnioniemieckich skinów, z każdym zdaniem Kinseya coraz bardziej kulił się i kurczył. Gdy w chwili pewnej w ukłonie, jak nękany wrzodami żołądka cierpiętnik, się pochylił, to Morrison się odezwał. W zasadzie nie odezwał. Krzyczeć zaczął. Wykrzykiwać głośno.

– Kinsey, weź ty sobie objętość swojego mózgu zmierz najpierw! Dla dobra nauki najlepiej pod prysznicem! Bo ci uszami szara masa wypływa i za chwilę ci na tę twoją ankietę skapnie i potracisz dane. Człowiek normalny, naiwny trochę – niech pan wybaczy, Weber, bo tu celebryci cwani przesiadują, co każde swoje pierdnięcie muszą zautoryzować – tobie, Kinsey, jak naćpany Goethe swoje kochanie opowiada, a ty jego ejakulaty chcesz w probówki wlewać i suwmiarką mililitry czy milimetry mierzyć?! Ty porąbany jesteś, Kinsey. Bardziej niż to wynika z twoich książek. Bo miłość, Kinsey, to nie wagina i penis i nie bzykanie os galasówek. Weź się Kinsey tak zadurz tęsknotą, abyś świata za diabła rano nie rozpoznawał, bo taki piękny ci się okaże. A jak nie możesz tęsknotą, to odurz się, chociaż raz, LSD albo innym kwasem i poleć na tych molekułach jak jaskółka uwolniona tam, gdzie nigdy nie byłeś. Na drugą stronę lustra w krainie Alicji. Gdzie świat nie będzie symetryczny. I spotkasz tam Janis i zatańczycie walca. I ona ci do ucha wyśpiewa na zachrypłym wydechu, że powinieneś przy niej wypłakać wszystkie łzy i że koniec drogi wcale nie jest ani w Detroit, ani w Katmandu. Bo koniec świata jest tam, gdzie czeka na ciebie kobieta. Ta jedna. Jedyna. Zrób tak, Kinsey. Chociaż raz. Wierz mi, że nie pożałujesz...

I wtedy ja, synuś, okulary na dalekie patrzenie natychmiast założyłam, coby mi szczegół żaden z powodu niedowidzenia uwadze nie uszedł, i patrzyłam na twarz Morrisona Jamesa „Jima", a tak specjalnie to na jego policzki, po których łzy jak grochy duże powoli spływały. I to mnie synuś tak rozczuliło, że utulić go chciałam, bo mi się Twoje łzy niektóre przypomniały. Ale także niesłychane zadziwienie odczułam, bo raczej po nim się takiej reakcji za diabła nie spodziewałam. On wprawdzie i prozę, i poezję pisał, ale bardziej taką mroczną i surrealistyczną. Taki poeta wyklęty, jak nasz Wojaczek Rafał, był. Na dodatek raczej ku wierności jednej kobiecie skłonności nie miał, zważywszy na ten jego rock and roll, liczne orgie, w których uczestniczył, oraz stany częstego obłędu narkotykami spowodowanego. Morrison dla wielu najpiękniejszym, a znowu dla innych najohydniejszym „dzieckiem kwiatem" się jawił. I do tego z bliznami z Woodstock na duszy żyć mu przyszło. I stąd ten wiedeński walc z Janis Joplin, która podobnie jak on w krainie heroiną wytworzonych czarów często przebywała. Joplin z powodu „przeczarowania" pewnego razu z tej krainy nie powróciła. Niecały rok później spotkał ją tam zapewne Jim M. Oficjalnie – podobnie jak ja – na serce umarł. Może to synuś i prawda. Taka oficjalna do gazet. Bo gdy heroinę mocno przedawkujesz, to serce czasami eksploduje. I na serce umierasz. Czyli gazety rację poniekąd mają. Na tym chyba synuś nazwijmy to „sprawne" dziennikarstwo polega. Można przecież zgodnie z tak pojmowaną prawdą, w przypadku bardzo szczególnym, napisać w Biblii, iż Jezus na niewydolność krążenia umarł. Takich prawd jest synuś, zdaniem moim, mnóstwo. Podejrzenia posiadam, że na takie prawdy wiele rozdziałów księgi historii ludzkości się powołuje. W pewnym sensie większość. Ale to tak synuś na marginesie mi do głowy przyszło.

Morrison płakał i obłoki dymu z palonego przez niego łapczywie skręta przesłonić tego nie potrafiły. Taki piękny i opuszczony się w tym płaczu mi wydawał. I wcale nie naćpany.

W tym momencie Toulouse-Lautrec, na rączkach swoich krótkich się opierając, z kanapy się zgrabnie zsunął i do Webera chwiejnym krokiem podszedł. Jak figury ze średniowiecznego, jarmarcznego cyrku przy sobie wyglądali. Karzełkowaty Toulouse-Lautrec i barczysty, ponad miarę wysoki Weber. I ten widok przekomiczny mi się synuś wydał, tym bardziej że Toulouse-Lautrec w kontenerze, w stroju powiedzmy nieformalnym, a po francusku rzekłabym *leisure* światu się pokazywał. Krótko mówiąc, za dresiarza się przebrał. Bluza duża obszerna z kapturem jak u mężczyzny dorosłego, a spodnie krótkie jak u chłopczyka przed mutacją głosu. I do tego te spodnie obcisłe, mocno do nóg przylegające były, co mi natychmiast z rajstopkami się skojarzyło.

I wówczas przez chwilę na ekran telewizora patrzyć przestałam, oczy mocno przymrużyłam, aby wspomnienia mi łatwiej powrócić mogły. A wspominałam synuś w temacie rajstopek. Pamiętasz, jak Ciebie i Kaziczka w porze wiosennej do kościoła na msze niedzielne, na godzinę dziesiątą, szykowałam? Butki na glanc wypucowane, koszulki czyste i białe pod szyję do ostatniego guzika zapięte, do tego marynareczki i spodenki krótkie w kant wyprasowane. W kieszeniach po dwa złote „na tacę". Cała garderoba w tonacji, jak to się teraz mówi, z przewagą granatu. A pod kuse spodenki, coby chłód nóżek Waszych nie dopadł, rajstopy elastyczne zamiast podkolanówek. Takie bardziej chłopięce niż dziewczęce, ale wtedy w sklepach – tak zwanych odzieżowych – raczej wybór mały bywał, więc jednak w dziale dla dziewczynek zakupione. Zawsze jakieś chłopięce kolory wybrać się starałam, ale to były synuś czasy mało kolorowe, więc z kolorów były tylko trzy: cielisty, biały i akwamarynowy. No więc nosiliście zawsze akwamarynowy. Ja synuś wiem, że to okropnym obciachem dla Was jawić się mogło, ale wówczas matczyna troska mózg mi omamiła i zmuszanie Was do wpychania nóżek w te rajstopy słusznym ze względu na stan zdrowia Waszych nerek mi się wydawało. Obydwaj z Kaziczkiem wstydem kierowani protestowaliście. Ty głosem podniesionym, ale w miarę kulturalnie, natomiast Kaziczek w najwyższym stopniu histerycznie. Leon trafem nadzwyczaj dziwnym w tych dokładnie momentach z domu się bezszelestnie ulatniał. Na męskie poczucie obowiązku wynoszenia wiadra ze śmieciami się zazwyczaj powołując. Wynosił chyba to wiadro od razu na miejskie wysypisko, bo wracał tak za pół godziny mniej więcej, gdy już problem rajstop przestał istnieć, a Wy – co nie zawsze z faktami zgodne było – w kościele być powinniście. Dopiero wtedy Leon z pustym wiadrem wracał jak gdyby nigdy nic. On chyba do dzisiaj świadomy tego nie jest. Nie wie, że ja widziałam, jak często z pustym wiadrem wychodził. Leon się bowiem synuś często z problemów rodzinnych ewakuował. Jak mieszkaniec Nowego Jorku przed huraganem Irene. Bo on intencje moje rozumiał, ale swoich synów w rajstopach oglądać nie chciał. I dlatego taki wewnętrznie rozdarty, wiadro puste czy pełne chwytał i do kiosku z piwem się oddalał. A Wy, ojca Waszego jak gdyby rozumiejąc, rajstopy wkładaliście, ale dopiero po tym, jak go już w domu nie było.

I przeze mnie błogosławieni do kościoła się udawaliście. Ale po drodze, ku zadowoleniu ojca Waszego, do piwnicy wilgotnej i ciemnej zachodziliście, aby te rajstopy z siebie zdjąć. Kaziczek, który pająków, myszy, szczurów i ciemności się bał, w pośpiechu największym je zdejmował, co mu w pamięć się głęboko wyryło. Tak mi kiedyś w chwili szczerości wyznał i dzięki temu wyznaniu wiem, że moja troska o zdrowie Waszych nerek w drodze na niedzielną mszę do kościoła nadaremna była. I na dobrą sprawę bezsensowna, bo co jak co, ale nerki zdrowe do dzisiaj obydwaj macie. I teraz, po tylu latach, z powodu krótkich nóżek Toulouse-Lautreca sobie przy tym wspomnieniu i przed telewizorem zapłakałam.

Z powodu tych nóżek, jak pewnie synuś Ci wiadomo, Henri de Toulouse-Lautrec nie tylko do historii malarstwa się przedostał, ale do historii medycyny również. Może nie tylko nóżek, ale ogólnie z powodu swojej postury nietypowej. Tors dorosłego mężczyzny posiadał, ale kończyny dolne jak u dziecka. Deformacja rzadka, genetycznie uwarunkowana, syndromem Toulouse-Lautreca potem nazwana.

Ale najbardziej Henriego zdeformował etanol, a nie geny przecież. Inaczej być zaiste nie mogło, ponieważ nie ma chyba takiej wątroby na świecie, która z hektolitrami alkoholu połykanego przez Toulouse-Lautreca radę by sobie dała. Tym bardziej, że na dodatek Henri chorowity był. Od momentu pewnego bardzo mu syfilis doskwierał. W czasach owych drugiej połowy wieku dziewiętnastego choroby weneryczne były wśród artystów raczej nagminne.

To może synuś jakiś przedziwny zbieg okoliczności, ale słowo „syfilis" po raz pierwszy przez artystę wymyślone zostało. „Syfilis" jest słowem z wiersza, Nusza, a nie z encyklopedii medycyny. Konkretnie poeta włoski Fracastoró Girolamo z Werony na słowo „syfilis" wpadł. I to on na dobrą sprawę to słowo do obiegu powszechnego wprowadził. Dawno bardzo temu, bo już w A.D. 1530 (syfilis zbierał wówczas żniwa bardziej pokaźne niż tyfus, trąd oraz gruźlica razem wzięte). W swoim poemacie epickim z tegoż roku (zwykłe wiersze rymowane synuś, ale „poematem" je z przyczyn mi nieznanych nazwali) pod tytułem *Syfilis albo francuska choroba*. Wtedy „syfilis" zapewne poetycko w uszach Girolamo pobrzmiewał. Z pewnością bardziej dostojnie niż prozaiczna „kiła". Chociaż to jedno i to samo.

Naszego Wyspiańskiego Stanisława, przez wielu Czwartym Wieszczem Polski nazywanego, niewiele lat od Toulouse-Lautreca młodszego, na ten przykład kiła lat wiele niszczyła. W czasach tamtych choroby były to niestety nieuleczalne. Taki HIV światowy polskiego okresu Młodej Polski. Bo antybiotyków jeszcze wtedy nie było. Zdaniem moim synuś tragicznie niefortunne było, ponieważ artyści z tego powodu zbyt wcześnie umierali.

Myślę, że gdyby Wyspiański kiłą się nie zaraził, a Toulouse-Lautrec syfilisem, dramaturgia i malarstwo o wiele bogatsze plony na ziemi by pozostawiły. Ale niestety z powodu żałosnego niedorozwoju medycyny i nadmiernej rozwiązłości artystów kultura światowa straty ogromne poniosła.

Takie mi do głowy myśli synuś przychodziły, gdy oczy zamknięte miałam na skutek wspomnień spowodowanych widokiem malarza Toulouse-Lautreca w rajstopach. Gdy łzy pod nimi otarłam i na powrót je otworzyłam, Toulouse-Lautrec ciągle przed Weberem stał i rączki swoje krótkie ku niemu wznosił, przy czym w rączce prawej, trochę drżącej, szklankę z płynem koloru jasnobrunatnego ściskał. To nie dziwota dla mnie była, bowiem Toulouse-Lautrec Henri nagminnie ważny francuski konwenans łamał i zamiast w winie w drinku zmieszanym z absyntu i koniaku za życia swojego krótkiego i grzesznego się lubował. Przepis na owy napój Henri sam opracował i pod nazwą „Trzęsienie ziemi" do salonów paryskich oraz historii pijaństwa wprowadził. Gdybyś chciał synuś wieczoru pewnego to „potrząśnięcie ziemi" osobiście poczuć, to pojemną szklankę w połowie pierwszej absyntem, a w drugiej mocnym koniakiem napełnij. Najlepiej francuskim. Gwarantuję Ci Nusza, że zanim pierwsza szklanka opustoszeje, w ciele całym swoim to poczujesz. A wyznam Ci synuś – chociaż nie powinnam – że myśmy z Leonem nie takie drinki mieszali. Oczywiście nie francuskie, bo żelazna kurtyna i inne polityczne przeszkody się wtedy pojawiały. Ale czasami bimber nasz polski przez Leona pieczołowicie nad gazem w kuchni wypędzony z politycznie poprawnym radzieckim koniakiem mieszaliśmy. Przeważnie nocą. I mieliśmy potem z Leonem takie trzęsienia ziemi, że ja wtedy nie chciałabym być naszym tapczanem. Ale Ty synuś do bimbru dostępu raczej nie masz, a Związek Radziecki się już dawno skończył, więc i koniaków radzieckich już teraz nie uświadczysz. Ale to tak na marginesie.

I gdy Weber John Lincoln się nad Toulouse-Lautrekiem pochylił, to ten, w oczy mu patrząc, wyrzekł:

– Najpierw się napij, Weber. To zawsze pomaga. A poza tym nie traktuj Kinseya z powagą. To jest tylko naukowiec, i do tego przebrzydły szyderca. Nie dość, że z twojej miłości się naśmiewa, to jeszcze z twojej spermy. A to jest występek poważniejszy, ponieważ sperma sprzyja nie tylko rozmnażaniu. Może istotnie wpłynąć także na malarstwo. Na moje wpływała. Gdy doskwierała mi bieda i nie miałem złamanego grosza na zakup alkoholu, to swoją spermę sprzedawałem paryskim prostytutkom, radząc im, aby ją jakoś wykorzystały do poczęcia geniusza. Czyniłem to wprawdzie po pijanemu, ale ciągle do końca niedopity, więc sam Weber rozumiesz, że byłem w bardzo poważnej desperacji. Prostytutki, moje najwierniejsze przyjaciółki, chyba z litości, płaciły mi winem za spermę moją. Niekiedy z wdzięczności za okazane dobrodziejstwo zostawiałem im swoje obrazy. Moja sperma więc była środkiem płatniczym i dlatego – tu głowę w kierunku Kinseya odwrócił, swoim małym paluszkiem mu pogroził i ton głosu na groźny zmienił – ty Alfred jako Amerykanin powinieneś wiedzieć, że w sprawach finansowych to żartów nie ma. Szczerze mówiąc, to nie znam się na mililitrach, więc nie wiem, Weber, jak dalece cię Kinsey obraził. Wytryskujesz naprawdę mało spermy z powodu tytoniu? Czy tylko Kinsey sobie jakieś swoje dane, które ciebie nie dotyczą, zacytował? Nieważne. Kinsey jest moim zdaniem niespełna rozumu. Miłość w mililitrach mierzy. Jak gdyby...

W momencie tym Toulouse-Lautrec mowę swoją nagle urwał i nerwowo ręce w górę wyciągając w kierunku dłoni Webera, podskakiwać zaczął, słów wulgarnych przy tym nadużywając. Uspokoiwszy się po chwili, rzekł:

– Ale teraz oddaj mi Weber szklankę. Bo miałeś wziąć tylko jednego łyka! Oddawaj! Gdy nie piję, to czuję się tak, jak gdybym miał zespół Tourette'a. Zaczynam przeklinać. Bez powodu.

Weber napadem tym przerażony pośpiesznie szklankę od ust swoich oderwał i w małą rączkę Toulouse-Lautreca wepchnął, po czym powolnym krokiem w kierunku kanapy się udał. Toulouse-Lautrec za nim podążył i na kolanach mu usiadł, co zarówno śmiesznym, jak i wzruszającym mi się wydało. W kontenerze wówczas cisza zapanowała taka, że skrzypienie pióra przesuwanego ręką Kinseya po papierze dosłyszeć się dało. Dopiero po chwili cichy głos z oddali dochodzący tę ciszę przerwał. Głos ten, zachrypnięty nieznacznie, z gardła swojego Fromm Erich wydobywał. Okulary przy tym chusteczką kolorową przecierał, w kamerę nie spoglądał, jak gdyby wyłącznie sobie coś opowiadał i nikomu innemu.

Ja tam, synuś, Fromma lubię, głównie za to, że freudowski, uporczywie na piedestał wynoszony biologizm skarcił. Bo ja synuś z Frommem się w części dużej utożsamiam i także uważam, że charakter człowieka nie tylko przez biologię, a u Freuda przez libido, jest zdeterminowany. Bo prawdą jest, iż ja wiele cech wiewiórki posiadam – szczególnie rudość i słabość do orzechów – ale chociaż bardzo wiele genów z wiewiórką współdzielimy, tym samym powietrzem na tej samej ziemi oddychamy, to jednakże wiewiórki póki co Marksa nie czytają. Ja natomiast owszem. Wyobrażasz sobie Nusza, co Piekło z człowiekiem wyczynia? Ja całego Marksa z nadmiaru czasu przeczytałam. Całego, synuś! Aż uwierzyć trudno. Bo moje pierwotne z Marksem skojarzenia to Pierwszy Maja, pochody i parówkowa sprzedawana z ciężaró-wek. Albo rewolucja i czołgi na placu Czerwonym. I na dodatek ten katyński Stalin, ten obciachowy *Manifest PKWN*, ta wy-Ca-stro-wana z wolności Kuba i ta głodująca, ale szantażująca świat reaktorami atomowymi Korea Północna i w ogóle ta globalna zapaść. Ja też tak synuś myślałam. A to nie tak. Gdy się tak w fi-lozofa Marksa wczytać, najlepiej przy niemieckim rieslingu, i Marksa ideologa z pamięci wyskrobać, to zupełnie inny Karol się objawia. I taki wypatroszony z rewolucji Marks właśnie Fromma, jak podejrzewam, uwiódł. I mnie synuś (chociaż gdzie mi tam do filozofa) momentami także uwodził. Bo jak się go czyta, tak powoli oraz ze zrozumieniem, to myśl człowieka taka nachodzi, że Marks wcale marksistą nie był. Bardziej chrystia-nistą, tyle że z epoki brutalnego kapitalizmu, podczas gdy Jezus to nawet feudalizmu nie doczekał.

To tylko nam potem pre- i postleninowscy prowodyrzy (czy to aby synuś poprawnie po polsku jest? Bo może jednak prowo-dyrowie?) krwawych rewolucji wmówili. Marksa bowiem sobie rewolucjoniści *in spe* albo rewolucjoniści *ad acta* adoptowali wed-ług swojego widzimisię. Podobnie jak pieśniarka Madonna dziecko z pewnego sierocińca w Afryce. Spodobało się mi, więc biorę.

Fromm jednakże Marksa w taki sposób nie zaadoptował. Cho-ciaż wiele ich biograficznie łączyło. Obydwaj Żydami byli oraz obydwaj na niemieckiej ziemi urodzeni. Erich w bliskim sercu Twojemu Frankfurcie, gdzie na uniwersytecie wykształcenie wyższe pobierał. Tak jak ukochane córunie Twoje i wnuczki moje. Fromm z bardzo religijnie ortodoksyjnych matki i ojca zrodzony, na Starym Testamencie był wychowywany, chociaż on sam później religijność i wiarę w Boga zdecydowanie odrzucił, „ateistycznym mistykiem" siebie samego określając. Mnie to, synuś, osobiście prowokacyjnym PR-owym paradoksem lub kokieterią zalatuje, ponieważ mistycyzm zawsze z wiarą w tak zwane nadprzyrodzone się przenika. Chociaż mylić się mogę, ponieważ sama kilku wyjątkowo zatwardziałych i przy tym niepartyjnych ateistów za życia poznałam, co to w wigilijny wieczór kolędy (i to wszystkie zwrotki!) śpiewali, opłatkiem się dzielili i postu skrupulatnie dochowywali. Bo także ich mistycyzm żarliwy na te kilka godzin pięknych dopadał.

Fromm się z Marksem często w publikacjach swoich kłócił, ale mądrość jego cenił i czasami nią zachwycał. Poza tym Erich chyba jako w historii jedyny Freuda Zygmunta z Marksem Karolem skonfrontował, najlepsze z obu ich mózgów wyssał i w pracach swoich inteligentnie połączył. Ale dla mnie synuś Fromm to nie fenomen, Marks w jednym worku z Freudem, ani także jego hitowa *Ucieczka od wolności*. O nie! Dla mnie Fromm napisał tylko jedną ważną książkę. Tak raz do roku ją czytam i za każdym razem do czegoś pięknego, dotychczas nieodkrytego w zdumieniu docieram. Ponieważ dla mnie, Nusza, Fromm Erich największej sztuki swojego umysłu w *Sztuce miłości* dokazał. Gdy więc pod nosem sobie coś opowiadał i ten tytuł nagle wymienił, to cała w słuch się zamieniłam. Wtedy mikrofon na wysięgniku nieomal pod nos Fromma opuszczono i głos jego kontener wypełnił. I to on tak naprawdę synuś na temat tytułowego *Paradygmatu kultury miłości w świecie nienawiści* się wypowiedział. Głosem cichym oraz spokojnym. Słowami wyważonymi i ważnymi.

– Panie Weber, proszę wybaczyć kolejne nadużywanie tutaj pana imienia – powiedział – ale poprzez swoją wypowiedź stał się pan, pewnie o tym nie wiedząc, eksponentem pragnienia wszystkich ludzi. Jak i teraz, tak i zapewne w przyszłości. Opowiedział pan o pragnieniu uczucia bycia kochanym i pragnieniu kochania. I to o czystym pragnieniu. Bo pan kocha i chce być kochany w odartej z realności fantazji. Pan nie zaburza tej fantazji żadnym realnym przeżyciem. Każdy psychoanalityk widziałby w panu niezwykłego klienta i kluczowy wątek swojej kolejnej publikacji. Tak naprawdę ujął pan w swojej opowieści wszystkie najważniejsze aspekty tego pragnienia. Doktor Kinsey odnalazł w nim głównie libido, pan James Morrison skupił się na tak zwanej miłości romantycznej nawiązującej do Erosa i eksploatowanej od lat przesz studia filmowe w Hollywood, a monsieur

Henri Toulouse-Lautrec, to znaczy jego wypowiedzi, zakwalifikowałbym, z pewnym trudem jednak, do tych preferujących *Philia*, czyli przyjaźń. W jego wypadku przyjaźń do prostytutek, które wyrażają tę przyjaźń litością dla niedopitego alkoholika. Dlatego ten aspekt trochę się rozcieńczył. W alkoholu najbardziej. Pomimo to zechciał pan Weber zwrócić uwagę na trzy z czterech faz miłości, która mnie intensywnie zajmowała podczas pisania pewnej książki. Jednej fazy pan nie wymienił. Zbliżył się pan do niej. Otarł się pan o nią. Przez to pana marzenie o ojcostwie. Nie wspominając jednakże o macierzyństwie. Nie było w pana wypowiedzi jedynie *Caritas*. Takiej miłości bezinteresownej, absolutnie jednoczącej w całkowitym poświęceniu siebie dla kogoś. Nie oczekując nic w zamian. Jest libido, jest Eros, jest *Philia* i jest *Caritas*. I jest jeszcze coś moim zdaniem ponad *Caritas*. Jest matka trzymająca na rękach nowo narodzone dziecko. To ona dotarła do samego fundamentu, do podłoża pod nim i wie to, co mistyczny Bóg mógł jedynie przypuszczać. Dlatego uważam…

I wtedy, synuś, gdy ja to, co Fromm uważa, usłyszeć pragnęłam, za kanapą, na której Erich siedział, kobieta o białych włosach stanęła i dłonią swoją jego policzek z czułością gładzić zaczęła. I wtedy on chyba się zapomniał zupełnie. Sam się zapomniał i przy tym świat wokół także. I te kamery, i ten kontener, i też chyba cały ten *Caritas*. Dłoń tej kobiety do warg swoich powoli przysunął, oczy zamknął i opuszkami warg swoich palec po palcu, paznokieć po paznokciu, staw po stawie dotykał. I to były Nusza i libido, i Eros, i *Philia* ze sobą tak przepięknie zmieszane, że aż dech mi zaparło. I gdy mi oddech odjęło i taka rozczulona na całujące wargi Fromma patrzyłam, to ten porąbany imbecyl z produkcji, ten burak przedatowanymi pestycydami posypany „wkleił" na ekran tablicę, na której napis się pojawił: „Karen Horney, psychoanalityk, matka trzech córek, kochanka Ericha Fromma, niemiecka protestantka, przed śmiercią zamieszkała w USA". I to wkleił na długo. Gdy obraz z kontenera ponownie się pojawił, Fromm już dłoni Horney nie całował.

Ja intencje Piekła staram się rozumieć. Prawdą jest, że Horney sypiała z Frommem, mężatką będąc. Ale romans z Erichem nawiązała (albo on z nią), gdy wiele lat odseparowana od swojego męża żyła. W przekonaniu swoim, o czym w swojej książce *Self-Analysis* opisuje w szczegółach wszelkich, nie czuła się jego kochanką. Kobietą jego tylko jemu przynależną się czuła. Tylko jemu. Jemu jedynie. Nikogo niezdradzającą. Ale świat kobietę nierozwiedzioną, z innym mężczyzną łoże dzielącą, zawsze „kochanką" określi. Mnie także synuś lat wiele tak nazywano, więc sama wiem, że ten burak z produkcji kłamcą jest wierutnym. Ja nigdy nie byłam „kochanką" Leona, ojca Twojego. Ja byłam jego kochanką synuś. Jednakże taką bez cudzysłowów. Bo kiedy kobieta mężczyźnie, także żona mężowi, powie lub napisze, że go kochać przestała i że nie chce z nim ani czasu oraz miejsca wspólnego, ani rozmów, ani wzruszeń, ani dotyku, ani połączenia dzielić, to ważniejsze to jest aniżeli pieczątka sądu oraz podpis sędziego na dokumencie jakimkolwiek. A gdy powtórzy mu to razy wiele, staje się to wówczas prawem z jej niepodważalnego prawa do wolności wynikającym. Tylko mężowie nieszlachetni i niegodziwi tego prawa honorować nie chcą lub z powodu małości swojej nie potrafią. A są to mężczyźni bez nijakiego honoru, dotkliwym i prześladowczym kompleksem „zbyt krótkiego penisa" naznaczeni. Obojętnie jak długie, w centymetrach czy calach, jest ich prącie. Kobietę swoją mężczyźni ci, przeważnie z powodu ich postępków niechlubnych, utracili i za żadne skarby świata, poprzez na przykład prześladowania, nie odzyskają. Mogą ją jedynie mozolnie i cierpliwie na powrót zdobywać. Ale to dla nich do pojęcia nie jest. Jakimś patologicznym absurdem im się to objawia. Bo jak to? Moja zdobycz, w kościele lub urzędzie umową i w obecności świadków przekazana, teren też mój razy wiele naznaczony, jej sutki w moich ustach, mój penis w jej ustach. No nie! To niemożliwe! I wtedy mózg się im kurczy jeszcze bardziej niż penis i stają się bardziej żałośni niż samiec małpki bonobo, który przez samicę odrzucony, w ostatecznej bezsilności, orzechami kokosowymi w nią ciska. Ale nie wszystkie samce dostęp, z powodów klimatycznych, do palm kokosowych mają. Wojowniczy bonobo samiec (to potwierdzili w rezultacie badań licznych zoologowie) tak orzechem kokosowym rzuca, aby w samicę nie trafić. Bo tak naprawdę krzywdę jej uczynić nie zamierza. Atawizmem sterowany wie, że to żadnych korzyści przynieść mu nie może. Ale jego ludzki odpowiednik Wielki Wojownik chce w samo serce trafić. To, które dla niego już bić przestało. I sądzi ten rycerz żałosny, że gdy o podłogę telefon w drobny mak roztrzaska, to któreś ziarenko tego plastikowego maku w serce kobiety, którą utracił, trafi. Ale te ziarenka jedynie do pamięci trafiają, i to do regionu tego, gdzie nienawiść się rozgościła.

Tak ja synuś myślę. Jako pełnoprawna kochanka ojca Twojego. Jako kochanka poczęłam z Leonem najpierw Kaziczka, a potem Ciebie. I taka myśl mnie nachodzi, że gdyby Horney z Frommem także dziecię poczęli, to świat by na tym bardzo skorzystał. Taki na ten przykład Johan Horney-Fromm by się urodził. Z ich zmieszanymi genami i połączonymi nazwiskami. Gdyby Johan czytać i myśleć się nauczył i potem rodziców wysłuchał, to Freudowi Zygmuntowi biada. Horney-Fromm. Już to nazwisko samo jest prowokacją. Szczególnie dla język angielski rozumiejących. Bo jak synuś wiesz i czujesz, *horney* w angielskim języku kolokwialnym slangiem nazywanym „napalony; podniecony seksualnie; w stanie erekcji" oznacza. Każdy tekst spod ręki Johana

Napalonego-Fromma byłby podniecający w rzeczy samej. Z powodu nazwiska autora chociażby. Napalony Fromm każdego filozofa by przyciągnął i każdą sprzątaczkę, która kurz z biurka tego filozofa by ścierała.

Ale to mrzonka synuś jest. Fromm do łóżka Horney trafił, gdy ona 49 lat miała (on 34), więc z powodu menopauzy do narodzin Johana Napalonego-Fromma dojść niestety nie mogło. A szkoda, ponieważ Napalony-Fromm całą psychoanalizę na głowie postawić mógłby.

I gdy kamera zbliżenie Horney Karen na ekranie wyświetliła, to ona głowę Fromma dłońmi tak żarliwie obejmowała, jak gdyby mózgu jego palcami dotknąć chciała. I nachylając się nad nim, rzekła:

– Eryk, proszę cię. Nie wymądrzaj się. Bo to nie przystoi. Zapomnij tę swoją łacinę. Nie rób swojego kolejnego wykładu. Nie rób mi tego. Wszyscy, którzy cię znają, wiedzą, że jesteś mądry. Ale kochać nie potrafiłeś. Ani fallicznie, ani philiatycznie. To znaczy potrafiłeś. Ale tylko siebie. Wobec siebie dotarłeś do czwartej fazy i uprawiałeś prawdziwy *Caritas*. Jednoczyłeś się sam ze sobą w całkowitym poświęceniu siebie dla siebie. Z takim wspomnieniem naszego związku trwałam do mojej śmierci. Zresztą często ci o tym opowiadałam. Musisz przecież pamiętać te nasze niekończące się rozmowy w łóżku. I te przed, i te po. Ty jesteś świetnym teoretykiem miłości, Eryk. Tylko z przełożeniem teorii na praktykę miałeś problemy. A ja cię tak Eryk kochałam. Tak bardzo…

I wtedy synuś sobie Fromma i Horney wyobraziłam, jak na wytarmoszonym ich ciałami prześcieradle leżą, podczas gdy blada szarość poranka zaczyna się za oknem ich sypialni gdzieś na nowojorskim Brooklynie przebijać. A oni nadzy – dotykiem siebie co dopiero nasyceni – w rozmowie zatopieni. Oboje psychoanalitycy, oboje demony świadomości i podświadomości od podszewki lepiej chyba niż Freud znający. Bo inaczej być neofreudystą nie można przecież. On filozof i psychoterapeuta z doktoratem, ona w psychiatrii wyspecjalizowana absolwentka medycyny. Oboje po długich i bolesnych epizodach depresji, więc rozmiar cierpienia i udrękę tej melancholii nie tylko od pacjentów swoich znający. Karen poza tym o kobiecej psychologii wówczas tak dużo jak chyba nikt inny na świecie wiedząca. To ona przecież jako pierwsza psychologią kobiet się zajęła. Ale o tym to Ty synuś doskonale wiesz, ponieważ w Horney wczytujesz się namiętnie. Zazdroszczę Ci Nusza, że ją w oryginale czytasz i w przekładzie nic nie tracisz. Ale może synuś nie wiesz, że Horney Karen innego ulubieńca Twojego w życiu swoim napotkała i rozmowy z nim poważne prowadziła. I to takiego, który Cię synuś jak mało który „kręci". Karen bowiem w roku 1950 pewnego zupełnie innego Ericha do siebie zbliżyła i do napisania książki go nawet namawiała. Remarque Erich Maria (ten sam synuś!) to był. Gdy Remarque Horney napotkał, to akurat bardzo źle mu w życiu było. Boleśnie rozstanie z Natashą Paley-Wilson (z którą około 10 lat był związany, co jak na burzliwe życie miłosne Remarque'a prawie o monogamię zahaczało) akurat przeżywał, która mu Marlenę Dietrich zastąpić miała. I dlatego z powodu depresji swojej na kanapie w gabinecie Horney położyć się postanowił. I to tam Horney namawiała Remarque'a do napisania *Cieni w raju*. To ostatnia jego powieść, po śmierci wydana. Znając Twoje synuś uwielbienie dla Remarque'a, na taką dygresję sobie pozwoliłam, od tematu trochę odbiegając.

I gdy taka para jak Horney i Fromm tuż po swoim miłosnym połączeniu rozmawiać w szarości nadchodzącego nowego dnia zaczyna, to muszą tam na tej zmiętej i wilgotnej od ich potu pościeli opowieści niezwykłe się snuć. O sensie, o bezsensie, o zwierzęcych instynktach, o wyhodowanej w umysłach kobiet „zazdrości o penisa" i o skrywanej „zazdrości o macicę" u mężczyzn, o kobiecym masochizmie oddawania się bezwarunkowo do końca i męskim atawistycznym lęku przed utratą potencji, o „małym umieraniu" mężczyzn po każdej ejakulacji i pragnieniu takiego umierania w obecności wielu różnych kobiet. A także o tym, że miłość to obietnica, akt woli oddania swojego życia drugiej osobie.

Myślę, że oni synuś takie historie sobie opowiadali. I to do rana samego. I wówczas nasze prześcieradło i nasze szarości poranków z Leonem sobie przypomniałam. Szarość za oknem taka sama, pościel tak samo rozkopana i historie tak naprawdę też podobne. Tyle że w inne, nie tak mądre słowa ubrane. I najczęściej także do rana, chociaż Leon często na siódmą do roboty gnać musiał. Taki nienagadany do końca. I ja też nienagadana. I dlatego razem z nim wstawałam i kawę do termosu mu nalewałam, kromki chleba wędliną albo serem przełożone mu pergaminem owijałam, do aktówki ze skaju wrzucając, coby dalej z nim rozmawiać. Bo ja tam Nusza miłości tak jak Fromm i Horney opowiedzieć lub opisać nie potrafię, ale tak wewnętrznie czuję, że miłość jako niezaspokajalne nienasycenie rozmową z bliską ci osobą zdefiniować można. A nie jakiś tam *Caritas* albo inna łacina. Ale Ty synuś masz z tym nienagadaniem się w łóżku z bliską Ci niewiastą problemy podobne. Więc co ja tam Ci więcej tłumaczyć będę.

Gdy z wyobrażeń i wspomnień swoich się otrząsnęłam i na ekran telewizora ponownie zerkać zaczęłam, to Fromm mowę jakąś akurat wygłaszał. I to na stojąco, co mnie zadziwiło bardzo. I dlatego wsłuchiwać się w stojącego Fromma zaczęłam. I sukcesywnie wierzyć uszom własnym przestawałam, bowiem doktor Fromm Erich jak kapłan na ambonie w czasie niedzielnej mszy w kościele Jezuitów w Toruniu rozbrzmiewał. Głosem uroczyście zmodulowanym, z ramionami ku Niebu wyrzuconymi i wzrokiem w reflektory pod dachem kontenera podwieszone mówił:

– Bóg jest jedyną przyczyną sprawczą miłości, a celem człowieka jest dążenie do jej poznania. Jak więc wygląda człowiek stworzony również przez Boga w czasie dokonywania „transakcji" w obszarze handlu miłością? Jak pogardzany zdrajca! Miłość od Boga pochodzi i z jego mocy powstała. I w jej imię syna swojego na mękę wydał. I niech Piekło z miłości odarte przeklęte po kres wieczności będzie, bo miłość Piekłu jest obca, bo...

I w tym momencie na ekranie telewizora napis „Przepraszamy za chwilowe usterki" się ukazał. I to mnie synuś żadnym zdziwieniem nie napawało, ponieważ trudno podatnikowi w Piekle wmówić, że wolność słowa jest bezgraniczna i ważniejsza niż ich abonament. Szczególnie że u nas ta Piekielna Rada Obrazu Fonii i Internetu (PROFI) przez komuchów jest zdominowana, a oni propagandowo czujni są, chociaż żadni *profi*. I w ten sposób Fromm Erich jakimś niezrozumiałym dla mnie atakiem szaleństwa – zupełnie z jego ateizmem niewspółgrającym – transmisję z kontenera zakończył, bo napis o „usterkach chwilowych" przez cztery godziny pokazywali. Dokładnie do „Wiadomości Pośniadaniowych" o dziesiątej.

Ja wtedy, przy tych usterkach, taki niedosyt jakiś poczułam – bo spać już i tak nie mogłam – że jakiejś spowiedzi ku kontynuacji nastroju mojego podsłuchać postanowiłam. Z poczuciem grzechu to czynię synuś, ale ciekawość i tęsknota za ludźmi na ziemi tak mnie zżera, że opanować tego nie potrafię. I to, co po przerwanym „chwilowymi usterkami" Frommie podsłuchałam, jakoś się w mój nastrój wpisało.

Niewiasta młoda, nietuzinkowej urody w Polsce południowo--zachodniej przed konfesjonałem w kościele niewielkim uklękła i spowiadać się zaczęła. Najpierw się przeżegnała, a potem mówić zaczęła. I to jak jakiś wiersz synuś brzmiało. No bo co to jest jak nie poezja, gdy kobieta w trakcie spowiedzi coś takiego recytuje:

> Proszę księdza,
>   bo ja spotkałam wczoraj księdza,
> co mnie religii w szkole uczył,
> nie poznał mnie,
> takiej innej.
> Wszystkie na jego widok mdlały.
> On nie mdlał na mój.
> Był taki elegancki,
> taki szarmancki,
> taki zdystansowany.

Teraz prałat.
Chciałam mu opowiedzieć
o pewnym wierszu,
o Twardowskim,
  i że mam ukochane dziecko,
  a on mi o wczasach
  w Międzyzdrojach,
  najlepiej ze mną
  w apartamencie
  Nie poznałam go,
świat się na drugą stronę przekręcił,
albo prałat pójdzie do piekła
  Jak ksiądz myśli?

I wówczas ksiądz spowiedź przyjmujący, w klatce konfesjonału z powodu nadmiernego wypasienia ledwie się mieszczący, ściszyć głos kobiecie nakazał. A następnie ją pouczył, i to nie wierszem, a prozą zdenerwowanego kaprala, że „śmiertelnie grzeszy, oczerniając w ten sposób czcigodnego prałata", a poza tym to on, że jej dziecko jest nieślubne, doskonale wie, ponieważ parafianie „jej nieczystym prowadzeniem są po prostu oburzeni, a niektórzy nazywają ją prostytutką".

No nie, powiem Ci synuś, jakie główne uczucie w odniesieniu do tego zatłuszczonego „spowiednika" mną targnęło, ponieważ

swoją starą matkę znając, sam się domyślić potrafisz. Oczy niewiasty w pierwszej chwili łzami zaszły. I gdy ja Nusza sądziłam,
że z kolan się kobieta pośpiesznie podniesie i w te pędy z kościoła
ucieknie, coś niezwykłego się stało. Łzy swoje palcami bez pier-
ścionków i bez obrączki otarła i spokojnie – na poniżenie, którego doznała, nie bacząc – swój drugi wiersz spowiedni wyrecy-
towała:

> Proszę księdza,
> bo ja wiem że Bóg jest wszędzie,
> ale kościół wymyślili ludzie
> A jeśli Bóg jest wszędzie
> to wie, że ja czystą prawdę mówię,
> ponieważ ja oczerniać nikogo nie potrafię
> także sąsiadki mojej która mnie dziwką nazywa,
> chociaż w poniedziałek ma Gienka
> we wtorek Franka
> w środę przychodzi Grzesiek
> w czwartek ma Antka z kablówki
> w piątek Bolka z piekarni,
> a w sobotę męża
> Bo jej chyba miłości brakuje
> Ale nie mnie ją osądzać.
> A w niedzielę idzie do spowiedzi,

żeby przed całą parafią Boga w siebie przyjąć
Ja miałam jednego
Dawno temu
I dziecko mamy z wielkiej miłości mojej.
To nieprawda, że nieślubne
Bo ja mu miłość dozgonną ślubowałam
Pewnej nocy
I Bóg przy tym był
Bo Bóg jest wszędzie
Proszę księdza...

I wtedy ja, synuś, gdy to jej błagalne „Proszę księdza" usłyszałam, to już więcej płaczu opanować nie potrafiłam i jednocześnie cała złość do tak zwanego kapłana jak ręką odjął mi minęła. I dumna z niewiasty owej się poczułam. Bo swoją zranioną godność wierszem swoim tak wyraziła, jak Matka Teresa szacunek do wszystkich matek dzieci nieślubnych. I bez sakramentu ślubu, tak jak ja – matka bękartów dwóch kiedyś – wydawała mi się wtedy bardziej święta niż ten formalnie wyświęcony mężczyzna zasiadający jak na tronie w konfesjonale. Jedno jednak mu oddać muszę. Inteligencją się „kapłan" wykazał. Aluzję niewiasty w mig pojął i ją do wiadomości i najwidoczniej także do organizmu przyjął. Do organizmu w sposób bardzo widoczny, ponieważ jeszcze bardziej czerwony się na twarzy zrobił oraz ze złości chyba napuchł. Chcąc oddaleniem się od konfesjonału spowiedź owej niewiasty bez nakazania pokuty lub odmowy rozgrzeszenia przerwać, w za ciasnym dla niego pomieszczeniu wyraźnie się zakleszczył. Sama synuś widziałam, jak coraz bardziej na twarzy czerwienieje i oddechu mu niebezpiecznie brakować zaczyna. W tym momencie niewiasta z kolan się natychmiast podniosła, dźwierza do konfesjonału gwałtownie rozwarła i spowiednika – za ręce obie mocno chwytając – na zewnętrz wydobyła. Ponadto z torebki swojej butelkę z wodą mineralną wyciągnęła i pośpiesznie do ust spowiednika przywarła. I gdy on jak karp przed zgonem ustami powietrze połykał, głowę na jej kolanach złożywszy, to ona mu pot z czoła chusteczką ścierała i powtarzała, „że wszystko proszę księdza będzie dobrze". I wtedy dwie staruszki, które na swoją spowiedź cierpliwie w kolejce czekały, przerażone z kościoła się oddaliły. I teraz, jak przypuszczam, w parafii tej i wielu okolicznych wieść się wkrótce rozniesie, że „ta bezwstydna prostytutka naszego kochanego proboszcza o mało swoją spowiedzią nie zabiła". I ja wtedy Nusza się zastanawiałam, czy na pewno Bóg jest wszędzie. I pomyślałam, że jednak chyba nie. I wówczas pomyślałam, że dobrze będzie, gdy ja się z tymi myślami prześpię. Bo następnego ranka to wszystko zazwyczaj inaczej wygląda.

A następnego poranka wszystko w Piekle naprawdę inaczej

wyglądało. I to „jak zazwyczaj" z pewnością nie było. Plakaty, billboardy, migające paski „BREAKING NEWS" na dole ekranu telewizora, czerwone strony w Internecie, podniecone głosy spikerów w radiu. A wszędzie wiadomość jedna i ta sama: „Papież przed Trybunałem Karnym w Hadze?". Czasami, w zależności od orientacji politycznej nadawcy, z pominięciem znaku zapytania. Ale co to za *hot news* synuś? To jakiś odgrzewany po wielu miesiącach bigos w wakacyjnym okresie ogórkowym narodowi w Piekle podawany. Teatry mają letnią przerwę, politycy i klerycy się na plażach wylegują, więc trzeba sobie jakoś radzić, aby słuchalność radiowa, czytelnictwo prasy, oglądactwo telewizorów oraz „współczynniki klikania na tysiąc odsłon w portalach" nie spadały. I wtedy w przykurzonych archiwach się nerwowo szpera, a następnie „hot niusa" się na wolnym ogniu pichci.

A ja to już w lutym A.D. 2011 z Sieci wysupłałam. Ale w tym powagi żadnej, a tym bardziej najmniejszego zbulwersowania nie czułam. Bo ten „nius" wcale nie jest „hot". On jedynie kabaretowo-zabawnym mi się jawi. No bo Nuszku sam pomyśl. Dwójka wydoktoryzowanych, nawiedzonych i głodnych popularności adwokatów z Niemiec do prokuratora Międzynarodowego Trybunału Karnego (MTK) w Hadze pozew w grubej kopercie listem poleconym za dowodem doręczenia posyła, w którym – w nagłówku – pozwól, że zacytuję, pisze:

Doniesienie o popełnieniu przestępstwa przez dr. Josepha Ratzingera, papieża Kościoła rzymskokatolickiego z powodu popełnienia zbrodni przeciw ludzkości, zgodnie z art. 7 Statutu MTK.

A następnie „przestępstwo przeciwko ludzkości" w trzech punktach rozwija, czyniąc za nie doktora Josepha Ratzingera, jako byłego kardynała i obecnego papieża, karnie odpowiedzialnym (także cytuję):

1. Utrzymywanie i kierowanie ogólnoświatowym totalitarnym, przymusowym reżimem, który uciska swoich członków za pomocą gróźb budzących strach i szkodzących zdrowiu.
2. Utrzymywanie siejącego śmierć zakazu używania prezerwatyw także wtedy, kiedy istnieje zagrożenie zakażeniem HIV/AIDS.
3. Utworzenie i utrzymywanie ogólnoświatowego systemu tuszowania i ułatwiania przestępstw seksualnych popełnianych przez księży katolickich, co jest pożywką dla coraz to nowych przestępstw.

Następnie synuś, po tych trzech gromkich salwach z wytoczonej przeciwko papieżowi armaty, szczegółowy opis „prochu" wykorzystanego do wystrzałów następuje. Nie będę Ci tego synuś w opisie długim rozwijać. Gdy czas i zainteresowanie znajdziesz, to sobie proszę w www.kanzlei-sailer.de/papst-strafanzeige-2011.pdf kliknij. Wszelkie szczegóły tego swoistego kuriozum na 59 stronach, w trudnym niestety prawniczym języku niemieckim są tam wyłożone. Ale jak się wczytać, to momentami nawet bardzo zabawne być może. Myślę, że profesor doktor José Luis Moreno Ocampo, prokurator Międzynarodowego Trybunału Karnego w Hadze, niezły ubaw przy czytaniu tego pozwu przeżył. Podejrzewam, że jako prawnik mógł poczuć to co i ja, Nusza. Pomimo to, że z prawnikami to ja w trakcie moich rozwodów do czynienia jedynie miałam. Para niemieckich adwokatów – zdaniem moim skromnym – niewłaściwego człowieka pozywa. To tak, jak gdyby pozwać szefa firmy Mercedes-Benz (przy Niemcach dla skupienia uwagi pozostańmy) za to, że samochody wyprodukowane przez fabrykę, którą zarządza, niewinnych ludzi na drogach zabijają oraz do nieodwracalnego zanieczyszczenia środowiska się bezsprzecznie przyczyniają. A z powodu tego zanieczyszczenia owego wielu ludzi na przeróżne choroby umiera i to w boleściach wielkich. A może i to jest zbyt mało absurdalne? Może chemików pozwać? Tych, którzy do opracowania technologii produkcji na przykład benzyny mózgi i ręce swoje przyłożyli? A może fizyków? Za przełożenie spiskowych praw termodynamiki na to, co można w działaniu silników samochodowych wykorzystać? I tym łańcuszkiem, ogniwo po ogniwie, do absurdalnego pozwania leśniczych można dojść. Bo to oni przecież o roślinność w lasach dbają. A z roślinności tej przecież ropa naftowa powstała. Ale teraz *Final*, jak po hiszpańsku mógłby prokurator Ocampo z Argentyny wykrzyknąć. To nie biednego Josepha Ratzingera pozwać należy. I nawet szefa jego najwyższego – Boga także nie. To twórców Starego i Nowego Testamentu w samym nagłówku pozwu i w pierwszej kolejności wymienić się powinno. A potem tych wszystkich nie wiadomo jakim duchem nawiedzonych „mędrców", co oba testamenty na wygodne im aktualnie panujące mody sfalandyzowali. I byłby to chyba największy pozew zbiorowy w historii ludzkości. I jednocześnie najbardziej absurdalny. Na dodatek o przestępstwa, które już dawno wszelkiemu przedawnieniu uległy. Bo trudno zaiste dzisiaj kogokolwiek o wojny krzyżowe oraz inkwizycyjne egzekucje na stosach pozwać.

Intencje cwanych jurystów z Niemiec dla mnie synuś oczywiste są. Oni Ratzingera pozywają, chociaż on tylko „czarnym Piotrusiem" w całej tej karcianej grze jest, bo oni tak naprawdę Boga by pozwać chcieli. Ale nie mogą. Bo Bóg „osobowości prawnej" nie posiada.

Bo przecież nic takiego jak firma Bóg Sp. z o.o. nie istnieje. I stałego adresu zameldowania Bóg także nie posiada. Więc nie wiadomo, gdzie ten list polecony za dowodem doręczenia wysłać by Mu można. Nie wspominając już, że być może pozwanego nawet w ogóle we wszechświecie nie ma. Ale nawet jeśli jest, to ja Nusza Ci na wiarę, przekonania oraz kobiecą intuicję moją przysięgam, że Bóg nikogo nie uciska „za pomocą gróźb budzących strach i szkodzących zdrowiu", Bóg „ogólnoświatowego systemu tuszowania i ułatwiania przestępstw seksualnych przez księży katolickich" nie utworzył i tym bardziej nie utrzymuje, Bóg nie uważa, że „stosowanie prezerwatyw jest grzechem", i się w ten sposób do epidemii HIV/AIDS nie przyczynia. Moim zdaniem synuś Bóg, jak ja Go znam i jak ja Go pojmuję, w Afryce i na wszystkich innych kontynentach kondomy, stojąc na każdym rogu ulicy, bezpłatnie by rozdawał. Bo dla Boga synuś, jak ja Go znam i rozumiem, każdy umierający na AIDS człowiek jest jak Jego Syn na krzyżu umierający. I ja to synuś wiem, tak samo jak wiem, że Ty Nusza synem moim jesteś.

Dlatego duet „Dr. jur. Christian Sailer" oraz „Dr. jur. Gert-Joachim Hetzel" z zawodu adwokaci swoim wysmażonym na wolnym ogniu pozwem, zdaniem moim, Nusza, jedynie się lansują. A na dodatek ten ich lans, gdy tak na długą historię obelg przeciwko papieżom spojrzeć (bez konkretnych pozwów jednakże), marnym plagiatem się jawi. Marcin Luter, mnich z niemieckiego Erfurtu, bardzo protestujący klasy pierwszej protestant na ten przykład, dawno temu bardzo, bowiem już w roku 1545, papieża od „sługi diabła", „naczelnika Kościoła ladacznic" oraz „mordercy i ojca wszystkich oszustw" w swoich publikacjach wyzywał i liczne kalumnie na niego rzucał. Szczególnie w jednej, na którą w naszej bibliotece, w dziale archiwalnym, przypadkiem zupełnym natrafiłam. Odpowiednio do treści zatytułowana: *Wider das Papsttum zu Rom, vom Teufel gestiftet*. Po niemiecku tylko synuś, i do tego kopia jakości marnej. Niemniej czytać się przez okulary dała. Sądzę, że gdzieś – gdybyś zechciał – na oryginał pisma tego w Niemczech trafić możesz. W archiwum jakimś pilnie strzeżonym zapewne. Najprawdopodobniej w Erfurcie, gdzie Luter w klasztorze augustynów jako mnich długo stacjonował. Skutek jakiś (bardziej historyczny aniżeli prawny) jednakże – nazwijmy to oburzeniem – odniosło. Lutra Marcina po upływie czasu „wielkim reformatorem Kościoła" okrzyknięto, natomiast – jak przewiduję – naszych dwóch sławy wygłodniałych adwokatów „małymi pieniaczami" się nazwie. Co dla nich i tak wyróżnieniem będzie.

To, że akurat dwóch Niemców pozew „o zbrodnię przeciwko ludzkości", niemieckiego papieża jako głównego oskarżonego adresując, składa dla mnie aktem perfidnej bezduszności się jawi. A także dowodem absolutnego braku niemieckiego patriotyzmu. Ja wiem, synuś, że „kochać Niemcy" dla wielu, nawet dzisiaj, to jak odgłos żołnierskich butów, echo wrzasku pewnego psychopaty z Austrii oraz odgłosy krzyków z komór gazowych pobrzmiewa. Ale, zdaniem moim, może czas nadszedł, aby im o tym przestać nieustannie przypominać? Niemcy już swoją pokutę odbyli.

A młodzi Niemcy, łącznie z wnuczkami moimi i córkami Twoimi, które Niemkami się czują, o krematoriach z książek się dowiadują i niekiedy z wycieczek do obozów. Identycznie jak młodzi Żydzi.

Ale ja synuś wcale nie o tym chciałam. Ja o kopaniu leżącego chciałam. Leżącym niemiecki Kościół katolicki jest, a kopie go w jądra, głowę, nerki i wątrobę dwóch niemieckich adwokatów. Nie zważając na to, iż niemiecki Kościół katolicki właśnie umiera. W roku 2010 po raz pierwszy w najnowszej historii liczba ochrzczonych Niemców (170 tysięcy) od liczby Niemców występujących z Kościoła (180 tysięcy) była mniejsza. W Niemczech umieranie Kościoła można statystycznie z niemiecką dokładnością pomierzyć. Liczbę chrztów rejestruje kuria, a liczbę wystąpień Finanzamt (Urząd Podatkowy). I kurię, i urząd dane za 2010 rok niewątpliwie zasmuciły. Chociaż z powodów zupełnie różnych. Ale doktora Ratzingera, z zawodu papieża, musiały w ogromne zaniepokojenie wprowadzić.

Aż dziw mnie bierze, że dotychczas swojego pozwu sprytni adwokaci na Fejsie nie opublikowali. Wraz ze zdjęciami z cmentarza zmarłych na AIDS (grzebanych w pionie, bo na poziom zbyt mało miejsca) w Kenii i jakąś pasującą do tego muzyką. Najlepiej sakralno-pogrzebową.

A teraz, synuś, dla zmiany nastroju z beczki zupełnie innej, chociaż i ona także z sądownictwem, pieniactwem oraz niemieckim papieżem Benedyktem XVI jest ściśle powiązana. Pokazuje ona także, jak bardzo naród niemiecki do swojego *Ordnung muss sein* jest momentami przywiązany. Nieraz naprawdę na granicy pewnej, w tym wypadku zabawnej perwersji. Oprócz pozwu „o zbrodnię przeciwko ludzkości" biedny doktor Ratzinger, w tym wypadku obywatel bardziej niż papież, został pozwany do sądu za złamanie przepisu o obowiązku „zapinania pasów bezpieczeństwa w pojazdach znajdujących się w ruchu". Mieszkaniec Dortmundu, z zawodu urzędnik państwowy, niejaki Uwe Hilsmann, lat czterdzieści osiem, rzekomo na umyśle zdrowy, ostatnio właśnie Ratzingera za te niezapięte pasy do sądu pozwał. W trakcie wizyty we Freiburgu, Ratzinger jako papież się po mieście w swoim papamobile przemieszczając, ewidentnie pasów nie zapiął, co i tłumy wzdłuż ulic zgromadzone jak również kilka milionów ludzi na ekranach swoich telewizorów widziało. Ale ponieważ tłumów jako świadków wykroczenia powołać raczej nie można, więc Hilsmann Uwe, dla zaświadczenia prawdomówności swojej, jako świadków zdarzenia arcybiskupa Zollitscha Roberta oraz premiera kraju związkowego Badenia-Wirtembergia, niejakiego Kretschmanna Winfrieda z partii Zielonych sądowi wskazał. Oni występkowi papieża z bliska się przyglądali, ponieważ w papamobile podczas przejazdu przez miasto Freiburg się znajdowali. To jest synuś wszystko poza granicą wszelkiej farsy, ale sprawa naprawdę do sądu trafiła i swój numer akt uzyskała.

Jest mało prawdopodobne, aby obywatel Ratzinger mandatem ukarany został, jednakże nie z powodu absurdalności tego oskarżenia. W Niemczech, o czym sam doskonale wiesz, sądownictwo słowa „absurd" nie zna. Jest przepis, to dla wszystkich jest obowiązujący. I ludzi, i pojazdów w tym przypadku. Papież od mandatu się wywinie, ponieważ jako dyplomata reprezentujący oddzielne państwo Watykan, immunitetem jest chroniony. Sam przyznasz synuś, że ta informacja normalnego człowieka rozbawić może. Przypuszczam, że także niektórych Niemców.

Ale to, Nuszka, tak na marginesie. A tak między prawym marginesem i lewą krawędzią kartki to Ci napiszę, że pozwy przeciwko Bogu mogą być tylko śmieszne, a dla pozywających ośmieszające. Boga w żadnej drugiej Norymberdze przed trybunałem postawić nie można. I na tym skończę synuś, bo mnie przy dalszym pisaniu – jak siebie znam – ogromne wkurwienie na ten zgrabny duet niemieckich adwokatów ogarnie. A ich pozew jest tak cyrkowo-komiczny, że nawet na moje zdenerwowanie nie zasługuje. Więc teraz naprawdę niemiecki, nieodwracalny, ostateczny *Schluss*.

Ten rzekomy *hot news* synuś te piekielne przygłupy od propagandy we środę 17 sierpnia A.D. 2011 ze swoich mało pofałdowanych mózgów na świat wypuścili. Z bezsilności chyba, bo to pod koniec wakacji było, a wtedy to nawet ogórki już wysychają i w informacyjnym smaku od nudy gorzknieją. A ja tak bardzo spokojną i refleksyjną wigilię 18 sierpnia przeżyć chciałam. Tak

400

się zamyślić od zapomnienia, tak powspominać do zamyślenia oraz tak się do woli napłakać. Wigilię, czyli „dzień przed" właśnie. Czas uroczystego oczekiwania. A w czas takich dni cały świat i nawet Piekło powinny się jak należy zachowywać i szeptem mówić.

Bo ja synuś cztery razy w każdym roku A.D. tak oczekuję. Mam trzy wigilie i jedną Wigilię. Tę ostatnią 24 grudnia z powodu narodzenia Jezusa Chrystusa Nazareńskiego, tę przedostatnią 21 września z powodu narodzin Kaziczka Wiśniewskiego, a te dwie ostatnie 17 sierpnia z powodu narodzin Nuszy i ślubu z Leonem Wiśniewskim. Bo tak się złożyło trafem dziwnym przez Leona obmyślonym, że on koniecznie mnie za żonę w dniu urodzin Twoich synuś chciał pojąć. Tyle że dokładnie dwa lata po urodzeniu Twoim, czyli w pięćdziesiątym szóstym. Ten piećdziesiąty szósty to nie tylko dla świata, ale także dla mnie bardzo ważny był.

W sobotę 18 sierpnia 1956 roku synuś, krótko po czternastej, bękartem być przestałeś.

A prawie czteroletni Kaziczek tym bardziej. I dlatego dzień 17 sierpnia każdego *Anno Domini* dla mnie niezwykłe znaczenie posiada. A ten cały jazz z pozwem przeciwko papieżowi ciszę wigilijną, jak pierdzenie na głos w katedrze podczas komunii mi zakłócił. Ale wczesnym wieczorem, przed pierwszą gwiazdą na niebie, którą w Piekle jedynie wyobrazić sobie trzeba, to wszystko na całe szczęście ucichło. I ja wtedy, po tej gwiazdce pierwszej na niebie wyobrażonym, o życiu z Leonem rozmyślałam. I o tym przed Wami oraz o tym, gdy Kaziczek i Ty do nas dołączyliście. Z życia „przed Leonem" SS-manów z Gdyni, odpłynięcie „Gustloffa" w swój rejs ostatni oraz ławkę, tę niedaleko stawu z łabędziami, tę w parku na Bydgoskim Przedmieściu w Toruniu pamiętam. I to wszystko. Bo Leon mi pamięć „przed nim" wymazał. Chociaż o przeszłość moją się regularnie dopytywał. Chciał wiedzieć, czy pająków zawsze się bałam, jakie kwiaty jako pierwsze polubiłam, czy na łące w lesie po rosie na bosaka chodzić lubię, czy Niemców nienawidzę lub czy wąsy u mężczyzn mi się zawsze podobały. Już dzisiaj, co mu odpowiadałam, nie pamiętam. Ale ja zawsze prawdę mu mówiłam, więc to ważne nie jest. A potem mnie pierwszy raz czułością swoją oszołomił i dbać o mnie zaczął. I się o mnie troszczyć. I moimi zmartwieniami się zamartwiać. I moim śmiechem się śmiać. I moim smutkiem smucić. I moimi lękami bać. I moimi pragnieniami pragnąć. I od tego momentu Nusza, że ja w nim zakochana wcale nie jestem, zrozumiałam. I że ja go kocham pojęłam. Jak nikogo na świecie. I że dziecko chcę mu urodzić. A najlepiej dwoje. I chleb dla niego chcę kroić, i plecy mu obmywać, i pierzyną w nocy, gdy się odkryje, utulać. I ślinę jego smakować także chcę. Ponieważ synuś tak się kobiecie lub mężczyźnie niekiedy przydarza, iż jedna Miłość nagle i bezpowrotnie te miłości, które przed nią zaistniały, wymazuje i także te, które się nigdy nie zdarzyły, bo jedynie jako niespełnione i przed nikim jako niewypowiedziane marzenia trwały. I wtedy aby ten człowiek był tylko Twój pragniesz. Twój jedynie. Na zawsze.

I tak sobie późnym wieczorem mojej wigilii podwójnej 17 sierpnia przed 18 sierpnia na różne tematy wspominałam, przepis o dochowaniu postu przy tym łamiąc, bowiem wino czerwone – ponad 13 procent etanolu zawierające – bez poczucia grzechu sączyłam.

To życie nasze z Leonem, tam na ziemi, takim zwyczajnym mi się wówczas zdawało. Chociaż teraz, przez sito wspomnień przesiane, swoją niezwykłością mnie momentami zdumiewa. To pewnie ta nostalgia oraz tęsknota, synuś. Bo musisz, synuś, wiedzieć, że ja z Leonem wiele przygód w życiu miałam. Twój ojciec mnie rozczulał, rozpalał, rozrzewniał, rozleniwiał, rozwścieczał, rozpijał, rozkochiwał, na części rozkładał lub na strzępy rozrywał, roztkliwiał, rozmiękczał, rozmrażał, roztapiał, rozpustnicą czynił, na oścież rozwierał i czasami do łez rozśmieszał. Takiego „roz-", którego Leon by wobec mnie nie przedsięwziął, to w słownikach mowy polskiej ze świecą szukać.

Ta jego do końca skrywana tajemnica w tej jego nieprzewidywalnej rozmaitości tkwiła. I na dodatek podarował mi oprócz

Miłości to, czego chyba każda kobieta pragnie najbardziej. Przy nim dopiero bać się prawie wszystkiego przestałam. I tonących statków pasażerskich, i czarnych mundurów, i głodu, i zimna, i także wiecznego potępienia. Bałam się tylko, że Twój ojciec któregoś dnia z dyżuru mógłby nie powrócić, bo on tą swoją karetką jak wariat, gdy trzeba było do wypadków gnać, jeździł. Był moim opiekunem i rycerzem moim. A gdy Was mu urodziłam, to skrzydła swoje nad Wami rozpostarł i przywódcą stada się poczuł. Ale nie jakimś tam patriarchą. Leon, zdaniem moim, w życiu ideą feminizmu się kierował. Jak tak sobie dokładnie przypomnę, to Leon był jedynym feministą w naszej kamienicy (czego mi wszystkie sąsiadki szczerze zazdrościły) i w trzech kolejnych, gdyby iść ulicą Podgórną w kierunku ulicy Polskiego Czerwonego Krzyża. Taka była opinia większości kobiet mieszkających w okolicy i przeze mnie razu pewnego zasłyszana. W czwartej kamienicy bowiem pan Zenobiusz Konstanty L. z żoną zamieszkiwał i za feministę idealnego (wtedy słowa zaczynającego się od „femi" na ulicy jeszcze nie używano, ale w sensie ogólnym o to chodziło) został uznany. Pan Zenobiusz, podobnie jak mój Leon, ze zdaniem i opinią kobiety bardzo poważnie się liczył, ale zawsze na trzeźwo to wyrażał. A wszyscy wiedzieli, że mój Leon na trzeźwo to też, ale po pijanemu również. Niepijący wódki feminista, zdaniem ulicy, feministą lepszym i bardziej wiarygodnym się okazuje. A to jakaś pomyłka w mniemaniu moim jest katastrofalna (albo katastroficzna synuś, bo ja już, jak poprawnie jest w tym naszym polskim, nie wiem). Niektórzy, bardzo nieliczni, mężczyźni odkrywają w sobie feminizm dopiero, gdy alkoholem są upojeni. Inni (takich jest przeważająca większość) z kolei feministami w takim stanie być definitywnie przestają.

Zdaniem moim, feminizm, synuś, dopiero pod wpływem alkoholu jest prawdziwy, szczery i ostateczny.

A mój Leon feministą na trzeźwo i po pijaku był, więc pan Zenobiusz z kamienicy czwartej nie umywa się zupełnie. O Boże, synuś, w jakiś taki patetyczno-feministyczny ton przez to wino chyba wpadłam i ojca Twojego na jakiś pomnikowy piedestał wynoszę. A to normalny mężczyzna był. Z krwi, z kości i z pożądania. I z wielu wad dla mężczyzn typowych. Momentami synuś taki głupiutki bywał, że głowa mała. No bo taki epizod na ten przykład Ci w opisie przytoczę. Twój ojciec od spożywania napojów alkoholowych, że to tak dyplomatycznie nazwę, nie stronił. Z powodu tej jego słabości do picia wódki wiele długich i głośnych dyskusji mieliśmy. Jestem pewna, że niektóre z nich do uszu Kaziczka i Twoich dotrzeć musiały, ponieważ ja głos, jak pamiętasz, posiadałam donośny. Nasiliły się one szczególnie, gdy niebezpieczne wrzody na żołądku Leona wykryto. Alkohol bowiem żadnym lekarstwem na te wrzody nie był, o czym każdy normalny człowiek, nawet taki bez studiów medycznych, wiedzieć musi. Wtedy moje pretensje – z troski o jego zdrowie wynikające – się mocno nasiliły. Martwiłam się synuś o niego po prostu. Leon tych dyskusji się lękał i za wszelką cenę ich unikać starał. Razu pewnego jednakże jego pomysłowość na ich unikanie wszelkie granice przyzwoitości przekroczyła. Po dziennym dyżurze, zamiast ze swoją aktówką świeżym chlebem wypchaną, jak Bóg przykazał, do domu rodzinnego powrócić, z kolegami kierowcami (takimi jak on po dyżurze pijakami) w pogotowiu ratunkowym w Toruniu przy wódce i bez zakąski się socjalizował. Krótko mówiąc synuś, we trójkę dwa litry żytniej na puste żołądki (Leona przy tym owrzodzony) wypili. Konsekwencji się lękając (to znaczy awantury ze mną), Leon trzeźwych kolegów na dyżurze, aby go karetką pogotowia do domu zawieźli, poprosił. W korytarzu kamienicy naszej, tuż przed drzwiami do mieszkania naszego, Leon swój pomysł uniknięcia awantury istotnie rozwinął. Kolegę kierowcę i kolegę sanitariusza do następującego działania skutecznie nakłonił: oni nosze z karetki przyniosą, on się na nich położy, oni do drzwi zapukają i gdy drzwi się otworzą, to on, na noszach leżąc, z bólu symulowanego się zwijał będzie, „mówiąc Irence, że mi wrzód pękł". Jego tak samo durni jak on koledzy ten skecz jako niezwykle sprytny i przekonujący uznali i nawet duży podziw dla pomysłowości Leona jednogłośnie wyrazili. Ja ten wyraz podziwu dokładnie słyszałam, ponieważ zaniepokojona hałasem na korytarzu ucho do drzwi przyciskałam. Możesz synuś wyobrazić sobie, że inaczej postąpić nie mogłam. Drzwi gwałtownie otworzyłam oraz światło w przedpokoju zapaliłam. Dokładnie w tym momencie ciało Leona, chociaż niecałe, na noszach się już znajdowało. Zdań, które wykrzyknęłam, Ci synuś nie przytoczę, ponieważ musiałabym Ciebie po raz kolejny za wulgarność języka mojego niewyparzonego dłużej niż normalnie przepraszać. Solidarność koleżków Leona się dokładnie w tej sekundzie zakończyła. Nosze z rąk swoich wypuścili i w te pędy się biegiem oddalili. Na skutek tego nosze oraz Leon na kamiennej posadzce wylądowali. Przy czym Leon twarzą do posadzki. Bełkotliwej wypowiedzi Leona w tym momencie dokładnie już dzisiaj nie pamiętam, chociaż pomnę, iż dominującym w niej tematem były przeprosiny. Widoku Leona przemieszczającego się na czworaka z korytarza, poprzez przedpokój, poprzez Kaziczka i Twój pokój do sypialni nie zapomnę nigdy. Gdy w końcu do naszego małżeńskiego tapczanu, na wszystkich kończynach się podpierając, dotarł, to tak jak klęczał, w ubraniu – łącznie z zabłoconym obuwiem – pod pierzynę wpełznął, głowę nią szczelnie przykrył i że go tam nie ma udawał. Scena ta mnie tak synuś rozbawiła, że złość cała mi przeminęła i rozczulenie ogarnęło. Późnej, gdy Leon chrapać zaczął, buty i ubranie z niego zdjęłam, twarz mu flanelową ściereczką w ciepłej wodzie namoczoną przemyłam i przytuliwszy się piersiami do niego, uspokojona zasnęłam. Do perfidnej oraz oszukańczej prowokacji z „pękniętym wrzodem" dopiero po dwóch dniach, w bardzo burzliwej i gromkiej rozmowie powróciliśmy. Leon, jak to mężczyzna, całą winę na kolegów i na brak zakąski do wódki zrzucił, sobie jedynie względnie niski poziom asertywności zarzucając. A ja jak zwykle, po raz kolejny, że mu wierzę przekonująco udawałam. Bo kochające feministki tak już mają. Jak sam więc synuś widzisz, Twój Ojciec postacią pomnikową raczej nie był.

A po wigilii siedemnastego sierpnia dzień urodzin Twoich synuś nadchodził. Gdy dzieckiem byłeś, wyczekiwałeś go jak Wigilii prawdziwej z powodu potencjalnych prezentów głównie. Babcia Marta od rana w kuchni się krzątała, aby Twoje ulubione ciasto śliwkowe przygotować i do piekarza na ulicy PCK z blachą osobiście podreptać, aby je w swoim piecu upiekł. Bo to czasy były ciągle takie, że ciasta w piekarniach się wypiekało albo w tak zwanych prodiżach. Babcia sama do piekarza się w dniu urodzin Twoich fatygowała, ponieważ nieposkromione łakomstwo Twoje dobrze znała. Nieraz jeden się zdarzało, na przykład w okresie wypiekania wielkanocnego, że na krótkiej drodze z ulicy PCK na ulicę Podgórną jedna trzecia ciasta z blachy w Twoim żołądku znikała, co niesprawiedliwe oraz niesolidarne wobec całej rodziny było. Ja dnia tego urlop brałam, a jak urzędasy, nieroby wredne z wydziału zarządzania handlem detalicznym urlopu dać mi z powodów najczęściej politycznych (prześwietlania jaj sekretarza partii nie wybaczyli mi nigdy) nie chcieli, to Leon zwolnienie lekarskie w formie L4 mi w mig u felczerów lub prawdziwych lekarzy organizował. Przed południem u fryzjera siwiznę swoją pod rudą farbą skrywałam i loki sobie kręciłam w tak zwaną ondulowaną trwałą. Potem do domu wracałam, stół rozkładałam i dwoma obrusami białymi i haftowanymi oraz świeżo wyprasowanymi przykrywałam. Na stole wazony z kwiatami stawiałam i potem w kuchni z babcią oraz Leonem, gdy akurat dyżuru nie miał, półmiski jadłem wypełnialiśmy, aby goście z Twoich urodzin najedzeni wyszli. Kaziczek tron dla Ciebie już rano przygotował. Bo my takie niemieckie zwyczaje Geburtstagu przejęliśmy. Krzesło największe w domu gałązkami w tron zamienialiśmy. Ty na tym krześle udekorowanym odświętnie siadać musiałeś, życzenia i prezenty przyjmując. Gdy tylko dzwonek u drzwi się rozlegał, rzucałeś wszystko i w te pędy, coby na tronie usiąść, biegłeś i na gości czekałeś. Tortu z powodów finansowych babcia upiec Ci nie mogła, więc urodzinowe świeczki w grudę na talerzu położoną, z piasku usypaną i listkami wierzby oraz płatkami kwiatów przykrytą wpychaliśmy. Liczyłam te świeczki i z Tobą je zdmuchiwałam, i swoich życzeń spełnienia pragnęłam. A one wyłącznie Ciebie dotyczyły. Abyś zdrów był, abyś mądry był, abyś szlachetny był, abyś honor cenił, abyś serce nad rozum przedkładał, abyś dobrą kobietę na drodze swojej spotkał. Ale to wieczorem dopiero było, gdy wokół stołu wszyscy nam bliscy zasiedli i Leon toast wzniósł i drżącym głosem coś mówić zaczynał, ale nic w końcu nie powiedział, bo łzy do oczu mu napłynęły. A Leon w trakcie płaczu niemową się stawał. Ale nawet gdy nic nie powiedział, to i tak wszyscy wiedzieli, co powiedziałby, gdyby mówić mógł. I patrzyli w tym momencie wszyscy na Ciebie. Na jego Nuszkę. I on wtedy kieliszek z wódką na stole stawiał, papierosa w popielniczce gasił i do Ciebie podchodził. A po drodze mnie z krzesła za rękę wyciągał i do siebie przytulał. I takie przedstawienie romantyczne synuś co roku jako prapremierę wystawiał.

Ale to dopiero wieczorem. Bo późnym popołudniem ja taka świeżo od fryzjera nienaturalna babcię Martę ze sprawami urodzinowo-organizacyjnymi samą pozostawiałam i w sypialni upiększałam się na nadchodzący wieczór. Halkę nowo zakupioną wkładałam, krem Nivea w skórę twarzy opuszkami palców wklepywałam, czerwonokrwistą szminkę na wargach moich rozpościerałam, a na końcu w sukienkę elegancką się wpychałam, brzuch mocno wciągając. Leon, gdy na ustach moich czerwona szminka lśniła, bardzo lubił. Sukienek nowych zbyt wiele nie miałam, ale halkę na każde urodziny Twoje nową kupowałam. Dla Leona bardziej niż dla siebie. Bo Leon fetyszystą halkami otumanionym był. Gdy w różnych sytuacjach i okolicznościach mnie rozbierał, to często mi – po rozebraniu – halkę na nagie moje ciało wciągał albo mnie o wciągnięcie jej prosił. Teraz to się chyba *dessous* z francuskiego nazywa, ale w czasach moich to po prostu halka była. Ja upodobania Leona odgadując, takie najbardziej przezroczyste zazwyczaj wybierałam. I powiem Ci synuś, że mnie to na przeróżne sposoby kręciło. Bo nagość trochę utajniona inny kontekst w bliski kontakt pomiędzy kobietą i mężczyzną wprowadza, o czym Ty synuś doskonale wiesz, ponieważ w tej akurat delikatnej materii w swego ojca Leona się wdałeś. Chociaż nie do końca, ponieważ Leon nigdy na pomysł związania moich rąk rozerwaną halką niestety nie wpadł.

Te nasze wieczory w dniu osiemnastego sierpnia i noce z osiemnastego na dziewiętnasty to ja synuś bardzo lubiłam. Jakoś tak z Leonem, że w tym dniu rozmawiać trzeba i należy, czuliśmy. Tak dogłębnie. O nas, o przeszłości i o przyszłości. Tak w ogóle o sensie. A nie tylko jak związać koniec z końcem, ile ton węgla na zimę kupić i czy remont w mieszkaniu zrobić trzeba. I gdy już wszyscy goście sobie poszli, a Ty i Kaziczek zasnęliście, to my z Leonem synuś sobie przy winie z głogu do dzbana szklanego nalanego brain stromingi na Wasz temat robiliśmy. Odnośnie Waszych mózgów i tak w ogóle także.

Leon od momentu pewnego zauważył, że w rozwoju opóźnieni – pomimo gróźb oraz przestróg lekarzy – nie jesteście. Tak naprawdę to wręcz przeciwnie. Kaziczek prymusem się w szkole okazywał pomimo tego, że chuliganił, papierosy w toalecie popalał oraz wino z butli na szafie stojącej w tajemnicy przed nami kosztował w młodocianym ciągle wieku. Ja, że to paskudna, odziedziczona mutacja z garnituru chromosomów Leonowej gałęzi drzewa (to picie wina) jest, twierdziłam, a Leon z kolei uważał, iż Kaziczek po prostu typowe dla dorastających mężczyzn zaciekawienie używkami wykazuje, oraz byłby zaniepokojony, powiadał, gdyby jego pierworodny tego nie czynił. Swoje przekonanie Leon dziwnymi metodami urzeczywistniał. Pamiętam, jak dnia pewnego brata Twojego Kaziczka oszołomionego dymem z papierosów marki „Sport" ukradkiem w ubikacji (my synuś niestety ubikację mieliśmy; słowo „toaleta" mocno przesadzaną ekstrawagancją by w tym przypadku było) inhalowanym w przedpokoju napotkał. Kaziczek w ubikacji na szybko sportami podobnie jak Ty swego czasu w Nowym Jorku marihuaną się najarał. Tak mocno, że z powodu zawrotów głowy równowagę w sposób widoczny tracił. Leon to zauważywszy, błyskawicznie decyzję, niestety nieodwołalną pomimo moich oraz babci Marty energicznych protestów, podjął. Swojemu synkowi starszemu (wówczas w wieku lat czternastu) – rzekomo z ojcowskiej troski o jego zdrowie (!) – pozwolił palić „jak pan Bóg przykazał" (jego słowa własne), czyli oficjalnie. I wkrótce mieszkanie nasze momentami palarnię taniego haszyszu przypominające jeszcze bardziej zadymione się stało. Dziadek Brunon niebezpiecznymi wyziewami z papierosów marki „Żeglarz" ton główny smrodowi nadawał, ojciec Twój dymem z ekstra mocnych bez filtra go doprawiał, Kaziczek dodatkowo sportami się przyczyniał, a ja ten „bukiet zapachowy" delikatnym dymkiem z papierosów o nazwie płaskie zwieńczałam. Czasami, szczególnie porą wieczorową, gdy po dniu całym dym gęsty oraz zawiesisty wokół lamp pod sufitem się roztoczył i w szare chmury się ułożył, to stawało się synuś u nas jak w spelunie jakiejś. Babcia Marta nad tym panującym nikotynizmem bardzo ubolewała, chociaż wcale nie w związku z grożącym rakiem płuc albo innymi zdrowotnymi dolegliwościami. Najbardziej o krochmalone w trudzie firany w oknach jej chodziło. Po dwóch tygodniach bowiem ze śnieżnobiałych w brązowobrunatne się przemieniały, a babcia „takiego flejostwa" jako przedwojenna (tutaj akurat jej o pierwszą wojnę światową chodziło) i mocno zgermanizowana *Hausfrau* tolerować nie potrafiła. Ponadto Marta z przekonaniem twierdziła, iż zwierzęta domowe nasze, to znaczy kocur Murzyn oraz pies Azor, zawsze do domu z dworu pośpiesznie wracają, ponieważ od nikotyny są uzależnione i dlatego bez „palenia nie mogą długo na świeżym powietrzu wytrzymać". Dodatkowo Twój wzrost niepokaźny synuś – bo co tu dużo mówić, małym i niewyrośniętym chłopczykiem do pewnego wieku byłeś – babcia Marta wpływem zadymienia powietrza, którym w domu oddychałeś, tłumaczyła. Co oczywiście prawdą nie było, zważywszy na potężne rozmiary brata Twojego, który nie tylko pasywnie, ale i aktywnie od młodości bardzo wczesnej palił.

Ale ja znowu synuś w dygresję się przydługą wplątałam, bo przecież nie o nałogi nam z Leonem w naszych nocnych rozmowach osiemnastosierpniowych szło. Głównie nam o plan na życie Wasze chodziło. Oboje z Leonem przewidywaliśmy, że Wy i tak sami sobie plan opracujecie, ale jako rodzice winni jesteśmy radami Wam służyć. Leon na wywiadówki do szkoły Waszej podstawowej numer sześć na ulicy nazwanej imieniem i nazwiskiem zasłużonej nimfomanki i komunistki Hanki Sawickiej nie chadzał. A szkoda. Bo na uszy swoje własne by usłyszał, że upartych, niepokornych i niepodporządkowanych synów do szkoły posłał. Kaziczek autorytetu nauczycieli uszanować nie potrafił i się na lekcjach „arogancko przemądrzał", cokolwiek to znaczyło, oraz często słowa wulgarne pod nosem wypowiadał, gdy uwagę mu zwracano. Ponadto w trakcie przerw w bijatyki się wdawał. Jednocześnie Leon, że jego pierworodny najlepsze oceny z większości przedmiotów zbiera, by usłyszał. Także od nauczycieli, którzy teoretycznie z powodu jego buntownictwa prześladowć go winni. W trakcie Twoich wywiadówek prawie identycznych historii wysłuchiwałam, z wyjątkami pewnymi, bowiem „papierosami nie śmierdziałeś", napady histerii Cię omijały oraz słowa wulgarne rzadziej wypowiadałeś. To czasy synuś takie były, że nikt ochroną prywatności lub czysto ludzką wrażliwością w trakcie wywiadówek się nie przejmował. Nauczycielki (bardziej niż nauczyciele, jak dobrze pamiętam) publicznie wobec całej rodzicami wypełnionej klasy głośno oceny poszczególnych uczniów wyczytywali i swoimi, często niewybrednymi, komentarzami opatrywali. Nazywanie uczennicy lub ucznia „gamoniem" lub „matołem" rzadkością niestety nie było. Dla większego efektu i większego przy tym wstydu oraz bólu rodzica „matołów" z prymusami nagminnie porównywano. Zarówno Kaziczek, jak i Ty takimi wzorcami byliście. To mnie synuś dumą oczywiście napawało, jednakże radości przy tym z powodu empatii w stosunku do matki lub ojca „gamonia" nie miałam wcale. Wręcz przeciwnie. Za Waszą mądrość rodzaj niezasłużonej winy odczuwałam.

Ale do tematu planu na Wasze życie wracając, oboje z Leonem jednoznacznie potwierdzone zalety mózgów Waszych na plan pierwszy wysuwaliśmy. Zdaniem naszym zgodnym mieliście matury uzyskać, a następnie do nauki w szkole wyższej przystąpić. Ojciec Wasz, który komunizm (w Polsce wówczas socjalizmem zwany) generalnie jako system patologiczny oraz zwyrodniały traktował, nieliczne obszary zdrowych komórek w tym zrakowaciałym pomyśle na Polskę znaleźć potrafił. Jednym z tych obszarów bezpłatny dostęp do nauki i kształcenia się mu jawił. Dobrze pamiętam, jak mawiał: „Iruś, co by na Gomułkę i całą jego czerwoną bandę sługusów nie mówić, to my robole za sanacji o kształceniu naszych chłopaków nie moglibyśmy myśleć". A ja z nim w całkowitej rozciągłości się zgadzałam. Ale pomimo to egzystencjonalna niepewność nas czasami ogarniała. W podeszłym wieku na świat Was bowiem przywołaliśmy. Leon uważał, że „studia studiami", ale dla bezpieczeństwa i życiowego spokoju konkretny fach w ręku i do tego maturę mieć powinniście. Tak że gdy nas zabraknie, radę sobie dać będziecie potrafili. I w ten sposób technikum, a nie liceum Wam doradzaliśmy.

Ja tak zupełnie z tym zgody, szczerze mówiąc, w sobie nie znajdowałam. Bo niby dlaczego miało nas zabraknąć, myślałam. Ale Leon w jakimś takim irracjonalnym – chyba swoją obozową traumą napędzanym – przekonaniu trwał, że on w każdej chwili umrzeć może. Czasami wrażenie miałam, że on w łóżku ze mną wieczorem zasypiając, nie do końca przekonany był, że rano się obudzi i dalej żyć będzie. Dlatego chyba, zawsze przed zaśnięciem – co mnie w nieopisywalne rozczulenie za każdym razem wprawiało – za przeżyty ze mną dzień mi dziękował. Za każdy dzień! Jak gdyby pożegnać się ze mną dla pewności chciał, ale przed tym swoją wdzięczność wyrazić pragnął. Myślę, że Twój ojciec synuś chyba sobie sprawy z tego, co czyni, nie zdawał. Bo to prosty człowiek w gruncie rzeczy był. I prostą miłością mnie obdarzał. I to podziękowanie także proste i wcale nie poetyckie było. Ot zwykłe takie: „Iruś, za dzisiaj ci dziękuję…". A potem mnie, aż mi dech zapierało, tulił i szyję moją, aż mnie wszędzie, dużo poniżej szyi również, mrowiło, całował i dłonie moje pod pierzyną wyszukiwał, aby je, aż mi stawy skrzypiały, ściskać.

A następnie w spokojności zasypiał. Chociaż nie za każdym razem, ponieważ ja niekiedy na takie pomysły wpadałam, aby Leona przebudzić oraz pobudzić. Szczerze mówiąc, to wcale trudne nie było. Ale o nich Ci synuś nie opowiem. Bo to za bardzo moje oraz jeszcze bardziej intymne.

Myślisz Nusza, że jeszcze prostsza miłość mogła mi się w życiu przydarzyć? I wdzięczność jeszcze prostsza?

Ale ja synuś nie o tym przecież chciałam. Ja bardziej o jego „małych śmierciach" w tym momencie chciałam. Z wizją śmierci „w każdej następnej chwili" całkowicie się Twój ojciec ze spokojem pojednał. Zdaniem moim synuś ta jego brawurowa odwaga, aby na swój sposób żyć, absolutnie bezkompromisowo i nieskończenie wiernie sobie, z tego braku lęku przed śmiercią właśnie się wywodziła. Nie wiem, czy wszyscy więźniowie „koncentratoriów" (Leon swój Stutthof „koncentratorium" nazywał) tego pierwotnie podstawowego atawizmu „przeżycia za wszelką cenę" się wyzbyli, ale że Leon się go wyzbył, przekonana byłam i do dzisiaj jestem. Tak samo jak wyciętego skalpelem kawałka skóry z tatuażem na przedramieniu jego ręki się pozbył. Twój ojciec Nusza, jak Ty to nowocześnie i z angielska ostatnio nazywasz, z dyscyplinującym ostatecznym *deadline* się zbratał. Chociaż inne uczucia przy tym przeżywał. Ty życie, jak Cię synuś obserwuję, jako „Projekt" traktujesz, więc ta nomenklatura na miejscu – w odniesieniu do Ciebie – jest oraz jak najbardziej pasuje. Wycięli Cię z mojego brzucha osiemnastego sierpnia roku pewnego i Projekt Twój *kick off* miał. W dniu śmierci Twojej się Projekt zakończy. Tak synuś z przekonaniem głębokim myślisz. Śmierć dla Ciebie datą zakończenia Projektu jest, czyli deadline'em właśnie. Nawet jeśli rację – w sensie filozoficznym – synuś posiadasz, to tak tego formułować nie powinieneś. Bo to życie ludzkie z magii, tajemnicy, boskości oraz w największym stopniu z sensu odziera. Przerażasz mnie tym, Nusza. Tym, że życie swoje jako Projekt traktujesz. Ja, gdy Cię pierwszy raz, Nuszątko moje ukochane, w dłonie wzięłam, to cudem byłeś. A nie jakimś tam Projektem. Czasami że Ty się synuś odhumanizowałeś myślę. Ostatnimi latami – odkąd te swoje mocno emocjonalne książki pisujesz – paradoksalnie na dno racjonalizmu się stoczyłeś. Opanuj się Nusza. Proszę. Nie rozliczaj się z życia jak z Projektu co kwartał. I nie gań siebie synuś, i wyrzutami sumienia nie zadręczaj, gdy zapóźnienia, przesunięcia lub tym podobne niedoskonałości w swoich rozliczeniach ze samym sobą odkryjesz. Skończ zebrania sprawozdawcze ze sobą odbywać. Przestań 31 grudnia przed północą swoje życie w tabele Excela wpisywać. Zakochaj się synuś i do normalności powróć. I to z tej miłości sobie Projekt uczyń. I tak jak ojciec Twój Leon każdego dnia przed zaśnięciem wdzięczność niewieście swojej za trwanie przy Tobie wyrażaj. To jest z Projektu najpiękniejsze i najważniejsze rozliczanie.

Wigilia sierpnia osiemnastego słowem jednym była i jest dla nas z Leonem dniem szczególnego znaczenia. I kiedyś, i teraz również.

Wieczorem, gdy sobie ten mój osiemnasty sierpnia A.D. 2011 spokojnie, refleksyjnie i odświętnie przy lampce wina i pisaniu listu do Ciebie synuś celebrowałam, zakonnica Anna Maria z lanosa wraz profesorkiem zawsze biednym, za ręce jak zakochani się trzymając, w celu podzielenia się ze mną radosną nowiną przydreptali. Piekło wzorem lat ubiegłych integracyjny wyjazd do Czyśćca, pomimo kryzysu szalejącego, organizuje! W tym roku w dniu pierwszego września celem, cytuję, synuś oryginalny tekst z okolicznościowej ulotki: „godnego uczczenia radosnego Dnia Nienawiści w kolejną rocznicę wybuchu drugiej wojny światowej". Pomysł na taki tekst tylko jakiemuś geriatrycznemu urzędasowi z Ministerstwa Spraw Zagranicznych do jego pustego łba musiał przyjść. Oficjalnie MSZ się od tej ulotki natychmiast odciął, ponieważ z Niebem skutecznie integrować, na nienawiść się przy tym powołując, za diabła nie można. Najpierw wiceminister, a potem – gdy protesty nie cichły – nawet sam minister na www.tweeter.hell oficjalne przeprosiny co godzinę pracowitymi rękami swoich sekretarzy lub sekretarek wpisywali. Kiedy serwery Fejsa się od protestów na dobre zatkały, oficjalny komunikat w telewizorze wyświetlali, informując, że „tekst w ulotce znalazł się w wyniku prowokacji skorumpowanych lewaków i ich mocodawców". To oczywiście łgarstwem było, ale skojarzenie lewicy z tym skandalem przypadkowe nie było. Lewica z lewakami ma tyle wspólnego co lewarek z lewitacją, ale na matołstwie narodu w Piekle bazując, można nawet taką metodą lewicy dowalić. Bo u nas w parlamencie synuś brutalna walka się toczy. Szczególnie w kontekście zbliżających się krokami wielkimi nowych wyborów. W parlamencie naszym Nusza prześcigają się, aby kolegę lub koleżankę z sąsiedniej ławy zohydzić, udupić oraz z wszelkich należnych splendorów okraść. A wyrafinowane upokarzanie właśnie lewicy stało się ostatnio sportem ekstremalnym przez parlamentarzystów z klubów wszystkich chętnie uprawianym. Bo w związku z podróżą integracyjną do Czyśćca lewica się rządowi naraziła. W latach ubiegłych integracja Nieba z Piekłem w Czyśćcu w trakcie wycieczki w 100% subsydiowana była, czyli dla uczestników za darmo. W tym roku minister od gospodarki, na „dotkliwy kryzys w sferze bankowości" się powołując, do 50% dotacje obniżył. W trakcie parlamentarnej dyskusji straszne baty za to zebrał, bo atakowana i zohydzana lewica w kaszę sobie dmuchać nie pozwala. Nie zawsze w sprawach merytorycznych tylko minister biczowany był. W obyczajowych również. Przeszłość ministrowi prześwietlono i na jaw wyszło, że nie dość, że on ochrzczony, to pierwszą komunię skwapliwie połykał, jako ministrant do mszy wiernie służył, bierzmowaniu się poddał, sakramenty małżeńskie w świątyni przyjął, wizyty duszpasterskie w domu do śmierci przyjmował i z wieloma wysokimi rangą urzędnikami Kościoła katolickiego za pan brat był. Ponadto, co poruszenie ogromne w czasie debaty parlamentarnej wywołało, najstarsza córka ministra jako zakonnica się w klasztorze zamknęła, a minister ją tam często odwiedzał, do pokonania jej powołania nie namawiając i nie przekonując. Ponadto córeczka bez wstydu żadnego w habicie i w trakcie żarliwej modlitwy za duszę ojca sfotografować się pozwoliła i odpowiednie obrazy na swoim profilu na Fejsie opublikowała. Minister oczywiście się zgrabnymi oracjami bronił. Intensywną aktywność na łonie Kościoła katolickiego w okresie dzieciństwa i młodości presją opinii publicznej i ze strony środowiska grożącym ostracyzmem uzasadniał. Bliskie kontakty z klerem względami edukacyjnymi uzasadniał oraz próbą „spenetrowania organizacji dysponującej od tysięcy lat płynnym kapitałem inwestycyjnym", czyli na dobrą sprawę gospodarczym szpiegostwem. To mu oczywiście za zasługi uznano, chociaż wszyscy wiedzieli, że to skrajna prywata była. Minister za życia tak zwanym developerem był i od kurii działki budowlane pod apartamentowce chciał jak najtaniej nabyć. Za miastem, pod lasem. Drogi asfaltowe na koszt podatników z gminy już w związku z ułatwieniem parafianom dostępu do kościoła oraz plebanii poprowadzone. I nasz minister je nabył.

Taniej niż najtaniej. Jedyny poważny nakład finansowy, jaki ponieść niestety musiał, to „sprzedanie" proboszczowi parafii pobliskiego kościoła jednostki mieszkalnej symbolem XVIII.P-1 oznakowanej (chociaż to w porównaniu z kosztami hektarów działki budowlanej nijakiej proporcji nie okazuje). Metrów kwadratowych powierzchni mieszkalnej 180, pierwsze piętro, z pełnym wyposażeniem, w apartamentowcu numer 18, najbliżej lasu, blisko strumienia, z widokiem z salonu na las, a z sypialni na strumień także. Dla Anety Marii Teresy, córki proboszcza. I jej co dopiero poślubionego małżonka, czyli zięcia. Proboszcz przy podpisywaniu umowy kupna obiektu XVIII.P-1 oczywiście swoich związków krwi z Anetą nie ujawnił, ponieważ generalnie z pomysłem i celem celibatu się zgadzał oraz w wielu swoich kazaniach do niego nawiązywał. Zresztą było to szczere i uczciwe, bo zasadom celibatu rozumianego jako „forma życia polegająca na dobrowolnym zrezygnowaniu z wchodzenia w związek małżeński" proboszcz nienagannie wierności dotrzymywał. Młoda kobieta z pobliskiej parafii, która mu w wyniku seksualnego zbliżenia Anetę Marię Teresę urodziła, roszczeń małżeńskich – z racji oczywistych – bowiem nie stawiała. I dyskretna na dodatek była. Przy wypełnianiu ankiety, po porodzie w szpitalu powiatowym, w odpowiednią rubrykę „ojciec nieznany" wpisała. Chociaż, jak parafianie szemrzą, znany był jej bardzo dobrze. Od lat wielu. Kobiety wiedziały, że w proboszczu zakochana była. Platonicznie. Co nie przeszkadzało wielu bogobojnym parafiankom opowiadać, że „Lusia się z proboszczem puściła". I trochę racji miały. Jednej bowiem nocy Lusia o Platonie zapomniała i na dodatek zupełnie się zapomniała, na doświadczenie, rozsądek oraz na sakramentem obleczone obietnice dochowania czystości przez proboszcza licząc. Ale się przeliczyła bardzo. Bo oprócz tego, że w płodnej fazie cyklu się znajdowała, to proboszcz także o wszystkim zapomniał i w niej wytrysnął. W samym środku. I tak Aneta Maria Teresa się poczęła. Na stole w kuchni. Na plebanii. Pod krzyżem.

Ale ja, synuś, wcale nie o tym chciałam. Ja o ministrze chciałam, a historia poczęcia córki pewnego proboszcza mi się tylko tak przypomniała. Zdaniem moim, typowa – dla wielu dzieci w Polsce z ciała kapłanów poczętych – chociaż niekoniecznie, jeśli o stół w kuchni się rozchodzi. Następnie minister się do przekonań religijnych córki swojej najstarszej ustosunkował (chociaż to tylko o dotację na pewną wycieczkę w debacie chodziło; Piekło synuś do naszej aktualnej RP bardzo podobne jest). Minister, wybacz synuś obecną wzmożoną wulgarność, na maksa mnie wkurwił. Na ekran telewizora pluć mi się po prostu chciało. Ton głosu na pokutny sobie pan minister – na drogich kursach kreowania wizerunku wyedukowany – wymodulował i odpowiedzi udzielając, jak na spowiedzi przed proboszczem, tym od działek budowlanych, bez mrugnięcia okiem rzekł: „Moja córka w ostatnim czasie uległa wpływom obcej i wrogiej naszym wartościom ideologii, wobec której ja się zdecydowanie dystansuję. Jej godne potępienia nagłaśniane przez niektóre media zachowania nie korelują z moimi przekonaniami i jako takie je potępiam". I wtedy, synuś – po tym fragmencie przemówienia ministra od gospodarki – poczułam, że mi gospodarka w żołądku się powoli załamuje i w kierunku odruchu wymiotnego zmierza. Córka za ojca modły wznosi, a on tutaj za mównicą „korelację" z nią traci. Ale to, Nusza, nie wszystko. Potem jakiś lewicowy, w brudne trampki odziany, brodaty, wytatułowany, bełkoczący, zadziornie młody i strasznie głupiutki parlamentarzysta – w ramach tak zwanych interpelacji – ministra, sepleniąc, zapytał, czy „on się wobec tego swojej córki wyrzeka?". A minister, wyraźnym głosem, wcale nie sepleniąc, bez żadnego zastanowienia odparł: „w tej sytuacji oczywiście, że tak". I to wtedy, dokładnie w tym momencie, mnie synuś to wkurwienie naszło. Takie zdanie na najbardziej sfingowanym stalinowskim procesie w sowieckiej Rosji, przed sowieckim udającym organ sprawiedliwości sądem nigdy by chyba nie padło. Dziecka własnego pod największymi torturami wyprzeć się nie można. A ten do szpiku kostnego skorumpowany niegodziwiec, wcale nie torturowany, na pytanie marksistę udającego parlamentarnego półmózga odpowiada spokojnie, że córki własnej się wypiera.

Ale pozostawmy ministra oraz to całe obyczajowo-polityczne bagienko. Cała ta debata niczemu dobremu – poza jednym – się nie przysłużyła. Wyprawa do Czyśćca w celu zintegrowania się z Niebem, z powodu trudności ze zbilansowaniem budżetu, mimo gromkich protestów lewicy dostępna dla wszystkich nie będzie. Skalkulowane koszty w niej uczestnictwa (nawet przy 50% dotacji socjalnej) bardzo wysokie się okazały (głównie z powodu bardzo drogich środków transportu), więc dla dotkliwie ostatnio spauperyzowanego społeczeństwa w Piekle nie do przełknięcia.

Tym „jednym dobrym" z całej tej bełkotliwej i żenującej debaty wynikającym to – zdaniem lewicy – „nadzwyczaj drobne" ustępstwo przez agresywne lobby nauczycieli skupionych wokół ZNP (Związek Nauczycieli Piekła) wymuszone. Bezpłatne egzemplarze Biblii – w celach edukacyjnych zgodnych z rządowym projektem Ewolucja Literatury Oszukańczej na Przestrzeni Dziejów – w Piekle we wszystkich miejscach publicznych rozprowadzane będą, a fundusze (co warunkiem koalicji rządzącej było) na ten cel z żelaznej rezerwy na „klęski żywiołowe oraz kataklizmy" zostaną w trybie natychmiastowym udostępnione. ZNP w tym wypadku nie oponował, w całej rozciągłości się zgadzając, iż Biblia w Piekle – w dostępie powszechnym – kataklizmem jawić się w rzeczy samej może. Ponadto ustalono, że ze względu na zastraszająco wysoki poziom analfabetyzmu Biblia pojawi się także w postaci tak zwanej książki mówionej (słowa „audiobook" z powodu ksenofobicznej postawy parlamentarzystów francuskich w oficjalnych dokumentach – na co jest odpowiednia ustawa – stosować nie wolno). Wszystko to, synuś, rządząca koalicja bez szemrania „przyklepywała", aby swój pognieciony wizerunek znowu w piękny kancik odprasować, licząc, że w ten sposób decyzja zredukowania o połowę dotacji na podróż integracyjną do Czyśćca z większym zrozumieniem przez społeczeństwo przyjęta zostanie.

Ja tam synuś generalnie, gdy mnie ktoś dotuje, nie znoszę. Szczególnie jeśli regularnie, na czas oraz z bólem serca swoje podatki odprowadzam. Dotować to można żłobki, przedszkola lub upadające górnictwo węgla (tak w Piekle potrzebne), ale nie mnie. Ja do Czyśćca i tak pojadę, nawet gdyby o chlebie i wodzie żyć mi przez następne miesiące przyszło. Sądzę jednak, że do tego raczej nie dojdzie, bowiem na szczęście bardzo oszczędnie ostatnio żyłam, między innymi na skręcane własnoręcznie papierosy przechodząc oraz wyłącznie wyjątkowo tanie i z budżetu dotowane (subsydiowanie wina ja akurat synuś gorąco popieram) północnokoreańskie wina porzeczkowe kupując.

Leona ten problem także nie dotyczy. Jednakże z innego zupełnie względu. Ojciec Twój synuś z Piekła nie rusza się nigdzie.

Bo cytując Leona: „w Czyśćcu nudniej niż na zebraniach partyjnych w latach sześćdziesiątych, a poza tym mógłbym przypadkowo kogoś znajomego z Nieba spotkać i chcieć mu za ziemskie niegodziwości skuć mordę". Leon czasami taki obcesowy jest, ale generalnie się również w tej kwestii z nim zgadzam. Ojciec Twój, synuś, bardzo nie lubi, gdy ja się z Piekła oddalam. To głównie z jego troski o mnie wynika, ale po części też z pewnego dziwacznego niepokoju. Leon uważa, że ze względu na wyrażane przeze mnie poglądy religijne oraz niewzruszone przekonania, które w swoim mózgu noszę, w trakcie pobytu poza Piekłem „różnym pokusom" ulec mogę i „już więcej nie powrócić". A gdyby się tak stało, to jemu tylko „przejście w Nicość" pozostanie. Bo tęsknoty swojej drugi raz nie zniesie. I tym mnie mój Leon wzrusza nieskończenie.

Oczywiście, że ja żadnym pokusom nie ulegnę i o żaden azyl w Niebie – nie wiadomo jakimi metodami przez nasłanych na mnie aniołów kuszona – nie wystąpię. Takiej opcji synuś nie ma i nie będzie nigdy. Ja żadnym anty-Faustem się nie stanę oraz żadnego cyrografu z żadnym Aniołem Kusicielem nie podpiszę. Obojętnie jakie obietnice by mi składał. Każda z nich „o jedną obietnicę za późno" będzie. Bo obietnica Leonowi złożona jest dla mnie bardziej świętą niż wszyscy aniołowie razem do kupy wzięci.

Ja tak naprawdę się w tym Czyśćcu z wycieczkowiczami z Nieba integrować zupełnie nie chcę. Nadmiernie szeroka przepaść ideologiczna w kwestii podejścia do grzechu nas dzieli.

Jeśli integracja, to chyba tylko z Jezusem Chrystusem, ale jego na liście uczestników z pewnością nie będzie, ponieważ to wycieczka „nie z tej półki" synuś. Mnie zbliżenie do wiernej uczennicy Jezusa, Marii Magdaleny z wioski Magdala (MMM) pochodzącej, najbardziej do podjęcia trudów oraz pokrycia wysokich kosztów tej wycieczki motywuje. Według powtarzających się co kilka lat kontrolowanych przecieków z naszego ABW Maria Magdalena wielokrotnie w Czyśćcu widziana była, co mogłoby wskazywać, że to tam na stałe rezyduje. Zważywszy na to, że Maria z Magdali (obecnie El-Me-dżel, niepozorna wioska w Izraelu) w pierwszym wieku naszej ery zmarła, jest to dla wielu informacja niewiarygodna i jedynie kłamliwej oraz najczarniejszej propagandzie politycznych mocodawców ABW służąca. Miałaby ona rzekomo zaświadczać o tym, jak bardzo pamiętliwe jest Niebo, jeśli o tak zwanych swoich chodzi. Pobyt w Czyśćcu bowiem to stan przejściowy, a nie miejsce, w którym do chwili powszechnego zmartwychwstania się trwa. Dostępują go dusze osób w łasce umierających, ale które swojego stosunku do rzeczy stworzonych nie uporządkowały. Boże miłosierdzie dopuszcza możliwość oczyszczenia miłości z egoistycznych przywiązań, do których popełnione grzechy doprowadziły. Ciężar oraz długość odbywania kary czyśćcowej od rodzaju oraz liczby popełnionych grzechów zależą. Oczyszczenie przez „ogień" (który jednak fizycznej natury nie jest) się dokonuje. Jest raczej duchowym bólem wynikającym z uświadomienia sobie miłości Boga i niedoskonałości własnych. Innym oczyszczającym cierpieniem wszechobecna, ciągła oraz intensywna tęsknota za Bogiem się staje. Po ukończeniu oczyszczenia dusze z Czyśćca do Nieba trafiają (możliwości przejścia z Czyśćca do Piekła niestety nie ma, co od bardzo dawna wiele kontrowersji wzbudza oraz poważny cień na stosunki Nieba z Piekłem rzuca). Kościół katolicki do wierzenia podaje, że duszom w Czyśćcu pomagać można i trzeba. Głównie poprzez modlitwę żarliwą, częste posty, odpusty, dobre uczynki, odprawianie w ich intencji mszy (gregoriańskich zwłaszcza) i do komunii świętej regularne przystępowanie.

Gdyby przeciekom z ABW Marii Magdaleny dotyczącym zawierzyć, to „stan przejściowy" w jej przypadku dwa tysiąclecia już trwa! I to wszystko przy rozmiarach religijnego kultu, jakim na ziemi od dawna jest otaczana. Dlatego synuś sama, osobiście i u źródła języka zasięgnąć postanowiłam. Jeśli ABW nie łże, to być może ją osobiście w Czyśćcu napotkać i jak kobieta z kobietą porozmawiać, przy okazji kilka spraw wyjaśniając, mi się uda.

Postać MMM jednoznacznego wizerunku bowiem, o czym już Ci kiedyś nadmieniałam, nie posiada. Zdaniem moim Maria

Magdalena ofiarą patriarchatu w początkach budowania Kościoła była. Pierwsi Ojcowie Kościoła rolę kobiet w życiu duchowym podważali oraz je od uczestnictwa w Kościele zdecydowanie odsuwali. Aby uzasadnić to jakoś, konsekwentnie do grzesznej natury kobiet się odwoływali. Nic przy tym ze swojego autorytetu nie ryzykując, bowiem w przypisach – jawnie lub niejawnie – zawsze na Adama, węża oraz kuszącą, prawie nagą Ewę, miłośniczkę jabłek, powołać się przecież mogli. To afrodyzująca Ewa winna jest wszystkiemu, a biedny Adam przecież taki niewinny. On tylko chwilowy, w tej sytuacji zrozumiały, spadek asertywności wykazał. Skutkiem tego grzech pierworodny, z raju przepędzenie oraz chrztu sakrament. I to wszystko przez kobietę. Skojarzenie grzechu z cudzołóstwem w kobiet przypadku jakimś automatyzmem mi się synuś jawi. Jak kobieta grzeszna, to natychmiast przez wiele łóżek przechodzić musi. Sam przyznasz, że takie skojarzenie w przypadku mężczyzn o wiele rzadziej się pojawia.

Z Marii Magdaleny kobietę cudzołożną tak naprawdę to św. Jan Ewangelista uczynił. Przez długie wieki niewiasta cudzołożna z *Ewangelii Janowej* z MMM kojarzona była. W średniowieczu zaczęto nawet przyczynami moralnego upadku Marii Magdaleny się interesować. Sugerowano, że wynika on z zamożnego pochodzenia Marii oraz jej niespotykanej urody. Jednym słowem synuś, logiką średniowieczną się kierując, każda zamożna i piękna kobieta tendencję do dziwkarstwa przejawia. Co samo w sobie obrzydliwym pomówieniem wielu kobiet na ziemi jest. Ponadto głośno szemrano, iż MMM żoną Jana Ewangelisty była, a gdy ten do trupy uczniów Jezusa się przyłączył, to ona – z rozpaczy – w ręce nierządu się oddała. Sam Nusza przyznasz, że – w pewnym sensie – wyjaśnia to odniesienie do Marii Magdaleny w *Ewangelii Janowej*. Do dzisiaj przecież mężczyźni żony swoje, które z nimi już więcej łoża dzielić nie chcą, często – z zemsty – jako dziwki (bardziej wulgarnych słów użyć tutaj nie chcę) określają.

To średniowieczne szemranie, zdaniem moim, mało prawdy – jeśli w ogóle – w sobie zawiera, bowiem MMM (na co liczne dowody istnieją) wierną uczennicą Jezusa Chrystusa przecież była, do kręgu jego uczniów się przyłączając po tym, jak siedem złych duchów z niej wypędził. I na dodatek uczennicą przez Jezusa ulubioną się okazała. Co jej wizerunkowi poważnie zaszkodziło niestety. Wyjątkowa bliskość pomiędzy Jezusem i Marią Magdaleną w wielu innych uczniach zazdrość okrutną wywoływała. A liczne powody mieli, gdyby na przykład *Ewangelii Filipa* wierzyć, gdy ów Filip głosił:

A towarzyszką Zbawiciela jest Maria Magdalena. A Chrystus miłował ją bardziej od innych uczniów i całował ją często w usta. Pozostali byli tym zgorszeni i okazywali niezadowolenie.

431

Mówili doń: Dlaczego miłujesz ją bardziej niż nas? Zbawiciel odpowiada im, mówiąc: Dlaczego nie miłuję was tak jak ją?**.

Normalna zawiść ludzka się tutaj jednoznacznie przejawia. A dlaczegóż by nie? W każdej grupie (szczególnie z wyraźnie dominującym przywódcą) pewna hierarchiczna struktura prędzej czy później pojawić się musi. A jeśli hierarchia, to i zazdrość, i zawiść być musi. Dlaczego grupa uczniów Jezusa miałaby się czymś w tym wypadku wyróżniać? Bo niby co? Bo to święci, których ewangelie w trakcie mszy odczytują i księgi, z których je czytają, do warg następnie przyciskają? Zanim świętymi ich ogłoszono, ludźmi zwykłymi byli. A u zwykłych ludzi zazdrość i zawiść to reakcje pospolite i normalne zupełnie. Znaczenie kogoś w grupie – bardziej przywódcy bliskiego – w związku z tym podważać należy. I w miarę możliwości się buntować. Pisze o tym sama MMM w gnostyckim apokryfie *Ewangelia Marii*, gdzie swój konflikt ze św. Szymonem Piotrem (przez Kościół katolicki za pierwszego papieża uważanym) tak oto przedstawia:

A Piotr zapytał: „Czy Zbawiciel zaiste mówił na osobności z kobietą, a nie otwarcie z nami? Czy mamy się do niej zwrócić

---

* *Ewangelia Filipa*, przeł. Irina Lewandowska [w:] Marek Starowieyski, *Apokryfy Nowego Testamentu*, Warszawa 2003, s. 123.

432

i słuchać jej wszyscy? Czy wolał ją od nas?". A Lewi odparł: „Piotrze, zawsze łatwo się unosiłeś. Teraz widzę, że walczysz z tą niewiastą, jakbyś był jej wrogiem. Jeżeli Zbawiciel ją wyniósł, kimże zaiste jesteś, abyś miał ją odrzucać? Zapewne Zbawiciel zna ją bardzo dobrze. Dlatego miłował ją bardziej niż nas"*.

Ale to synuś nie cała prawda o tym incydencie była. Według równie świętego kolegi Szymona Piotra, wymienianego przeze mnie wielokrotnie św. Tomasza (zgodnie z *Ewangelią Tomasza*, apokryfem Nowego Testamentu) Piotr musiał w złości wielkiej rzec:

Niech Maria nas opuści, kobiety niegodne są życia**.

To sam, synuś, przyznasz – bardzo delikatnie nazywając i moje zdenerwowanie przy tym temperując – fajne ze strony Szymona Piotra raczej nie było. To było seksistowskie bezprzykładnie. Aż trudno uwierzyć, że pierwszy papież słowa tak nienawistne przeciwko kobietom wypowiedział. Skutki tej wypowiedzi dla repu-

---

* *Ewangelia Marii Magdaleny*, przeł. Jerzy Prokopiuk [w:] Marek Starowieyski, op. cit,. s. 125.
** *Ewangelia wg Tomasza*, przeł. Zakład Egiptologii Uniwersytetu Warszawskiego [w:] Marek Starowieyski, op. cit., s. 123.

tacji Marii Magdaleny bardzo długo odczuwalne były. Szczególnie gdy postawę stolicy Piotrowej dogłębnie rozważyć. Dopiero w roku 1969 za sprawą papieża Pawła VI niechlubne imię Marii Magdaleny z Magdali zostało oczyszczone. A dziewięć lat później, w roku 1978 z rzymskiego brewiarza poniżającą inwokację o MMM jako pokutnicy i wielkiej grzesznicy w końcu usunięto.

To wszystko, jak Bóg da, z Marią Magdaleną w Czyśćcu omówić mam zamiar, dlatego więc papierosy dzielnie skręcam i tanie koreańskie wino marki wino piję, inne wydatki, głównie na książki i czasopisma, ograniczam, aby koszty wyprawy integracyjnej bez konieczności brania lichwiarskiego kredytu z PKO BP Sp. bez o.o. (Piekielna Kasa Oszczędności, Bank Piekielny) udźwignąć. I gdy udźwignęłam i gdy już wątroba moja do alkoholu z porzeczek w winie z Korei Północnej się przystosowała, to ohydna wiadomość Piekłem wstrząsnęła. Niebo paszportu pewnej uczestniczce wycieczki integracyjnej do Czyśćca nie przyznało! Matylda Anastazja D., ostatnio w Białymstoku zamieszkała, w podaniu swoim z uprzejmą prośbą o wydanie paszportu w związku z podróżą integracyjną do „zaprzyjaźnionego Czyśćca" się zwróciła, trzy wymagane biometryczne fotografie do podania załączając. A nieznany póki co z nazwiska urzędas w Niebie, na piękne fotografie nie bacząc, po prostu sowieckie „niet" na podaniu napisał. Ot, tak. I że sprawę na tym zakończył myślał. Ale to, synuś, nie te czasy. Zupełnie nie te. I ten przygłup w „paszportach" to wiedzieć powinien. Matylda Anastazja D. (MAD) jego „niet" na podaniu swoim zeskanowała i w akcie ostatecznej desperacji i rozpaczy na Fejsie w segmencie „moje fotografie" wystawiła. I Bogu chwała, bowiem inaczej cały ten incydent – jak wiele podobnych w historii Nieba – milczeniem okryty by na wieki pozostał i szybciutko miotłą cenzury pod dywan zamieciony.

Historia Matyldy smutna i poruszająca jest. Pewnego wieczoru dwójkę swoich kilkuletnich synków do snu ułożyła. W pokoju dziecięcym niespłaconego jeszcze mieszkania na jedenastym piętrze tak zwanego wieżowca na jednym z białostockich blokowisk, jakich wiele w Polsce. W normalnym M3 z normalnym M1 pewnego krawca sąsiadującym. „Pan Marianek", jak go na osiedlu nazywano, przemiłym sąsiadem był. Uczynny, szarmancki, nie wadził nikomu. Tak zwany dobry człowiek. Tyle że najczęściej pijany. Ponieważ na smutno, samotnie i w ciszy się upijał, nałóg jego dla sąsiadów uciążliwy nie był. Tej nocy, gdy dzieciątka Matyldy spokojnie za ścianą spały, pan Marianek co dopiero uszyty garnitur dla ważnego klienta prasował. I przy prasowaniu zasnął, żelazko na prasowalnicy przez brak koncentracji alkoholem spowodowanej stawiając. Najpierw ogień prasowalnicę zajął, potem ciało pana Marianka, a następnie całe M1. Po krótkiej chwili także sąsiadujące M3 pogrążonej we śnie Matyldy Anastazji. Strażacy dziennikarzom mówili, że szans na uratowanie „rodziny D." nie mieli. Na jedenaste piętro dotarli, gdy już go „jako substancji mieszkalnej" tak naprawdę nie było. Zwęglone zwłoki Matyldy i chłopców zidentyfikował Łukasz, mąż Matyldy, który nie spłonął razem z nią i synami tylko dlatego, że tej nocy jako monter trzecią zmianę w fabryce swojej odrabiał. Nocki brał, bo za nocki lepiej płacili, co na możliwość przedwczesnej spłaty kredytu się istotnie przekładało. Dwa dni później Łukasz, na pogrzeb najbliższych swoich nie czekając, papierowe plomby (przez strażaków naklejone) na drzwiach na jedenaste piętro prowadzących zerwał, przez właz na dach wieżowca się przecisnął, a następnie z tego dachu skoczył. Ot, taka historia, synuś. Jakich wiele.

Gdy takie fakty do świadomości mojej trafiają, to mi się synuś czasami zdaje, iż Bóg niezdrowe poczucie humoru posiada, i że kiedy Łukasz roztrzaskał się o cementowy chodnik pod blokiem, to Bóg się roześmiał.

Matylda Anastazja kochała Łukasza tak samo mocno jak i Łukasz ją. A oboje dzieci swoje jeszcze mocniej. Gdy Matylda w Niebie, a Łukasz w Piekle o integracji w Czyśćcu się dowiedzieli, to sam synuś rozumiesz, co poczuć mogli. I wtedy ten nieskończenie wredny durak od paszportów „niet" napisał. Nie ma takiej skali, na której wspóczynnik emocjonalnej inteligencji tego palanta zmierzyć by można. No nie ma. Bo takiej liczby ujemnej na normalnej liniowej skali przedstawić graficznie nie sposób. Chyba że na logarytmicznej, ale i co do tego pewności nie mam. I gdy ta historia za sprawą zrozpaczonej Matyldy na Fejsie się pojawiła, to pierwsze, co w sieci się pojawiło (Facebook, Tweeter, VKontakte.hell.ru, że tylko najważniejsze adresy wymienię), to angielskie słowo MADNESS przez wszystkie przypadki odmieniane i wszelkimi przekleństwami we wszystkich językach wszechświata poprzedzane. Niebo sytuacją przymuszone oficjalny komunikat w końcu wydało, co niezwykłą rzadkością jest, w którym na swoją „niewzruszoną suwerenność" się powołując, informowało, iż „decyzja św. Arkadiusza P., urzędnika biura paszportowego zatrudnionego w Ministerstwie Ochrony Wiary, w pełni reprezentuje pogląd Nieba, ponieważ w przypadku obywatelki św. Matyldy Anastazji D. istnieje uzasadnione domniemanie, że celem opuszczenia Nieba jest nie pobyt tymczasowy poza granicami, ale stały. W tej sytuacji słusznie, w obronie interesów Nieba, urzędnik zareagował prewencyjnie. Decyzja jest ostateczna i nieodwołalna. Niebo nigdy w historii nie ulegało presji oszołomów i w tym wypadku również nie ulegnie". Potem pojawiał się zamaszysty podpis hebrajskie znaki zawierający, jak również obraz majestatycznej pieczęci symbolem gwiazdy Dawidowej naznaczony.

Komunikat ten jedynie społeczność w Piekle rozjuszył. Łącznie, synuś, ze mną. Na dodatek także Czyściec poruszył! To precedens unikalny synuś czyni, bowiem my tutaj w Piekle rozjuszać się możemy, nic w gruncie rzeczy nie ryzykując, ale oni w Czyśćcu to do stracenia mają dużo. Przed wszystkimi konsulatami, ambasadami, przedstawicielstwami Nieba demonstracje się liczne odbywały. W dzień burzliwe, ale bez agresji i rozruchów, nocą spokojne przy świecach i na refleksyjnym czuwaniu spędzane. Ja synuś z demonstracjami za życia niewiele do czynienia miałam, bo to czasy takie były, że demonstracje można było po dokładnym zamknięciu drzwi i okien swojego mieszkania organizować. Dla mnie więc to jednocześnie lekcja demokracji w praktyce była. Do dzisiaj na czole oraz dłoniach blaknące powoli kontury tatuaży z henny posiadam. Gdy spoglądam na nie czasami, z samej siebie śmiać mi się synuś chce. „Heaven please release your MADness. Make more space for your WISDOM!!!" i inne takie głupoty na stare lata mi tatuować i przeżywać przyszło. Ale demokracja jest fajna. Nie pojmuję, jak się bez niej na ziemi obywać mogłam. Za diabła nie pojmuję, Nusza.

Do samego trzydziestego pierwszego sierpnia na zmianę „ostatecznej i nieodwołalnej" decyzji Nieba w jakimś gęstniejącym z minuty na minutę tłumie przed ambasadą czekałam. Ale Niebo – jak się spodziewałam – jest tak samo nieugięte jak wszystkie monoteistyczne dyktatury. Spodziewać się najgorszego, ale w cud wierzyć to dwie sprawy oddzielne. Tak sobie pomyślałam synuś. I nie wiem dlaczego, ale o księdzu Tischnerze tego

dnia upadku Nieba pomyślałam. I to w kontekście filozoficzno-
-zabawnym. Ponieważ Tischner właśnie swoją zabawnością
Niebo w jakiś taki piękny sposób usprawiedliwiał. Słuchając jego,
wiele Niebu wybaczyć przychodziło łatwiej. Bo jeśli ktoś taki jak
Tischner Niebu zawierza, to może jednak warto? Pamiętam
anegdotę (rzekomo jak najbardziej prawdziwą), która w puencie
swojej wierzenia profesora Tischnera obrazuje nad wyraz wy-
mownie. Dnia pewnego Tischner po ciężkiej i mozolnej pracy
duszpasterskiej wieczorem późnym zmęczony do plebanii swojej
powrócił. Zapytany, czy „gdyby jakieś telefony w nocy, to czy
budzić księdza?", odparł krótko: „Tak, ale tylko wtedy, gdy za-
dzwonią z wiadomością, że zniesiono celibat". Nikt z taką wiadomością oczywiście nie zadzwonił. A Tischner to wiedział, więc
spokojnej niezakłóconej nocy pewien być mógł. Ale pomimo to
rano, jak na granicy pewności przypuszczam, pierwszą myśl swoją
Bogu podarował.

Z taką wiadomością także nikt trzydziestego pierwszego sierpnia roku 2011 nie zadzwonił. Niebo przy decyzji więzienia swojej
MAD wytrwale trwało. Co jedynie martyrologiczno-histeryczne
reakcje wywołało. Ale także inne, konkretne i namacalne. Okazało się, że na wycieczkę integracyjną do Czyśćca pojedzie oficjalna delegacja plus kilkunastu przekupionych „zdrajców i sprze-
dawczyków", jak ich nazwano. Prawie cała reszta w gremialnym
akcie protestu swoje vouchery krótko po północy pierwszego

września spaliła. Ja takich aktów synuś nie lubię. Publiczne podpalanie dużej ilości papieru, w nocy, na jakimś placu, przy okrzykach tłumu i przemówieniach zachrypniętych liderów mi się bardzo źle i głównie z nazistami kojarzy. Ale to mojego pokolenia cecha.

Krótko mówiąc, Nusza, nie przyjdzie mi spotkać Marii Magdaleny z Magdali. Ani Matyldy Anastazji D. Smutkiem i rozczarowaniem mnie to wypełniło. Ale życie (co do tego, czy ja żyję tutaj, pewności nie mam) głównie ze smutku się składa. Ale mu się jakoś przeciwstawić można i go różnymi metodami oszukać. W tym przekonaniu godzinę i pół po północy, września pierwszego, do baru w te pędy podreptałam i prawdziwe czerwone marlboro przez robotników firmy Philip Morris skręcone oraz dobrą osiemnastoletnią szkocką whisky zakupiłam. Na krechę, ale barman nie dość, że Polak, to do tego mi z jakiegoś powodu bezgranicznie ufa, więc problemu nie było. Oszczędzanie z powodu nieodwołalnej decyzji Nieba nagle cały piękny sens straciło. To nie pierwszy raz, gdy Niebo ogromnym rozczarowaniem mi się jawi. Ale i to kolejne rozczarowanie przetrwam synuś. Niebo się kiedyś w końcu opamięta. Poczekam. Czas mamy. I Niebo, i ja.

Ja czasami synuś czasu nienawidzę. Że tak sobie bezkarnie płynie. Raz szybciej, raz wolniej. I w jednym kierunku tylko. To zły pomysł był, ktokolwiek to wymyślił. Wrzesień roku 2011 więc także w kierunku października popłynął. Jak każdy wrzesień od wymyślenia kalendarza. W czwartek 22 września o Kaziczku myślałam. On po urodzeniu śliczny był. Nie taki jak Ty brzydal. „Najpiękniejszy bękart na Mokrem", jak razu pewnego w rozczuleniu Leon o Kaziczku powiedział. Ale Leon obiektywny być nie mógł, szczególnie że to jego pierwszy syn, którego mu podarowałam. Chociaż przy Tobie to na sam szczyt nieobiektywności się wspiął. Zachwyt Tobą jako niemowlęciem to doskonały dowód na to, jak silne emocje pracy umysłu poważnie przeszkodzić potrafią. Ty synuś najbrzydszym noworodkiem, jakiego na świat wydać można, byłeś. Ale pomimo to Leon się Tobą zachwycił. Obszar mózgu za percepcję sygnałów wzrokowych odpowiedzialny musiał w tym momencie mieć widocznie poważnie zaburzony.

Potem na ziemi październik ze swoim chłodem. Tęskniłam za widokiem umierających swoimi odcieniami brązu liści, za zapachem mchu w lesie, za pierwszymi koronkami z kryształków lodu na pajęczynach, za workami kartofli na zimę, za słoikami grzybów na półkach w piwnicy, za bulgotem odrobiny wody w szklanej rurce przyklejonej woskiem do butli z Leonowym winem z głogu, które na moje imieniny 20 października przypadające dojrzałe i smaczne być winno.

Listopad refleksyjnie i radośnie się dla mnie rozpoczął. Myśli w głowach bliskich na ukwieconą mogiłę moją na cmentarzu w Toruniu spoglądających ciepłem swoim ogrzewały, podobnie jak płomienie zniczy. Ciebie, synuś, przy grobie nie było. Ale obecność tęsknoty Twojej wyraźnie czułam. Szczególnie intensywnie, kiedy późnym wieczorem po pracy bramę małego cmentarza na obrzeżach Frankfurtu nad Menem przekroczyłeś i na bezimiennej mogile, niedaleko kapliczki ulokowanej, znicz zapaliłeś i białą różę położyłeś. A następnie przykląkłeś, łzy ukradkiem ocierałeś oraz najświeższe wiadomości z życia Twego mi przekazywałeś. A potem z kolan wstałeś, papierosy paliłeś i w migoczący płomyk znicza zmęczonymi oczami swoimi się wpatrywałeś, różne nasze wspólne sprawy przy tym wspominając. A następnie grabarz tym cmentarzem się opiekujący do domu Cię w języku turecko-niemieckim przegonił, ponieważ w Niemczech nawet pierwszego listopada *Ordnung muss sein* i jak na tablicy zapisane, że godziny otwarcia są do dwudziestej pierwszej, to ani minuty dłużej, bo zmiłuj się w Niemczech jest *verboten*.

W listopadzie roku 2011 jeszcze jeden cmentarz odwiedziłeś. Chociaż w zupełnie innym mieście i przed symbolem innego krzyża nad mogiłą głowę z szacunkiem skłoniłeś. Poruszyło mnie to synuś bardzo, ponieważ tam w tej Moskwie przeganiali Cię jak kuriera DHL z miejsca na miejsce, z księgarni do czytelni, z radia do telewizora, z telewizora do portalu, a z portalu na wywiad. I nie tylko Ciebie, bo tę Rosjankę (niewiasta urody niecodziennej i na dodatek ruda), co z Tobą książkę we współpracy napisać zechciała, także. A Ty się dnia drugiego postawiłeś i trzy godziny czasu tylko dla siebie zażądałeś, coby przy grobie innej Rosjanki o imieniu Masza na bardzo odległym od centrum Moskwy cmentarzu stanąć i piętnaście minut swojej uwagi pamięci tej przedwcześnie i tragicznie zmarłej kobiety w spokoju podarować. Ponieważ Maria Jefimowa, dla Ciebie od początku „Masza", lat dwadzieścia pięć, w pamięć i w serce Twoje głęboko zapadła. Pierwsza kobieta, której dłoń przy powitaniu ucałowałeś, gdy pierwszy w życiu raz na rosyjskiej ziemi stopy swoje postawiłeś w roku 2007. Z powodu swoich książek i na zaproszenie Rosjan tam poleciałeś, obie wnuczki moje śliczne – w celach turystycznych oraz edukacyjnych – ze sobą zabierając. A Jefimowa Maria miała Cię, w imieniu wydawnictwa oraz jako pracownik wydawnictwa, „maksymalnie wykorzystać". Ale Masza „wykorzystywała" Cię z czułością ogromną. Dbała o to, abyś czas na posiłki miał, kierowcę z samochodem córkom Twoim przydzieliła, abyś troski o nie odczuwać nie musiał, podczas gdy swoją rozklekotaną ładą – w krótkich przerwach jako „czas wolny" określonych – po makabrycznie zatłoczonej Moskwie Cię woziła. Słodycze, od których uzależniony jesteś, Ci kupowała, i papierosy także. A gdy dotkliwy chłód w Moskwie nastał, to szalikiem zielonym szyję Ci okręciła. A kiedy Moskwę opuszczaliście w kierunku Sankt Petersburga, w dalszą podróż się udając, to torbę z kanapkami, owocami i winem Ci na Dworcu Leningradzkim wręczyła. Masza, jednym słowem, „wykorzystywała" Cię *prie-krasno*. Gdy w roku następnym na wrześniowy jarmark książek w Moskwie Cię przywołano, to na powtórne spotkanie z Maszą bardzo się cieszyłeś. Ale to radość przedwczesna była. Masza powitać Cię na lotnisku nie mogła, ponieważ kilka miesięcy wcześniej, 8 maja A.D. 2008, bez ostrzeżenia i bez pożegnania z kimkolwiek definitywnie odeszła. I to w okolicznościach nader tragicznych. Niepogodzony z tym, że miłość Maszy do niego umarła, jej narzeczony na ostatnią rozmowę „pojednawczą" Maszeńkę zaprosił. Przy czym na rozmowę ową do parku motocyklem udać się mieli. Pogoda w Moskwie w tym dniu słoneczna była, drogi suche i puste, bowiem prawie cała Moskwa, z okazji Dnia Zwycięstwa swój patriotyzm wyrażając, wódkę na daczach przy grillach piła. Pomimo to, przejeżdżając opustoszałą, szeroką aleją, prawie nowy motocykl narzeczonego w latarnię uliczną z całym impetem uderzył. Narzeczony na miejscu zginął, a Masza kilka minut później od poniesionych ran głowy umarła. Ty z tym bez pożegnania odejściem Marii Jefimowej, lat 25, pogodzić się nie chciałeś, więc we wrześniu A.D. 2008 z obolałymi i okaleczonymi od ciągle świeżej rozpaczy matką i siostrą Maszy na cmentarz się udałeś. I od tego czasu, gdy w Moskwie przebywasz, to zawsze na ten cmentarz się udajesz. „Choćby nie wiem co", jak sam o tym powiadasz.

A potem w ślad za cmentarnie nostalgicznym listopadem zimowy grudzień nieuchronnie nadszedł. Biel i chłód śniegu sobie tęsknie przypominałam, Twoją radość, gdy z zakupionym w sklepie sportowym na ulicy Szerokiej kijem hokejowym po podwórku biegałeś, twoje zmarznięte stopy, gdy je dłońmi swoimi rozcierałam, zapach jabłek „z rurki" w piecu, nocne kolejki przed mięsnymi, aby na świątecznym stole nic ważnego nie zabrakło, kolejki po pomarańcze, które do Polski w ładowniach statków „z bratniej Kuby" płynęły, chociaż czasami – z przyczyn niewyjaśnianych – do Szczecina, Gdyni lub Gdańska nie docierały.

Ale dla mnie synuś, to przedświąteczne zabieganie tylko skrupulatnym i jak najbardziej wartym wysiłku gromadzeniem dekoracji do nadchodzącego spektaklu było. Bo Wigilia Bożego Narodzenia spektaklem jest, co by o niej nie mówić. Celebrację urodzin każdego człowieka – jeśli ma miejsce – jako spektakl o określonym scenariuszu traktować można. Ale ceremonia urodzin człowieka takiego jak Jezus Chrystus Nazareński reżyserii specjalnej wymaga. Przebieg tego przedstawienia – co zrozumiałym mi się wydaje – przez długie wieki przeróżnym modyfikacjom ulegał. W zależności od kraju, tradycji (także kulinarnych), a czasami nawet jedynie od panującego klimatu (bo trudno śniegu w australijskim, skąpanym letnim słońcem, Sydney w grudniu oczekiwać). Myślę jednak, Nusza, że my w Polsce naszej pomiędzy Odrą i Bugiem oraz od Helu po Morskie Oko inscenizację ze wszystkich najpiękniejszą odgrywamy. I za każdym razem uroczystą prapremierę z tego czynimy. Wykwintnym strojem, podniosłym nastrojem i wzruszeniem przy opłatku to akcentując. A to słuszne jak najbardziej jest, ponieważ człowiek, dla dobra mózgu i duszy własnej, chociaż raz w roku do teatru chadzać powinien. Jeśli nawet dramat w kanon teatru jak najbardziej wyznaniowego, w dobrej i sprawdzonej tradycji żydowskiej, się wpisuje.

Dlatego ja synuś Wigilię Bożego Narodzenia w Piekle ze wzruszeniem świętuję.

I świętować do końca świata zamierzam. Tak jak wieczorem 24 grudnia A.D. 2011. Z choinką, którą na czarnym rynku zakupiłam, z karpiem, którego za niewielką opłatą mój sąsiad z Algierii mi zabił, z pierogami kapustą i grzybami wypełnionymi, ze śledziami i w oliwie, i w śmietanie utopionymi, z barszczem naszym polskim, a nie ukraińskim, ze słomą pod obrusem i wolnym krzesłem obok mnie przed pustym talerzem czekającym na zbłąkanego i samotnego. I opłatkiem na talerzyku najpiękniejszym, jaki można mieć. Trochę potłuczonym, ale takim najbardziej do tego jak u nas w kuchni na Podgórnej w Toruniu podobnym. I ten opłatek podniosłam i na wiele części łamałam, każdą oddzielnie połykając. I gdy wszystkie części połknęłam, to sobie że obdrapany talerzyk drzwiami do Nieba jest wyobraziłam. I zapukałam. I potem drugi raz, a następnie trzeci. I gdy przy ósmym nikt nie otwierał, to pomyślałam, że Niebo ciągle jeszcze czasu potrzebuje. I się synuś popłakałam.

I gdy po pasterce, w kącie mojej celi odbytej, do środka celi powróciłam, to najbardziej do Ciebie chciałam. Aby Ci wszystko opowiedzieć. I te kolędy, i to uniesienie moje niezwykłe. I pośpiesznie na Fejsa weszłam. W dniu urodzin JCN. A tam w mojej skrzynce tysiące wiadomości. I JP Morgan, i Petro China, i General Electric, i Microsoft, i Google, i Gazprom, i Mercedes, i Apple, i BMW, i prawie wszyscy z listy Forbes Global 2000 napisali plus pan Eugeniusz, zastępca kierownika osiedlowego spożywczaka z Inowrocławia. Wcale nie jakimiś oklepanymi życzeniami *Merry Christmas* uszczęśliwić mnie pragnęli. Raczej wyciągami z konta, synuś. Z sumami przelewów na moje konto, Nusza. Bo ja najskuteczniejszy marketing Piekła rzekomo robię, a to zawsze się dobrze na sprzedaż przekłada. Ponieważ ludzie Piekłem przestraszeni chcą na ziemi wzmożoną konsumpcją swój lęk udobruchać. Tak im z psychologii zachowań rynkowych wynika. I gdy do rana policzyłam te euro, te dolary amerykańskie, te dolary australijskie, te kanadyjskie, te funty wszelakie i ruble i także te juany oraz jeny oraz 99 złotych i 90 groszy z Inowrocławia, to mi synuś wyszło, że ja bogata jestem. Bardzo bogata. Najbardziej bogata w Piekle. I gdy tak dokładnie policzyłam, tak najbardziej co do grosza dokładnie, to mi wyszło, że ja mogę to całe Piekło wykupić. Ja im dam marketing, synuś! Taki, że popamiętają i psychologię zachowań rynkowych na nowo napiszą! I rano, w dzień Bożego Narodzenia wykupiłam 50+1 akcji Piekła. I Bogu w transakcji legalnej w dniu urodzin syna Jego w prezencie przekazałam. Coby się o mnie zatroszczył. Bo ja, synuś, bez Boga nie mogę. Tak jak bez Ciebie…

Irena

PS. A jak czas, synuś, znajdziesz, to napisz kiedyś…